果树设施栽培原理

樊　巍　王志强　周可义　主编

黄河水利出版社

图书在版编目(CIP)数据

果树设施栽培原理/樊　巍,王志强,周可义主编.
—郑州:黄河水利出版社,2001.8(2002.3重印)
ISBN 7－80621－449－6

Ⅰ.果…　Ⅱ.①樊…②王…③周…　Ⅲ.果树－保
护地栽培　Ⅳ.S628

中国版本图书馆 CIP 数据核字(2000)第 51612 号

责任编辑:杜亚娟　　　　　　　　封面设计:谢　萍
责任校对:周　宏　　　　　　　　责任印制:温红建

出版发行:黄河水利出版社
　　　　　地址:河南省郑州市金水路 11 号　邮编:450003
　　　　　发行部电话及传真:(0371)6022620
　　　　　E-mail:yrcp@public2.zz.ha.cn
印　　刷:黄河水利委员会印刷厂
开　　本:850mm×1 168mm　1/32　　　印　张:12.875
版　　次:2001 年 8 月　第 1 版　　　印　数:2 801—4 300
印　　次:2002 年 3 月　郑州第 2 次印刷　字　数:323 千字

定　价:28.00 元

前　言

　　果树设施栽培是指利用温室、塑料大棚或其他设施,改变或控制果树生长发育的环境因子(包括光照、温度、水分、二氧化碳等),达到特定果树生产目标(促早、抑后、改善品质等)的特殊栽培技术。它对调节市场供应,提高果品产量和品质,生产无公害绿色果品,扩大果树栽培范围,充分利用土地和人力资源,提高经济效益,有着重要意义。

　　改革开放以来,我国果树设施栽培得到了长足的发展。据不完全统计,截至 1999 年,全国果树设施栽培面积已达 4.67 万 hm^2,呈现出产业化发展的良好势头。果树设施栽培已成为我国现代高效农业的重要发展模式。

　　和露地栽培相比,果树设施栽培技术是一个全新的体制。由于在设施栽培条件下,温度、湿度、光照等环境因子的改变,必然导致果树的生长发育过程发生变化,相应地,果树对这些变化也在生长和基础生理方面进行响应,这必然导致设施栽培条件下,从果树品种选择、栽培模式、树体调控技术、环境调控技术、肥水管理技术到病虫害防治技术等一系列技术与露地栽培体制的不同。

　　目前,我国果树设施栽培技术多是延用露地或群众在生产中总结的技术,缺乏建立在一定理论基础上的规范化、模式化栽培技术。河南省林业科学研究所、中国农业科学院郑州果树研究所从 90 年代初就开始协作进行果树设施栽培的研究工作。从 1995 年开始,河南省科委把果树设施栽培技术研究作为重点攻关项目进行立项研究。协作组先后对桃、油桃、樱桃、杏、李、葡萄、草莓等品种设施栽培配套技术,特别是设施栽培对果树生长发育和基础生理过程的影响、果树设施栽培的树体调控、环境调控等模式化技术进行了深入研究,取得了一批有价值的成果。《果树高效设施栽培综合技术研究》获 1998 年河南省科技进步二等奖;《油桃设施栽培生育特性、生理反应及模式化栽培技术研究》通过了省科委主持的鉴定,被评为"达到国际同类研究的先进水平";主编之一王志强同志的博士论文《油桃设施栽培的生理反应及高效栽培模式建立》通过答辩。本书就是以上述科研成果为基础,参考国内外资料编写的。

全书共 12 章,分上、下两篇。上篇总论,1~6 章,论述了果树设施栽培的概念、分类、特点及国内外发展现状;设施的类型、建造及设施环境因子变化规律及调控技术;果树设施栽培的生长反应;设施栽培对果树基础生理过程的影响;果树设施栽培品种的选择、树体调控等关键技术。下篇各论,7~12 章,系统介绍了草莓、葡萄、桃、樱桃、杏、李的设施栽培配套技术。可供从事果树设施栽培研究和应用的科技工作者及广大果农参考。

本书编著者分工如下:第一、六章由樊巍编写;第二、三章由周可义、杨一松编写;第四、五、九章由王志强和樊巍编写;第七章由刘唤晨编写;第八、十章由王齐瑞、沈植国编写;第十一、十二章由栗继轩、王理安编写。全书由樊巍、王志强、周可义统稿、定稿。

在项目完成及本书编写出版过程中,得到了河南省科委、河南省林业厅和编著者所在单位领导、同事,以及中南林学院何方教授的指导、支持和帮助,在此一并致以衷心的感谢。同时,在编写过程中还参考了全国各地大量的研究成果,限于篇幅未能全部列入,在此也致以感谢。

由于果树设施栽培研究和生产时间较短,加之我们水平有限,本书难免有错漏之处,恳请读者批评指正。

编著者
2000 年 8 月

目　录

上篇　总　论

上篇　总　论

第一章 绪 论

第一节 果树设施栽培概述

果树生产是农业生产的重要组成部分,对改善食品结构,满足人民需求,繁荣市场供应,增加经济收入,促进农村经济发展有着重要的意义。改革开放以来,我国的果树生产得到了迅速发展,截至 1998 年,全国果树面积已达 863.5 万 hm^2,总产量已达 5 452.9 万 t,人均占有果品 44.8kg。随着经济的发展、人民生活水平的提高和对外开放的不断扩大,对果品的需求,不仅在数量上,而且在质量上、品种的多样化上、淡季市场的供应上都提出了更高的要求。果树设施栽培技术就是适应这种需要发展起来的一种现代果树栽培技术。

一、果树设施栽培的概念

果树设施栽培,是指利用温室、塑料大棚或其他设施,改变或控制果树生长发育的环境因子(包括光照、温度、水分、二氧化碳等),达到特定果树生产目标(促早、抑后、改善品质等)的特殊栽培技术(李宪利等,1996;王中英等,1997;樊巍等,1998;王志强等,1999;高东升等,1999)。作为果树栽培的一种特殊形式,设施栽培已有 100 多年的历史。20 世纪 70 年代以来,随着果树栽培集约化的发展,人们对淡季果品需求的增加以及塑料工业和设施农业的发展,促进了果树设施栽培的迅猛发展。与此相适应,世界各国陆续开展了果树设施栽培理论和技术的研究,经过 20 多年的发展,目前,果树设施栽培已成为果树栽培学的一个重要分支(李宪利,1996;Lalatta F.,1976)。

和露地栽培相比,果树设施栽培是一个全新的体制。由于在设施栽培条件下,温度、湿度、光照、二氧化碳等环境因子的改变,必然导致果树的生长发育过程发生变化,相应地,果树对这些变化也会在生长和生理方面进行响应,这必然导致在这一特殊栽培形式下,从果树品种选择、栽培模式、整形修剪和树体调控技术、环境调控技术、肥水管理技术到病虫害防治技术等一系列技术和露地栽培体制的不同。因此,总结果树设施栽培的理论和技术,对促进果树设施栽培技术的发展,丰富果树栽培学的内容有着重要的意义。

二、果树设施栽培的类型

根据当前国内外果树设施栽培的发展现状和设施栽培的目的,我们把果树设施栽培分为以下 4 类:

(1)促早栽培。通过设施栽培达到果品提早上市的目的。这是目前国内外果树设施栽培最主要的形式。这种形式的主要技术特点是利用设施和其他技术手段,打破果树休眠,使其提前生长,果实提早成熟、提早上市。

(2)延迟栽培。主要是通过设施栽培和其他技术措施,使果树延迟生长,果实延迟成熟、延迟上市。目前这一栽培方式在草莓、葡萄、桃上已试验成功。

(3)避雨栽培。在雨水较多的地区,对樱桃、桃、葡萄等容易出现裂果的品种,通过设施和覆盖防止裂果,提高品质和商品价值。

(4)异地栽培。在设施栽培条件下,各种环境因子可人为控制,因此,只要创造出适合果树生长发育的环境条件,就可以不受地理经纬度和果树自然分布的制约,在不适于自然生长的地区栽培果树。如我国通过设施栽培已成功地将亚热带果树柑橘、佛手和热带水果菠萝、木瓜在北方引种栽培。

也有些文献是根据设施类型对果树设施栽培进行分类的(李宪利等,1996;王中英等,1997)。

第二节　果树设施栽培的特点和意义

一、调节市场供应

随着经济的发展、对外开放的扩大和人民生活水平的提高,人们对水果的需求也发生了变化,不仅表现在数量上增加,而且对质量提出了更高的要求。在水果供应淡季,只靠少数几种大宗贮藏水果已不能满足消费者的需求。在设施栽培条件下,可以人为地控制环境条件,来满足果树生长发育的需要,不仅可使部分果树提早或延迟成熟,而且可以使一些果树四季结果,周年供应市场。目前的栽培技术已能够达到草莓和葡萄一年四季结果;樱桃、杏在3～4月份成熟;桃、油桃、李在4～5月份成熟,桃延迟到11月底成熟。

二、提高果品产量和品质

一些早春果树,如樱桃、杏、李等,易受早春低温冻害的影响,产量低而不稳。如杏、樱桃,经常出现"春天一树花,到头不见果"的现象。利用设施栽培,可以有效地防止这类自然灾害的发生,大幅度提高果品产量。据河南省林业科学研究所试验,大棚栽培可使莱阳矮樱桃产量提高41.5%。

有些果树,如樱桃、葡萄、桃、油桃等,在果实成熟时如遇雨水,容易出现裂果,降低了果品的商品价值。设施栽培可以避开降雨等不良天气的影响,大大提高果品质量和商品价值。根据河南省林业科学研究所试验,大棚栽培的矮樱桃采前裂果由20%降低到6.8%,华光油桃的采前裂果由32.1%降低到9.3%。

三、提高经济效益

果树设施栽培多是以淡季供应和提高品质为目标,因此,同露地相比,其经济效益也就高得多。根据河南省果树设施栽培科研协作组的资料,在大棚栽培条件下,曙光油桃当年定植,第二年丰产,每公顷产量34 770kg,成熟期提前30~40天,纯收入达6.7万元,是露地的9.3倍;矮樱桃当年定植,第二年见果,第三年丰产,每公顷产量达16 875kg,成熟期提前35~45天,纯收入2.42万元,为露地的4.9倍;京亚葡萄当年定植,第三年丰产,每公顷产量3.75万~4.80万kg,成熟期提前30天,纯收入1.5万元,为露地的5倍(樊巍等,1998)。

根据目前国内果树设施栽培报道总结,采用设施栽培,每公顷草莓可实现经济效益15万~30万元,葡萄30万~90万元,油桃和桃30万~60万元,樱桃45万~90万元,杏30万~45万元,与露地栽培相比较,果树设施栽培的经济效益提高2~15倍(王金政,1998;李莉,1999)。

四、生产无公害绿色果品

由于设施栽培的环境相对密闭,并可以对多种生态因子进行人为调控,因此,各种病虫害的发生和传播受到有效的控制,可少施或不施农药,减少污染,为生产无公害绿色果品开辟了一条有效途径。

五、扩大了果树的栽培范围

通过设施栽培,人为调控环境因子,可以使果树从原产地向非自然分布区迁移栽培,使其种植范围大大扩大。

六、充分利用土地和人力资源

设施栽培,在人工控制环境的条件下,生产不受季节限制,如草莓、葡萄基本上可做到周年供应市场。这样就可以使土地利用率提高1倍左右。设施栽培还可以进行立体化生产,充分利用空间,做到果树和草莓、蔬菜的科学搭配,能使有限的土地资源得到更充分地利用。

由于采用设施栽培冬季也可以进行生产,改冬闲为冬忙,使劳动力资源也得到了充分利用。

第三节　国内外果树设施栽培的历史、现状和发展趋势

一、国外果树设施栽培的历史与现状

人类采用设施的方法种植植物,起源于何年何月,历史学家提供不出确切的证据。但莱蒙(Lemmen,1962)引用了柏拉图(Plato)的著作。柏拉图在公元前4世纪便在他的著作中指出,当时植物已在人工保护地上培植生长。莱蒙还提到班克斯先生(Joseph Banks)曾说过,早在罗马时代,果树在用称之为"白云母玻璃"的云母薄片覆盖下生长,能够使果实早熟。当时的结构比较简陋,大多数是把果树种在坑里,上面盖上云母薄片,靠肥料分解和烟道,为果树提供热量。1385年在法国的波依斯戴郁,人们在朝南的玻璃亭中栽花(莱蒙,1962)。在塔夫脱(Taft,1926)的著作中,也有关于在英国切尔塞郡艾普塞卡里斯公园里建造玻璃房子的资料。这种玻璃房四周是高大的玻璃墙,但屋顶不透光。16世纪末,法国在波陶(Poitou)地区,进行桃早熟栽培,即在桃树下覆盖砾石,经常浇温水,到5月1日桃果成熟运到巴黎出售。到17世纪末,法

国就建立了栽培热带果树柑橘的凡尔赛大温室。此后,在西欧其他国家,也相继发展了果树设施栽培,例如公元1619年,德国出现了最早利用玻璃温室保护甜橙安全越冬的技术,至今德语的"玻璃温室"原文仍为甜橙之意(orangery),英语为(orange)。这座温室是建立在巴登洲海德尔堡(Baden Hedeleiberg)的地方,索洛门·德·卡斯(Solomon de Casu)氏旧场内,全长85m,宽9.8m,为临时性双屋面温室。结构是木板组装,四壁有几个门,当外界冷时,用木板挡住门口。在屋顶上设透光兼通风用的玻璃窗户,能自由开关,在屋内有4个火炉,这样的温室可以保护4 000株甜橙安全越冬(刘恩璞,1996)。

在法国博物学家阿丹桑(Adangson,1720~1806)1750年的著作中,有关于荷兰果树促成栽培的详细记录。在威廉一世(Willan一世,1772~1843)初期米勒氏用栎木(或称橡树)建造起来的加温温室中,首先栽培的就是热带果树柑橘,以后改为凤梨。1832年在荷兰全国各地,利用木框温床和温室进行葡萄和甜瓜的早熟栽培,产品运往巴黎和伦敦出售。1800年以前,美国只有1家商用温室从事园艺生产,1820年前增至3家,到1910年增加到975.45hm^2。实践证明,玻璃温室较纸窗温室结实耐用,而且透光性良好,很少污染,这就使温室的结构与性能大为改善,发展速度很快,栽培作物种类很多,所以,到目前为止,仍有一些国家大量发展玻璃温室,有名的伦敦温室、荷兰温室、北京温室等都是杰出的玻璃温室代表。但是,玻璃温室所用的玻璃较厚,搬运困难,容易破碎,成本高,而且紫外线光不易穿透,因此发展面积仍然受限制(刘恩璞,1996)。

1931年法国人莱达诺(Regnault)发现了聚氯乙烯的单体氯乙烯,并于1938年观察到了聚氯乙烯的聚合体,被认为是塑料工业的开始。塑料工业的发展为塑料温室的发展提供了保证。塑料在农业上的应用,始于1943年日本在北海道用聚乙烯薄膜进行水稻试验,获得成功,以后逐渐在设施果树生产上应用。由于玻璃工业和塑料工业的发展,又促进了设施果树生产的大发展(赵鸿钧,1987;FAO,1990)。

到了19世纪末20世纪初,在比利时、荷兰等国家,玻璃温室葡萄栽培已有了充分发展。在第二次世界大战前的1940年,荷兰大约有5 000个葡萄温室,占地面积860hm²,主要分布在海牙郊区;比利时大约有3 500个葡萄温室,占地面积525hm²,集中分布在布鲁塞尔南部。20世纪60年代,比利时已拥有33 000个温室,专门生产优质鲜食葡萄、早熟草莓和桃。西欧的果树设施栽培发展到19世纪时,不仅有葡萄的设施栽培,而且还发展了草莓、桃、柑橘、石榴、无花果、凤梨等果树的设施栽培。在这个时期,比利时有6 000个以上栽培凤梨的温室。在20世纪前,中欧果树设施栽培仍以葡萄为主,在核果类中以桃、李、樱桃居多,仁果类中的苹果、梨等设施栽培也有较大发展,但数量仍赶不上核果类和浆果类(刘恩璞,1996)。

目前,欧洲果树设施栽培最为发达的是意大利,其次是法国,因为地中海冬季温暖多雨的气候最适于果树设施生产。意大利果树设施栽培主要集中在南部和西西里岛地区,以油桃、鲜食葡萄和草莓为主,少量李、杏、樱桃,面积约7 000hm²,多采用"V"字型整枝,一般成熟期提前30~40天,售价较露地提高1倍以上,经济效益十分显著(樊巍,2000)。

在亚洲北部的国家中,以经济发达的日本果树设施生产最发达,其葡萄设施栽培业开始得最早,面积最大。日本于1882年(明治15年)就开始了设施果树的研究,至今已有100多年的历史。到第二次世界大战前,已达到31hm²,但由于世界大战的爆发,日本的参战,果树设施栽培面积减少了50%。战后,日本果树设施栽培又重新得到恢复和发展,到1955年,其设施栽培面积基本恢复到了战前水平,1965年发展到120hm²,10年间扩大了4倍以上。以后随着塑料工业的发展,促进了日本塑料温室和塑料大棚的兴旺发达。例如1965年,日本塑料棚室面积为14.7hm^2,到1969年增加到410hm^2,仅4年面积扩大了26.9倍,到1981年日本的塑料棚室果树面积已达4 735hm^2(其中葡萄4 000hm^2),占日本整个果树栽培面积的1.2%。到1987年,全日本果树设施栽培面积已达8 545hm^2,另有设施草莓5 000hm^2。日本的葡萄设施栽培面积最大,约占各种果树设施栽培面积的73%,其次是草莓、樱桃、桃、柑橘、梨等。

在日本,草莓基本上采用设施栽培,目前已有90%以上的草莓实施不同形式的设施栽培,但大部分是采用日光温室栽培,采收期较露地可提前2~3个月。

在长期果树设施栽培实践中,日本积累了丰富的经验。从栽培树种看,除了重点发展葡萄设施栽培外,还积极发展柑橘、梨、草莓、桃、柿、无花果等果树设施栽培(鸭田福也,1990)。

韩国虽然果树设施栽培发展历史较短,但发展迅猛,多集中在南部的济州岛,种类有香蕉、菠萝、柑橘、芒果、葡萄等。目前已有设施香蕉331.4hm^2,菠萝160.1hm^2,柑橘52hm^2,其他果树683.7hm^2(高东升等,1999)。

目前,世界各国都在结合本国的具体情况,积极发展果树设施栽培,调节和改善水果市场供应。

二、我国果树设施栽培的历史与现状

据考证,我国设施园艺的发展起源于2 000多年前的秦,比欧洲人早了1 000多年(刘恩璞等,1996)。

17世纪末以后,随着国外玻璃温室的兴起,玻璃也逐渐传到我国,以玻璃温室取代了纸窗温室进行设施园艺生产。

20世纪50年代随着世界塑料工业的兴起,塑料与塑料工业技术及塑料棚室园艺生产技术传入我国,为我国塑料棚室园艺生产的发展奠定了基础。1958年山西农学院开始利用塑料薄膜覆盖西葫芦、黄瓜、豆角等进行蔬菜生产,收到了良好的效果。1978年黑龙江省齐齐哈尔园艺所开始了塑料薄膜日光温室葡萄栽培试验,获得成功后,又在塑料大棚内试验成功。1981年辽宁省本溪市立新区恩山岭大队在塑料薄膜温室中进行葡萄栽培试验,栽后第二年获得一年二茬果,每公顷产果60 825kg。1982年辽宁省果树研究所进行了塑料薄膜日光温室和大棚葡萄栽培试验,也获得了较好的效果。80年代初辽宁省瓦房店市又利用塑料大棚进行柑橘栽培,试验取得了成功。1991年辽宁省辽中县保护地桃树栽培成功;1994年山东莱阳地区保护地中国樱桃栽培试验成功;1996年河南省林业科学研究所、郑州果树研究所等单位协作进行了油桃设施栽培系列配套技术和基础生理的研究,取得重大突破,该成果获1998年河南省科技进步二等奖;1997年山东泰安李、杏设施栽培成功;1998年安徽枇杷设施栽培成功,山东设施引种栽培热带水果菠萝、木瓜成功。

近些年来,我国台湾地区集中了大量的人力和物力对果树产期调节的理论和技术进行了研究,取得了很大进展,使一些落叶果树如葡萄、梨、桃、李等果实收获期由一年一收增加到一年二至三收;使一些热带常绿果树如番石榴、木瓜、柠檬、杨桃等几乎一年四季都能结果,对解决淡季水果供应问题起了很大作用(孟新法,1996)。

果树设施栽培效益高、见效快,深受广大农民的欢迎,得到了各级政府的高度重视,因而发展迅速。据不完全统计,截至1999年,全国果树设施栽培面积已达4.67万 hm^2(李莉,1996)。而且形成了相对集中、规模发展的格局:现已初步形成了辽宁省盖州市、北京通州张家湾、青岛市莱西、河北省唐山市,河南省漯河市、开封市等地的设施葡萄生产基地;辽宁盖州、北京平谷、河北省石家庄郊区、山东冠县、平度,河南省郑州、洛阳郊区等地设施桃、油桃生产基地;山东烟台市设施樱桃、大樱桃生产基地;辽宁省丹东市、山东省龙口市、江苏省连云港市、河南省郑州市管城区等地的设施草莓生产基地等一大批果树设施栽培基地,呈现出产业化发展的良好势头。果树设施栽培已成为现代高效农业的重要发展模式。

三、我国果树设施栽培存在的问题及发展展望和对策

(一)存在问题

在果树设施栽培迅速发展的新形势下,生产需求与技术贮备不足的矛盾日益突出,使我国的果树设施栽培生产存在着不少亟待解决的问题。

1. 设施栽培树种方面

设施栽培树种结构不合理,草莓面积偏大,葡萄、桃发展面积过猛,樱桃、杏、李发展速度缓慢,而设施梨、苹果、柿、枣、猕猴桃等尚少有发展。由此造成市场供应不平衡,有些品种开始滞销,价格下跌,效益降低。

2. 品种资源方面

适宜设施栽培的品种少、单调,缺乏配套的系列化品种,不适应栽培品种多样化的要求。对多数品种来说,某些生物学习性(如休眠期、需冷量、花粉育性、花粉发芽力、适宜授粉组合、自花结实率等)多不清楚,因此,生产中扣棚升温的时间带有很大的盲目性,不能进行量化管理,坐果率低、产量低的问题十分突出。

3. 设施结构、材料方面

设施结构老化、落后、不规范,多数设施简陋,对光、温、湿等环境因素调控功能差;棚膜透光、透湿、保湿、耐候性、弹性、抗老化性等都不适应果树设施栽培的要求,缺乏果树设施专用棚膜;保温材料多为传统草苫,保温性能差、沉重、不耐用,易造成棚膜破损。

4.栽培技术方面

目前,我国果树设施栽培技术多是延用露地或农民在生产中采用的,经技术部门总结后而推广应用的,缺乏一整套指导当地果树栽培的技术规范。包括:①满足需冷量打破休眠技术;②授粉与提高坐果技术;③越冬、越夏及树体、土壤管理技术;④规范化整形修剪技术;⑤保护地栽培环境模型及设施内环境因素调控技术;⑥解决授粉困难、坐果率低、产量低等问题的相应技术措施;⑦技术推广体系不健全,技术力量薄弱;⑧科研落后于生产。

5.果品质量方面

畸形果比率高,果实整齐度差;含糖量下降,风味淡;果实采收后易软化,耐贮运性差。

6.产业化发展方面

由于果树设施栽培的高投入、高产出、高技术含量、高风险的特点,决定了其必须走产业化发展的路子,这是国外现代果业发展的必由之路。然而,目前我国的果树设施栽培仅重视生产环节,对果品采后的包装处理、销售和市场运作等不够重视,尚不能实现产业化发展。

(二)发展展望和对策

当前世界果业正朝着集约化、生态化、产业化的方向发展,利用最新技术发展现代果业已成为振兴我国果业的重要途径。随着改革开放的深入,人民生活水平的提高,对果业提出了更高的要求。我国正在进行新一轮的产业结构、特别是种植结构的调整,我国也即将加入 WTO,一些洋水果正拼命地抢占我们的市场,这些都对我国的果业发展提供了机遇和挑战。利用果树设施栽培的优势,发展优质、高产、高效、无公害果树设施栽培业,就是一条重要的途径。

借鉴先进国家的发展经验,针对我国果树设施栽培中出现的问题,必须提出相应的发展对策。

1. 在产业政策和发展规模方面

(1)抓住机遇,积极促进。果树设施栽培,是在市场经济条件下培植发育起来的资金、劳力、技术密集型的新兴高效产业,经济效益高,是进一步加快农业和农村经济发展的新的增长点,要抓住机遇,广泛宣传发动、积极地给以扶持,促进健康发展。

(2)正确引导,适度发展,控制总体规模。由于市场价格的巨大牵动作用,果树设施栽培很快就会形成发展高潮。因此,发展上既要积极扶持,又要慎重稳妥。要正确掌握全国各地果树设施栽培的现状和发展态势,不失时机地调整发展战略,正确引导发展方向,使果树设施栽培按比例协调发展。根据设施栽培果树的特点和市场消费容量,结合发达国家的经验,一般设施栽培果树的总体规模应控制在果树总面积的 3% ～4% ,切忌发展过热。

(3)因地制宜,稳步推进。发展果树栽培,要因地制宜,实行区域化栽培、集约化经营。在已发展地区,要按照相对集中、优化结构、重点突出的原则,适度扩大栽培规模;在新开发地区,要先搞好试验示范,取得经验后再扩大发展规模。不搞一刀切,防止一轰而起,一轰而下。

(4)起点要高,品种和技术都要先进。设施果品生产技术性和商品性均强,发展上要严格把关。具体要求:品种先进、优良;苗木质量高、纯正、整齐;技术先进、综合配套;走产业化道路;广泛开展多学科、多部门的攻关协作,解决好生产中遇到的技术和理论问题。

(5)抓好基地建设,推进果树设施栽培产业化。建设一批具有一定规模、各具特色的果树设施栽培商品化基地;面向市场,选准主栽树种、品种,生产适销对路果品;选择需冷量低、生育期短、成熟期早、树体易于控制、适于进行保护地栽培、经济效益高的草莓、葡萄、油桃、桃、樱桃、杏、李等作为主栽树种;开拓市场,促进服务,逐步建立起生产—销售—市场信息服务体系。

2.在产业化发展方面

设施栽培,作为果树栽培产业的一个重要分支,在市场经济条件下越来越显示出其巨大的发展潜力和广阔的发展前景,很快就会发展成为完整的产业体系。目前,应围绕以下几个方面开展工作。

(1)建立健全稳定的适于设施栽培的果树良种选育、种苗繁育、区域性开发体系,并在此基础上完善资源、信息、技术交流体系,建立健全生产—运销—市场信息服务体系。

(2)实行集约化栽培、规模化经营,建立果树设施栽培果品生产基地,加强优质高档果品生产技术研究。

(3)加强果品采后处理技术研究,实行严格分级、高档包装。

(4)在全国各大市场拓建批发市场,使之形成多级批发网络体系。逐步开发国际果品市场。

(5)改善果品运输条件,实行冷藏集装箱运输。

3.在果树设施栽培技术方面

目前,虽然设施果树栽培技术已经取得了一定的进展,但作为一种新兴产业,尚有很多问题需要研究。

(1)果树设施栽培的技术研究亟待加强。果树是多年生植物,其生长结果习性和蔬菜等一年生植物不同,目前对其花芽分化、解除休眠等生理过程的研究还不够透彻。设施栽培,打破了正常条件下的生长、开花、结果规律,其内部生理过程的变化是相当复杂的,而目前我们对这方面还缺乏系统的研究。当前,设施果树的整形修剪、水肥管理、病虫害防治等栽培技术还多是延用、借鉴露地果树的栽培技术,尚没有根据设施栽培的特点,形成完整的栽培技术新体系。

(2)在品种、树种的选择上,也不尽善尽美。选择对路的树种、品种是果树设施栽培成功的关键。目前,用于设施栽培的树种主要是那些供应周期短、不耐贮藏或不耐长途运输的杂果。在品种选择上,首先要突出一个"早"字,只有果实生长期短、成熟期早、解除生理休眠所需的低温量较少、且品质优良的品种在市场竞争中才有优势。其次要强调一个"矮"字。那些树型紧凑、短枝性状明显、通过人工或化学调控措施能够实现矮化密植的品种,尤其适宜进行设施栽培。同时还要求品种有较强的自花结实能力。但是,我国目前在果树品种选育、杂交等方面工作开展得还不够,这就不能为设施栽培提供较大的品种选择余地。

(3)改善光照条件和二氧化碳(CO_2)的应用技术。由于设施果树需要覆膜,就会不可避免地减弱光照,所以要采取多种措施改善光照条件。光照条件包括有无紫外线透过,散射光的多少,透光性薄膜的选择,反射光及人工光照的利用等。此外,树体的受光状态也有待研究。在生产高品质果实时,不同品种应选择何种薄膜尚不清楚,反射薄膜虽已被广泛应用,但这种薄膜只能改善着色,并不能增加含糖量。设施果树,一般生长较弱,叶子变大,导致全树受光状态恶化,所以与露地相比,应更进一步采用改善受光状态的整形修剪方法。影响设施果树树势、产量、品质的关键因子光合强度,很大程度上是受温室内二氧化碳的浓度制约的,在设施内对果树施用二氧化碳效果良好,但在施用前要选择合适的二氧化碳源,确定适宜的气体扩散时间与方法及浓度等。

(4)与产业化发展相关的基地化建设技术、包装技术、贮藏保鲜技术、现代化运销手段等产业化技术体系等方面都需加强。

当前及今后一段时期果树设施栽培研究的重点项目有:①主要果树的低温需冷量及花期调控技术研究;②主要设施果树栽培新体制的研究(包括温、湿度调控,整形修剪、水肥管理、病虫害防治等);③基于设施栽培果树的生理生态特性研究;④设施果树品质改良综合技术研究;⑤设施果树产期调控的理论和技术;⑥设施果树的无公害生产技术;⑦经济型果树栽培设施的研制;⑧设施果树的环境调节及二氧化碳使用技术；⑨适于设施果树生产的植物生长调节剂的研制；⑩设施果品包装及运销技术。设施果树研究的中长期项目为：①南方热带亚热带水果北移设施栽培技术；②适于设施栽培的果树新品种的引进和培育；③适于设施果树栽培的新型节能设施的研制；④果树设施栽培计算机智能化生产技术；⑤生物工程等现代化高新技术在果树设施栽培中的应用等。

第二章 设施类型与建造

第一节 日光温室

一、日光温室的基本构造和基本类型

(一)日光温室的基本构造

日光温室由 3 部分组成,如图 2-1。

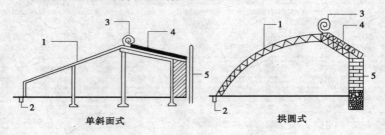

单斜面式　　　　　　　　拱圆式

图 2-1　日光温室的基本构造
1-前屋面;2-防寒沟;3-草帘;4-后屋面;5-北墙

　　(1)北墙和东西山墙。由砖、石或夯实的土、草泥垛筑成,不透光,主要功能是支撑屋面,阻止冷空气渗入室内,阻挡室内外的热量交换,是温室的围护部分。墙体结构有两种:一种是单质墙体,即由单一的砖、石块、夯实的土或草泥垛筑成;另一种是多质复合体,即由多种材料(如砖、土、石、煤渣等)分层复合筑成。

　　(2)前屋面。又称采光屋面,由透光的覆盖材料和支持结构(如拱架、拉杆、立柱等)组成。其功能是让白天的阳光透入温室内。夜间为了防止屋面散热,常于屋面外侧覆盖草苫、苇帘、纸被

等保温覆盖材料。为了增强保温能力,外覆盖层可设两层或多层,一般设两层。第一层为主要覆盖层,多使用草苫、苇帘、棉被等;第二层为次覆盖层,常垫于透光覆盖材料和主覆盖层之间,多使用几层牛皮纸、旧塑料薄膜或无纺布。早晨日出后,气温回升,将外覆盖层卷起置于后屋面上,以使阳光射入室内,温室蓄积热量;傍晚室内气温降至一定程度时,放下外覆盖层保温。前屋面的形式有单斜面式和拱圆式两种。

(3)后屋面。由柁、檩、椽组成支架,其上铺垫秫秸、草泥、煤渣、乱草、干土或水泥预制板等物。其主要功能是连接前屋面和北、东、西墙及保温、承重。

温室的骨架,根据使用年限可选用竹、木或钢管、钢筋或水泥钢筋构件。一般远离城市的农村多以土墙、竹木骨架为主,而城市近郊多以砖墙、钢架为主。

(二)日光温室的基本类型

日光温室的基本类型有两种,一种是无后屋面的简易日光温室,一种是节能型日光温室。节能型日光温室又可根据其采光屋面的形状分为一坡一立式和拱圆式两种。

1. 节能型日光温室

节能型日光温室种类繁多。初始建造的日光温室,前屋面角度大而短,后屋面长,后墙(北墙)矮,室内空间小。这种温室,在严冬季节采光性、保温性均较好,其缺点是采光面短,长后坡下光照弱。特别是春秋两季后坡遮荫较多。此外,温室空间小,土地利用率低,不便操作。为了克服这些问题,近年来日光温室正在向提高中脊、增高后墙、增大后屋面仰角、缩短其投影长度,改进采光屋面形状,减少立柱,采用异质复合墙体等方向发展,形成了几种具有代表性的、性能好、实用性强的温室类型。

(1)矮后墙长后屋面拱型日光温室。该温室后墙高 0.6～1.0m。后屋面长 2.5～3.5m,投影长 1.8～2.2m。跨度(室内后

墙底脚至采光屋面底脚距离)5.0～6.0m。中高(温室屋脊至地面
垂直距离)2.2～2.4m。采光屋面为拱圆形,中腰(采光屋面中央
部位)坡度 30°(如图 2-2)。

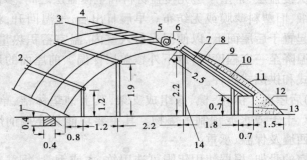

图 2-2　矮后墙长后屋面拱型日光温室(单位:m)
1-防寒沟;2-小支柱;3-横梁;4-竹拱杆;5-纸被;6-草苫;
7-杄;8-檩;9-箔;10-扬脚泥;11-后坡;12-培土;13-后墙;14-中柱

　　前屋面用细竹竿(直径 3cm 左右)或竹片(宽 4～5cm)弯成拱
形,拱杆间距 0.8m;一般设有 3 排支柱,支柱粗 10～15cm,中柱向
北倾斜 6°～8°。前排支柱高度约 1.2m,距采光面底脚 0.8m,向南
倾斜 10°左右;中排支柱高度约 1.9m,距前沿底脚 2m,直立。支柱
每隔 3～4m 设一排,支在拱杆下面的纵向拉杆(又称腰檩)上。拉
杆直径约 8cm,拉杆与拱杆之间设一根 15～25cm 长的小木柱,把
拱杆支起固定,成为悬梁吊柱。前屋面底脚外侧挖防寒沟宽 40～
50cm,深 40～60cm,长度略长于温室。防寒沟内填充干碎稻草、
麦秸、煤渣等隔热物,上面再覆一层厚 10～20cm 的土层,防止雨
水渗入沟内,保持沟内充填物干燥。后墙一般用夯实土筑成,也有
用砖石砌成的。后墙和后屋面外侧培 1～2m 干土。后屋面结构
复杂,后墙与中柱间架杄,一般使用直径 10～15cm、长 3m 左右的
硬杂木。在杄上横向设 3～4 道檩,直径 10cm 左右。在檩上码放
用玉米秸秆或高粱秸秆捆扎成的箔,其上再抹两遍泥,中间隔一层

废旧的塑料薄膜,待泥干后再铺 30cm 厚碎稻草或麦秸,上面再抹泥或培土,土上铺整捆玉米秸或稻草等。后屋面总厚度应达到 60～70cm。

这种温室,后墙矮,后屋面仰角大,前屋面主要采光面角度在 30°以上,冬季室内光照较充足;后屋面又长又厚,后墙外侧培有干土,保温性能好。但采光面短,后屋面投影过长,春秋季太阳高度角大时,室内阴影光区大;且空间小,室内气温变化大,土地利用率低,不便人工操作。

(2)高后墙短后屋面拱型日光温室。该温室后墙高 1.5～1.8m,后屋面长 1.5～1.7m,仰角 30°左右,投影长 1.2～1.5m.跨度 6m 左右,中高 2.4～2.8m。前屋面为圆拱形,中腰坡度在 30°左右(如图 2-3)。

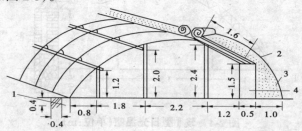

图 2-3 高后墙短后屋面拱型日光温室(单位:m)
1-防寒沟;2-后坡;3-后墙土;4-后墙

这种温室的基本结构与矮后墙长后屋面圆拱型日光温室类似,只是后屋面及其投影缩短。相比之下,优点是提高了土地利用率,但保温性略次。

(3)鞍Ⅱ型日光温室。该温室是一种无立柱温室。跨度 6m,中高 2.7～2.8m,后墙高 1.8m,后屋面长 1.7～1.8m,仰角 35°,投影长 1.4m(如图 2-4)。墙体是砖砌空心墙,内侧 12cm 红砖,外侧 24cm 红砖或加气砖,做成中空 12cm 的空心墙,内填充煤渣、干土、珍珠岩等隔热物。前后屋面为钢结构一体化半拱形桁架,上弦为4cm钢管,下弦为直径10~12mm圆钢,腹杆(即拉杆)为直径8mm圆钢,前屋面为双弧面构成的半拱形;下、中、上3段坡度分别为60°~30°、30°~20°、20°~10°。后屋面的支架是前屋面弧形架的延伸部分,一端搭在后墙内侧。从下弦面起向上填充秸秆,脊与后墙上加高的女儿墙之间铺垫秸秆抹泥,再铺乱草,形成泥土和秸秆复合后屋面,其厚度不少于60cm。该温室抗荷载设计能力在300kg/m²。这种温室采光性好,保温性也很好,且土地利用率高,便于操作,但造价太高。

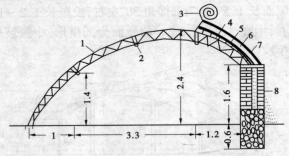

图2-4　鞍Ⅱ型日光温室(单位:m)
1-钢拱架;2-纵拉杆;3-草苫;4-板皮;
5-草苫;6-薄膜;7-草苫;8-空心墙

(4)一坡一立式日光温室。又称为一斜一立式日光温室。该温室后墙高为2m左右;后屋面长1.5m,投影1m;跨度7m左右,中高3m;前屋面为两折式,一坡一立,立窗角度为70°,高0.65~0.8m,坡面角度21°~23°(如图2-5)。这种温室空间大,土地利用率高,保温性好,但透光性不如拱圆形温室,前坡低矮不便操作,如棚膜固定方法不太合理,则易使薄膜破损。

2.简易日光温室

简易日光温室的构造极简单(如图2-6)。该温室无后屋面,

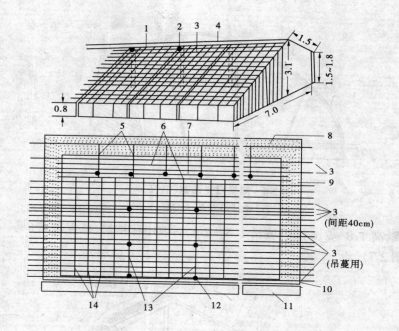

图 2-5　一坡一立式温室(上)及俯视图(下)

1-竹竿骨架;2-中柱;3-8 号铁丝;4-钢管桁架;5-后斜梁;
6-后檩;7-拉杆;8-后墙;9-侧墙;10-小拉杆;11-防寒沟;
12-立柱;13-拱杆(间距 3.6m);14-夹膜杆(间距 7cm)

仅由墙和采光面组成,比较低矮;后山墙由土夯实筑成,墙高 1.6
~1.8m,墙厚 1~2m,下宽、上窄;拱形架取材于竹竿或竹片,一头
埋入土中,另一头插入后墙中,跨度 6.0m,内有立柱 3~4 道,拱间
距 60~80cm,拉杆用粗毛竹。

二、常见日光温室的结构特点及应用

(一)普通一斜一立式塑料薄膜日光温室

(1)结构。跨度 6~8m,矢高 2.8~3.5m。后墙用土或砖石筑

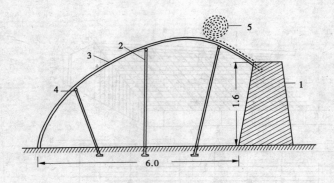

图 2-6 简易日光温室(单位:m)

1-上墙;2-立柱;3-拱架;4-拉杆;5-草帘

成,高 1.8~2.6m,后坡长 1.5~2m,后坡用秫秸箔、草泥覆盖(见图 2-7)。

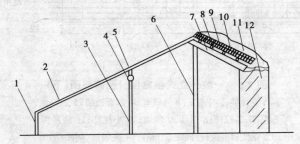

图 2-7 普通一斜一立式塑料薄膜日光温室

1-前立窗;2-木杆或竹竿骨架;3-腰柱;4-悬梁;5-吊柱;6-中柱;
7-柁;8-檩;9-箔;10-草泥层;11-防寒层;12-后墙

(2)特点。采光好,升温快,保温较好,结构简单,造价低,空间大,作业方便,而且便于扣小棚保温。

(3)适用范围。适用于各地区秋、冬、春季桃、葡萄、樱桃等果树栽培。

(二)琴弦式塑料薄膜日光温室

(1)结构。跨度 7～8m,矢高 2.8～3.5m。水泥预制中柱,后坡高粱秸箔抹水泥,后墙高 2～2.6m,后坡长 1.2～1.5m。前屋面每隔 3m 设一道直径 5～7cm 粗的钢管或粗竹竿横架在横架上,按 40cm 间距拉一道 8 号铁丝,铁丝两端固定于东西墙外基部,在铁丝上每隔 60cm 设一道细竹竿作骨架,上面盖塑料薄膜,再上面压细竹竿,用细铁丝固定在骨架上,不用压膜线(见图 2-8)。

(2)特点。采光效果好,空间大,作业方便,室内前部无支柱,便于扣小棚和挂天幕保温。

(3)适用范围。适用于各地区秋、冬、春季樱桃、葡萄、李、桃等果树栽培。

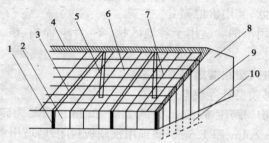

图 2-8　琴弦式塑料薄膜日光温室

1-前立柱;2-前立窗;3-钢管桁架;4-脊檩;5-中柱;

6-横拉 8 号铁丝;7-细竹竿骨架;8-山墙;9-山墙外 8 号铁丝

10-8 号钢丝固定在山墙外地下

(三)微拱式塑料薄膜日光温室

(1)结构。跨度 7～8m,矢高 2.8～3.5m。后墙高 1.8～2.6m,后坡长 1.2～1.5m,土后墙、土后坡;前屋面由两道横梁支撑,竹木结构,骨架间距 60cm;用吊柱支撑竹片骨架,骨架上盖塑料薄膜后用压膜线压紧(见图 2-9)。

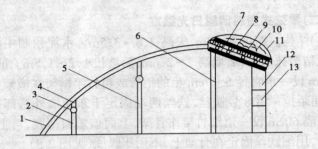

图 2-9　微拱式塑料薄膜日光温室

1-骨架;2-前柱;3-悬梁;4-吊柱;5-腰柱;6-中柱;7-桁
8-檩;9-箔;10-草泥层;11-防寒层;12-后墙;13-通气窗

(2)特点。前屋面微拱型,升温快,保温效果好,建造简便,投资少,造价低,实用价值高。

(3)适用范围。适用于各地区秋、冬、春季葡萄、桃、樱桃等果树栽培。

(四)拱式塑料薄膜日光温室

1. 圆拱式塑料薄膜日光温室

(1)结构。跨度 6～7m,矢高 2.8～3.2m。后墙为砖石筑空心墙,高 1.8～2.4m,厚 1.5m。墙顶用预制板封闭,后坡用空心预制板长 2m,预制板下端放在后墙上,上端放在脊檩上。脊檩由钢筋混凝土预制,脊檩长 2m,由预制柱支撑。前屋面拱架上弦用 4′或 6′钢管,或用直径 14～16mm 钢筋,下弦用直径 10～12mm 钢筋,拉花用直径 6～10mm 钢筋,预制板上再铺 15cm 炉灰渣(见图 2-10)。

(2)特点。室内无支柱,作业方便。采光好,光照分布均匀,增温快,构造比较简单,保温好,坚固耐用,但造价较高。

(3)适用范围。适用于我国北方各地区秋、冬、春季樱桃、桃、葡萄等多种果树栽培。

2. 全钢拱架式塑料薄膜日光温室

(1)结构。跨度 6～7m,矢高 2.8～3.2m。后墙为砖砌空心

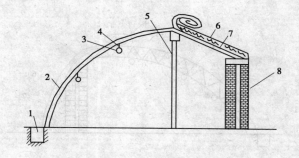

图 2-10　圆拱式塑料薄膜日光温室

1-防寒沟;2-拱架(4′或 6′钢管,或 φ14-16 钢筋,腹杆 φ10~12 钢筋,
拉花 φ8~10 钢筋);3-横向拉筋;4-吊柱;5-中柱;6-防寒层;
7-预制板;8-砖砌空心墙

墙,高 2.2m。钢筋骨架,上弦直径 14~16mm,下弦直径 12~
14mm,拉花直径 8~10mm,由 3 道花梁横向拉接。拱架间距 60~
80cm,拱架下端固定在前底脚砖石基础上,上端搭在后墙上。后
屋面长 1.5~1.7m。骨架后屋面铺木板,木板上抹草泥,后屋面下
部分 1/2 处铺炉渣作保温屋。通风换气口设在保温屋上部,每隔
9m 设一通风口,温室前底脚处设有暖气沟或加温管(见图 2-11)。

(2)特点。屋内无支柱,作业方便。永久性温室,坚固耐用,采
光好,通风方便,保温好,但造价昂贵。

(3)适用范围。适用于北纬 45°左右地区秋、冬、春季桃、葡
萄、樱桃等果树栽培。

(五)装配式圆拱型塑料薄膜日光温室

(1)结构。跨度 5.5~6m,矢高 2.5~2.8m。中柱距后墙
0.8m,后屋面长 1.5m,后墙高 1.7~2m,砖石砌空心墙 60cm 宽
(两砖中间留半块砖空隙)(见图 2-12)。

钢筋拱架间距 1m,拱架上弦直径 14~16mm,下弦直径 12~
14mm,拉花直径 8~10mm。装配式每根拱架用卡具固定于 3 道

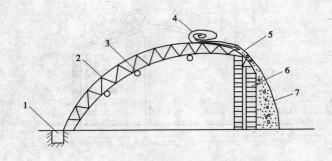

图 2-11　全钢拱架式塑料薄膜日光温室
1-防冻沟;2-钢筋骨架;3-横梁;4-草苫纸被;
5-后坡;6-砖筑空心墙;7-后墙外培土

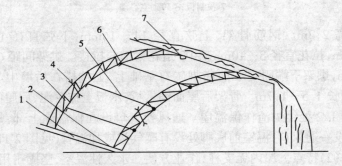

图 2-12　装配式圆拱型塑料薄膜日光温室
1-预埋件;2-钢筋骨架与预埋件固定节;3-钢筋骨架;
4-装配连接节;5-横拉杆;6-卡具固定节;7-骨架与预制板固定节

横向拉杆上,上端用螺丝固定在预制板上,下端固定在预埋件上,形成一个整体骨架,上下边卷入 4cm 宽钢板,用螺丝固定于预制板和预埋件上,压膜线也固定在上边。前底脚设防寒沟,宽 50cm左右,深 60～80cm,室内前沿可设煤火辅助加温设备。

　　(2)特点。采光与保温性能良好,且装配式构造,安装运输方便,易于定型生产骨架,但造价较高。

(3)适用范围。适用于我国北方高寒地区冬、秋、春季进行葡萄、樱桃、桃等果树栽培。

（六）悬梁吊柱式塑料薄膜日光温室

1. 木桁架悬梁吊柱式塑料薄膜日光温室

(1)结构。跨度 6～7cm，矢高 2.8～3.2m。后坡构造同图2-12。竹木结构，前屋面拱杆下设加强梁代替腰柱，加强梁用横向梁连接，在拱架与横向梁 20cm 高的距离，设小吊柱与撑拱杆，以便于设置压膜线（见图 2-13）。

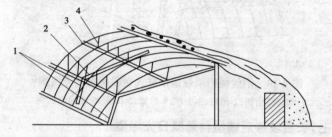

图 2-13　木桁架悬梁吊柱式塑料薄膜日光温室
1-前立柱；2-木桁架；3-悬梁；4-吊柱

(2)特点。前屋面无支柱，不仅减少了遮光，活动空间增大，作业方便，而且有利于扣小棚或挂天幕增温、保温。

(3)适用范围。适用于我国北方春提早、秋延晚葡萄、樱桃、桃、柑橘等果树栽培。

2. 钢丝绳桁架悬梁吊柱式塑料薄膜日光温室

(1)结构。跨度 6～7m，矢高 2.8～3.2m。后墙高 1.8～2.4m，宽 0.6m，砖石筑空心墙；中柱为水泥预制柱或木柱，中柱距后墙 1.2m；前屋面东西横拉 3 道钢丝，上面设 20cm 高吊柱支撑骨架竹片。竹片间距 60cm，骨架上盖薄膜，用压膜线压紧，在后屋面的上面设通风窗，前底脚外设防寒沟（如图 2-14）。

(2)特点。温室前部无支柱，采光效果好，适于保温，作业方便,且构造简单,造价低,室内便于增加保温设施。

(3)适用范围。适用于我国北方各地区柑橘、桃、葡萄、樱桃等果树的栽培。

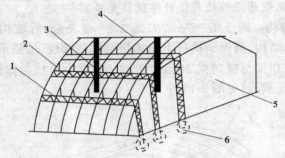

图 2-14 钢丝绳桁架悬梁吊柱式塑料薄膜日光温室

1-钢丝绳桁架;2-吊柱;3-中柱;4-后坡;5-山墙;6-固定钢丝绳

(七)长后坡矮后墙塑料薄膜日光温室

(1)结构。竹木结构,跨度 6～7m,矢高 2.8～3.2m。后坡长 2.4m,由柁和横梁构成,檩上铺高粱秸箔或玉米秸捆,上抹草泥。后墙高 0.6～1m,厚 0.6～0.8m,后墙外培土。前屋面为半拱型,由支柱、横梁、拱杆(竹片或细竹竿)构成,拱杆上覆盖塑料薄膜,在薄膜上面两拱杆间设一道压膜线。夜间盖纸被、草苫防寒保温。前屋面外底脚处挖宽 40～80cm、深 60～80cm 的防寒沟,沟内填满煤渣、稻草等隔热物,上面再盖土踏实(见图 2-15)。

(2)特点。室内采光好,保温效果明显,在冬季不需加温亦可进行某些果树的生产。据研究报道,当外部气温降至 -25℃ 时,温室内室温仍可保持在 5℃ 以上。但 3 月份之后,后部弱光区对一些果树生长不利。

(3)适用范围。适用于北纬 36°～41° 之间地区在冬、春季进行葡萄、草莓等果树生产。

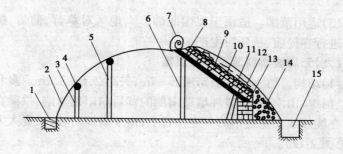

图 2-15　长后坡矮后墙塑料薄膜日光温室

1-防寒沟;2-薄膜;3-前柱;4-横梁;5-腰柱;6-中柱;
7-草苫;8-柁;9-檩;10-箔;11-草泥层;12-防寒层;
13-后墙;14-后墙外培土;15-取土沟

(八)短后坡高后墙塑料薄膜日光温室

(1)结构。跨度 6～7m,矢高 2.8～3.2m。后坡长 1～1.5m,后墙高 1.8～2.4m,厚 0.5m,墙外培土 1.0m。竹木结构。后坡构造及覆盖层与图 2-15 相似(见图 2-16)。

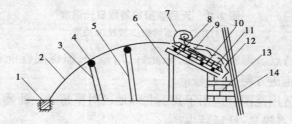

图 2-16　短后坡高后墙塑料薄膜日光温室

1-防寒沟;2-前屋面骨架;3-前柱;4-横梁;5-腰柱;
6-中柱;7-草苫;8-柁;9-檩;10-箔;11-草泥层
12-防寒层;13-后墙;14-风障

(2)特点。后墙高,作业方便,采光好,冬春阳光充足,保温性能好。

(3)适用范围。适用于我国北部广大地区对草莓、葡萄、桃等果树进行春提前、秋延后生产。

(九)无后坡塑料薄膜日光温室

(1)结构。竹木结构。跨度5～7m,矢高2.6～3.2m。多利用堤坝、河岸、山南坡、丘陵和墙壁南侧的背后向阳处建造,拱梁直接固定在墙顶或其他地形的一定位置上,由于省掉后坡,投资大大减少(见图2-17)。

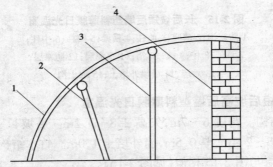

图2-17 无后坡塑料薄膜日光温室
1-竹片骨架;2-前柱;3-腰柱;4-后墙

(2)特点。温室无后坡,采光好,增温快,但保温性能较差;结构简单,建造方便,造价较低。

(3)适用范围。适用于我国北部地区对草莓、桃、葡萄、樱桃等果树进行春提早、秋延后生产。

三、日光温室建造设计应注意的问题

不同种类的日光温室,在实际应用中,应根据栽培果树的种类、特性以及当地的具体条件和所采用的管理技术合理选用。在选用日光温室类型和建造日光温室时,应考虑到许多因素,如场地的选择、规划,温室的跨度、高度、长度,温室的建造方位,温室前屋面的角度(坡度),温室前后坡的宽度比,温室的后墙和山(侧)墙,温室的后屋面与支柱,温室的前屋面与覆盖的塑料薄膜,温室的压膜线,日光温室前屋面上覆盖的保温层,日光温室前屋面外底脚的防寒沟,以及日光温室的进出口与通风口。

(一)日光温室场地的选择与规划

1.日光温室场地的选择

日光温室建成之后在几年中不会移动(一般竹木结构日光温室使用4~6年,而水泥、钢材结构在10年以上),因而选择日光温室场地要考虑周密细致。选择日光温室场地,主要应考虑建在阳光充足,地势开阔、平坦,东、南、西三面无高大建筑及林木遮荫,自然灾害发生较少,土壤肥沃,地下水位低或不高,水源充足,交通便利,远离工厂与高压线以免污染与火灾的地方。

2.日光温室场地的规划

日光温室场地选定以后,应根据生产规模、日光温室的栋数和辅助设备进行总体规划,绘制出总体规划设计图,以便施工。在规划设计中应考虑下面几点:

(1)辅助设施要便于日常管理,有利于生产。如工作间、配电室、农具、肥料、生产资料库、产品临时存放室等不易偏于一角,以方便日常生产使用。规划建造多个日光温室时,要注意日光温室的间隔距离,东西两室边间隔应在1.5~2m之间,南北两室顶间距应为日光温室矢高的1~1.5倍,这样不仅可避免前后日光温室相互遮荫,而且可提高土地利用率。

(2)如在田间建造较大的日光温室群时,应规划整齐,使之排列错落有致,不影响各日光温室的通风、采光。

(3)每栋温室面积应以0.033~0.10hm²(333.3~1 000m²)为宜,最大不宜超过0.133hm²(1 333.3m²)。

(二)日光温室的跨度、高度及长度

1.日光温室的跨度

日光温室的跨度,是指温室南侧底脚至北墙内侧墙根的距离。一般跨度以 6~8m 为宜,不宜过大或过小。跨度大,土地利用率高,作业方便,但不宜保温;跨度小,易于保温,但土地利用率小,且作业不便。

2.日光温室的高度

日光温室的高度,是指屋脊至地面的垂直距离。它是屋脊的最高处。它的高矮直接影响到日光温室空间的大小及光照状况。一般高度以 2.8~3.2m 为宜。跨度小的脊矮些,跨度大的脊高些,从生产实践看,高度/跨度以 0.4~0.5 为宜。

3.日光温室的长度

果树设施栽培的实践证明,日光温室的长度,一般单向长度以40~80m 为宜。温室长度在 20m 以下时,室内两头山墙遮荫面积占整栋温室面积比例过大,果树生产受不良条件影响面积也大;温室长度超过 80m 时,在管理上会增加许多困难,且影响温室内空气流通。

(三)日光温室的建造方位

日光温室的方位是指温室屋脊的走向。日光温室仅向阳面受光,东、西、北墙均不透光,要充分利用光能增温,一般都是坐北朝南,东西延长,采光面朝向正南,以利充分采光增温。但各地纬度不同,地理位置有差异,在生产实践中,人们常根据当地条件对日光温室的方位略作调整,以便充分利用太阳光资源,达到更好的增温效果。如在东北、西北以及早晨多雾的地区,由于早晨比傍晚冷得多,温室方位可偏西 5°~10°,以充分利用下午光,这又称为"抢阴"。再如在冬季不太寒冷,且大雾较少的地区,温室方位可偏东5°~10°,以充分利用上午的阳光,这又称为"抢阳"。

总之,日光温室的方位以坐北朝南为主,根据当地的地理位置

及气候条件,可适当偏西偏东,从而达到理想的效果。

(四)日光温室的屋面角度

日光温室的屋面角度,是指日光温室为塑料薄膜覆盖采光的向阳面与地平面构成的夹角。

为了使太阳光尽可能多地透过塑料薄膜进入到日光温室,理论上应使采光屋面与太阳光线(太阳高度角)所构成的入射角尽可能地小,当其为零时,即阳光与采光屋面塑料薄膜面垂直时最为理想,因为这时薄膜对阳光的反射率为零,太阳光全部透过。然而太阳高度角是不固定的,它不仅随着纬度不同而不同,而且不同的季节也发生变化,这使得建造日光温室时,不可能使入射角始终为零。另外,即使能使太阳光线入射角为零,相应屋面角也会很大。据测定,在冬至时,北纬 40°的地方,使温室前屋面的太阳光入射角等于零时,则屋面角度需达到 63.5°。即如果日光温室跨度为 6m,则后墙应在 12m 以上。这么大的角度,在生产上是行不通的,因为这样必然使后墙过高,不仅浪费材料,而且影响保温效果。人们在生产实践中不断探索,终于找到了切实可行的方法。人们发现温室前屋面与太阳光成 50°角时,有效光量比成 90°角(即反射角为零)时只减少 3%~4%,同时发现前屋面采用圆—拱式采光保温性能最佳。因此,在生产实践中,日光温室前屋面角以 20°~30°为宜,可根据实际情况选用不同形式的前屋面形式。

(五)日光温室前后坡的宽度比

日光温室前后坡的宽度比,一般分为 3 种类型。一是"短后坡式",其前后坡比为(4~5):1;一是"长后坡式",其前后坡比是(2.5~3):1;另一种是"无后坡式",即前屋面上端直接架设在较高的后墙上。各类型的特点是:"短后坡式"的日光温室,采光屋面大,光照条件好,增温快,但夜间保温性较差,较适合于栽植休眠期长、喜光性强的果树;"长后坡式"的日光温室,采光屋面小,升温慢,但其保温性能好;"无后坡式"的日光温室采光性能好,但散热多,保温能力差,一般适用于栽植树冠较大的果树。

在日光温室的建造设计中,应根据所栽植果树的特性确定日光温室前后坡的宽度。

(六)日光温室的后墙和山墙

日光温室的后墙和山(侧)墙,是保证日光温室结构牢固、安全和具有足够隔热能力的主体结构。在建造日光温室时,主要是选材问题,一般选用保温性好、导热性差的建筑材料,并有足够的厚度和强度。

目前,我国各地日光温度的墙体用材,有用粘土夯实土墙、泥草垛墙、砖石砌墙、炉渣空心砖砌墙,等等。在保证坚固耐用的基础上,为降低成本、减少投资,各地均可就地取材。另外,为了提高保温性能,后墙外一般要堆土防寒或填堆秸秆、稻草等物。

(七)日光温室的后屋面与支柱

日光温室的后屋面是一种维护结构,主要起隔热保温的作用。同时也是卷盖草苫、纸被的作业部位。

后屋面一般宽1~2.5m,是根据当地条件就地取材,用隔热物铺盖而成的,一般厚度60~80cm。其支柱也称中柱,主要起支撑作用。

(八)日光温室的前屋面

日光温室前屋面的主要功能是采光,由拱架(支柱、腰檩、竹拱或钢筋拱、钢管拱等)、薄膜、压膜线等构成。在建造时,前屋面的拱架要坚固和减少遮光。选材可根据实际,用粗毛竹、竹片、镀锌钢管或钢筋等均可,一般60~80cm设一拱架,上端固定在脊檩上,下端埋入日光温室前沿的土中,使拱架成半拱形。一般有三折式、两折式和拱圆式等。

(九)日光温室前屋面覆盖的塑料薄膜

日光温室前屋面覆盖的塑料薄膜,主要有聚乙烯树脂(PE)和聚氯乙烯树脂(PVC)两种,它们的规格、外观、力学特性、热物理学性能、光学性能及其他性能指标见表2-1、表2-2和表2-3。

表 2-1　　　　　　　　几种塑料薄膜的主要性能

性能指标	聚乙烯薄膜 (PE)	聚氯乙烯薄膜 (PVC)		聚氯乙烯片 (PVC)
厚度(mm)	0.1	0.1		0.1~0.2
单位重量(kg/m²)	0.092	0.125		0.14~0.28
比重(g/cm³)	0.92	1.25		1.4
抗拉强度(MPa)	12	15		35~50
抗弯强度(MPa)				56~91
线膨胀系数 (10⁻⁵ cm/(cm·℃))	12.6~16	7~25		5~18.5
导热系数 (w/(m·k))	0.198	0.163		0.163
透光率	0.86	0.88		0.85~0.90
直射光　散射光		0.845	0.035	
参考使用寿命(a)	1	1~1.5		4

表 2-2　　　　　　聚乙烯、聚氯乙烯薄膜特性与质量标准

特性指标	聚乙烯薄膜 (PE)	聚氯乙烯薄膜 (PVC)
厚度平均偏差(%)	±10~±12	±16.7~±20.0
外　观	不允许有明显"水纹"、"云雾"、"条纹"等	色泽均匀,无死皱折,不应有穿孔和分散不良造成的色点,不应有0.8mm以上黑点和杂质
纵横向抗拉伸强度(MPa)	≥12	≥15
纵横向断裂伸长率(%)	≥300	≥200
纵横向直解撕裂强度(N/cm)	≥500	≥400
粘合性	110℃、热粘结,易于胶粘结	190℃、高频粘结,不易胶粘合
硬化温度(℃)	−60	−30

表 2-3　　　　　　　　塑料薄膜的分光透光率　　　　　　（％）

光波长(nm)		聚乙烯薄膜 (PE)厚 0.1mm	聚氯乙烯薄膜 (PVC)厚 0.1mm	聚醋酸乙烯薄膜 (EVA)厚 0.1mm
紫外光	280	55	0	76
	300	60	20	80
	320	63	25	81
	350	66	78	84
可见光	450	71	86	82
	550	71	87	85
	650	80	88	86
红外光	1 000	88	93	90
	1 500	91	94	91
	2 000	90	93	91
	5 000	85	72	85
	9 000	84	40	70

　　一般来说,聚乙烯(PE)塑料薄膜对紫外线的透过能力较高,而聚氯乙烯(PVC)塑料薄膜对可见光区以及近红外光区的光线透过力高于 PE,因而其总透光率较高;对远红外以及更长的辐射波,PE 的透过能力又超过 PVC,因而 PE 的保温性能要低于 PVC(见表 2-3)。但综合评价 PE 与 PVC 的总温室效应能力,还要考虑吸尘性能、结露水平、耐老化能力。PE 膜吸尘小于 PVC 膜,但耐老化能力差,在较高结露水平条件下,PE 膜的保温能力反而要高于 PVC 膜。PE 膜比重小,耐寒能力强,价格比较便宜,燃烧时产生的有毒气体少,易于粘结和修补,但透湿性差。

　　在生产实践中,应根据实际情况合理选用 PE 膜或 PVC 膜。在我国东北地区多使用 PVC 膜,在华北地区多使用 PE 膜。

（十）日光温室的压膜线

日光温室前屋面覆盖之后,应用压膜线将塑料薄膜压好,一般可以用 8 号铅丝、尼龙绳、聚乙烯绳或细竹竿等做压膜线。用铅丝做压膜线,吸热快,温度高,容易生锈,易引起塑料老化、破损。尼龙绳或聚乙烯绳的伸缩性大,不易压紧,且本身也易老化。细竹竿固定薄膜效果较好,但需要在膜上穿孔,捆牢,有时会造成薄膜破损。如利用专用扁型压膜线,可用 2～3 年,其伸缩性小,强度大,效果好。在实践中,可根据需要,灵活选用压膜线。

（十一）日光温室前屋面上覆盖的保温层

日光温室夜间为了更好地保温,除了后屋面应有一定厚度之外(60～80mm),一般在前屋面上覆盖一层到两层或两层以上的覆盖物来保持室温。用作保温层防寒保温的材料一般有草帘和草苫、纸被、棉被以及化纤保温毯和化纤保温被。

我国南方多用草帘、草苫保温。草苫要求将草捆扎紧,结构致密,这样不仅牢固耐用,而且可达到理想的保温效果,其保温效果可达 4～6℃,如注意保养,可用 2～3 年,且取材方便,制造简单,成本低廉,是目前日光温室覆盖保温的首选材料。在寒冷地区和季节,为了进一步提高日光温室的防寒保温效果,可在草苫的基础上加盖纸被。纸被一般是用 4 层旧水泥袋(牛皮纸制)或六七层牛皮纸缝制与草苫相同宽度的保温覆盖材料,其保温效果可达 6～10℃。纸被质轻,保温效果好,造价较低,使用方便,但在春、冬季雨雪较多的地区,易被损坏,有的在外罩一层薄膜,不仅可提高保温效果,而且可延长纸被使用寿命。在高寒地区,可使用落花、旧棉絮及包装布缝制成的棉被覆盖做保温层。棉被不仅质轻,而且蓄热保温性好,其在高寒地区保温效果也可达 10℃ 以上,只是造价太高。但如果外罩塑料薄膜,注意保管,棉被可使用 6～8 年,且在冬春季雨雪多的天气也可使用。

另外,我国开发出了一种日光温室的化纤保温被。它具有质轻、保温、防雨、易藏、使用简便等特点,可使用 6～7 年,是用于日光温室替代草苫等的新型防寒保温材料。

目前我国使用较多的保温材料为草帘和草苫以及纸被,因其原材料充足、造价低廉,且效果也较理想。比较寒冷地区和寒冷地带覆盖棉被的也较少,而化纤保温毯和化纤保温被目前在我国尚未大面积使用,不过前景很好。

在选用覆盖保温材料时,应从当地气候条件以及栽植果树所需等因素考虑,选用合适的保温材料。

(十二)日光温室的防寒沟、通风口及进出口

在日光温室前屋面外底脚挖宽 50～60cm、深 50～80cm 的防寒沟,沟内填充麦秸、稻草、煤渣等绝热物,上面覆 10cm 左右土踏实,以利于保温。

为了调节日光温室内的温度,增加日光温度内的二氧化碳(CO_2)浓度,以及放出水蒸气,降低空气湿度,日光温室一般在近屋脊处与前屋面前沿离地 1m 高处设两排通风口,以利于排热换气。

为了作业方便及其他需要,一般在日光温室墙上开门作为进出口,以方便出入。对于较小的日光温室,进出口处挂草帘以利保温。具体设立进出口应根据实际情况,以方便作业为准。

第二节　塑料大棚

一、塑料大棚的基本构造及基本类型

塑料大棚是用各种材料做支架,四周无墙体,在支架上面覆盖塑料薄膜的栽培设施。其基本构造是支架,支架可以用竹木、钢筋等构成。

塑料大棚的基本类型有 3 种,即无柱式、悬梁吊柱式和多柱式塑料大棚。多柱式塑料大棚由竹木建成,取材方便,建筑容易,造价低廉。但棚内架材过多,造成遮荫,且操作不方便。另外,竹木易腐朽,使用寿命短。为了克服这些不足,又逐渐发展了少柱的悬梁吊柱式和无柱式塑料大棚。现分别介绍如下。

(一)多柱式塑料大棚

竹木结构,由立柱、拉杆、拱杆和压杆组成骨架(见图 2-18)。立柱用毛竹或木材,直径 5～6cm,深埋土中 35～40cm,基部最好垫上几块砖,以免竹杆下陷。立柱高度取决于设计的大棚高度及其所在位置。每排立柱的多少由大棚的宽度而定,一般 6～8 根,以大棚脊为中心轴线,向两侧对称地由高到底配置,以使拱杆呈均匀的弧。拉杆又称纵梁,相当于日光温室的檩条,一般采用直径 4～5cm 的毛竹,其作用是连接立柱和拱架,使大棚成为一个整体,保证大棚的稳定。拱杆之间的间距为 60～100cm,过宽影响抗风能力。拱杆的作用是将棚膜绷紧拉固,以防棚内兜风。压杆以直径为 3cm 左右的淡竹为宜,淡竹弹性较大。压杆也可使用 8 号铁丝或压膜线。

(二)悬梁吊柱式塑料大棚

竹木悬梁吊柱式塑料大棚是在多柱式塑料大棚的基础上,以横梁代替拉杆,增设短柱,减少立柱,即在立柱之间相当于拉杆位置上设置一道横梁,在横梁上每隔 60～100cm 固定一短柱,拱杆固定在短柱上,成为"悬梁吊柱"(见图 2-19)。

(三)无柱式塑料大棚

无柱式塑料大棚,又称边柱空心式大棚,有钢竹结构、钢筋水泥混凝土结构和钢管结构等类型。其共同特点是塑料大棚内没有立柱。

二、常用塑料大棚的结构特点及应用

(一)竹木结构式塑料大棚

(1)结构。跨度 6～12m,矢高 2.2～2.8m,长 50m 左右,以直

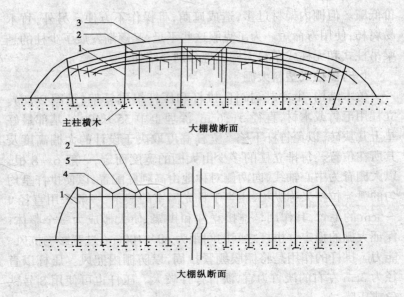

主柱横木   大棚横断面

大棚纵断面

图 2-18 竹木结构多柱式大棚构造

1-立柱;2-拉杆;3-拱杆;4-压杆;5-薄膜

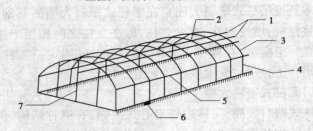

图 2-19 竹木悬梁吊柱式大棚构造

1-悬梁;2-吊柱;3-拱杆;4-边柱;5-拉杆;6-地锚;7-立柱

径为 3～5cm 的竿为拱杆,每排拱杆由 4～6 根支柱支撑。拱杆间距为 80～100cm,立柱用水泥预制柱或木杆(见图 2-20)。拱杆上覆盖塑料薄膜,两拱杆间用压膜线或 8 号铁丝压紧薄膜,两端固定在预埋的地锚上。

(2)特点。建造简单,造价低廉,易推广。拱杆由多柱杆支撑,比较牢固,但遮光多,作业不便。

(3)适用范围。适用于我国东北、华北大部分地区春提前或秋延后樱桃、葡萄、桃等果树生产。

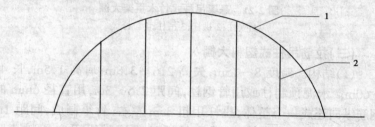

图 2-20 竹木结构式塑料大棚

1-拱杆;2-立柱

(二)悬梁吊柱式竹木拱架塑料大棚

(1)结构。跨度 8~12m,矢高 2~2.6m,长 40~60m。中柱为木杆或水泥预制柱,纵向每3m 1根,横向每排 4~6 根,间距为 2~3m。由木杆或竹竿作纵向拉梁把立柱连成一个整体,在拉梁上每个拱杆下设一个 30cm 左右高的吊柱,下端固定在拉梁上,上端支撑拱架。拱架用 4~5cm 宽的竹片或直径 3cm 粗的竹竿制成,间距80~100cm,固定在各排柱与吊柱上,两端插入地下。盖好塑料薄膜后,用 8 号铁丝或压膜线压紧薄膜,两端固定在地锚上(见图2-21)。

(2)特点。减少部分支柱,作业方便,造价较低,且仍具较强的抗风雪能力。但遮光仍很多。

(3)适用范围。适用于我国北方广大地区的葡萄、樱桃、梨、桃等果树的栽培。

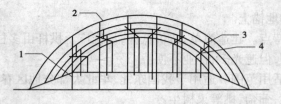

图 2-21 悬梁吊柱式竹木拱架大棚

1-立柱;2-拱杆;3-吊柱;4-拉杆

(三)拉筋吊柱式塑料大棚

(1)结构。跨度 8～15m,矢高 2.6～3.8m,肩高 1.5m,长 40～60m。水泥预制柱或用管钢柱,间距 2.5～3m,用直径 6mm 的钢筋纵向连成一个整体,拱杆用粗 3cm 左右,竹竿制成,间距 1m 左右,盖好塑料薄膜后再用 8 号铁丝或压膜线固定塑料薄膜(见图 2-22)。

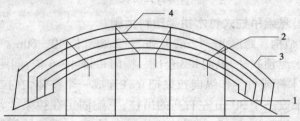

图 2-22 拉筋吊柱式塑料大棚

1-水泥柱;2-吊柱;3-拱杆;4-柱筋

(2)特点。建造简单,支柱少,作业方便,遮光也较少。

(3)适用范围。适用于我国北方樱桃、葡萄、梨等果树的栽培。

(四)装配式镀锌薄壁钢管塑料大棚

(1)结构。跨度 6～10m,矢高 2.4～3.0m,长 30～50m。用直径 22mm×(1.2～1.5)mm 薄壁钢管制作拱杆、拉杆、立杆,经热镀锌可使用 10 年以上。用卡具、套管连接棚杆组装成棚体,覆盖塑料薄膜用卡膜槽固定(见图2-23)。

(2)特点。棚内空间较大,无支柱,作业方便,光照充足。

(3)适用范围。适用于我国广大地区进行桃、樱桃、葡萄等果树栽培。

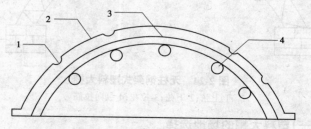

图 2-23 装配式镀锌薄壁钢管塑料大棚
1-固定薄膜压槽;2-薄膜;3-拱架;4-纵向拉筋

(五)无柱钢架式塑料大棚

(1)结构。跨度 8～14m,矢高 2.6～3.0m,每隔 1m 设一道桁架,横架上弦用直径 16mm 的钢筋,下弦用直径 14mm 的钢筋,拉花用直径 12mm 的钢筋焊接而成,横架下弦处用 5 道直径 16mm 钢筋纵向拉架。上盖塑料薄膜,用压膜线或 8 号铁丝压紧薄膜(见图 2-24)。

(2)特点。棚内无支柱,光照条件好,作业方便。而且可设计成装配式,便于折卸,但一次性投资太大。

(3)适用范围。适用于我国北方广大地区樱桃、柑橘、桃等多种果树的栽培。

三、塑料大棚建造设计应注意的问题

在建造设计塑料大棚时,应注意的问题有场地的选择,塑料大棚的布局,塑料大棚的面积、跨度、高度,塑料大棚的跨拱比,塑料大棚的保温比以及塑料大棚的通风与方向。

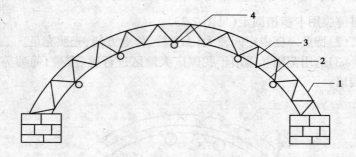

图 2-24　无柱钢架式塑料大棚
1-上弦;2-下弦;3-拉花;4-纵向拉筋

(一)塑料大棚的场地选择

选择建造塑料大棚的场地,应从光照条件、土壤质量、灌溉条件以及交通状况方面考虑。一般应选用光照充足、土壤肥沃、水源充足、交通便利的地方,要尽量避开自然灾害多发地及有污水、废水、烟尘污染的地段。

(二)塑料大棚的布局

塑料大棚场地选定之后,应根据塑料大棚的栋数和其他辅助设备如工作间、配电室等,进行总体规划。

(1)棚距的规划。南北延长大棚,南北两棚棚头间距应在 5～6m,以便运输和塑料大棚的通风和换气;东西两棚棚距 1.5～2m,以免前后塑料大棚相互遮荫,又可提高土地利用率。

(2)棚群规划原则。如棚群规模较大,应错落有致地排列,以创造既利于通风,又利于采光的环境条件;如棚群较小,则可对称整齐排列,东西成行,南北成列。

(三)塑料大棚的面积、跨度和高度

1.塑料大棚的面积

塑料大棚单栋面积的多少为宜,一般取决于建材结构以及当地的气候条件及栽培管理水平。我国目前竹木结构塑料大棚,单

栋面积一般为 $0.066 \sim 0.1 hm^2$（$1 \sim 1.5$ 亩），钢架结构为 $0.1 \sim 0.13 hm^2$（$1.5 \sim 2$ 亩）。

2. 塑料大棚的跨度

塑料大棚的跨度也就是塑料大棚的宽度。竹木结构和管架以 12m 为宜；钢架结构以 15m 为好。一般不易超过 15m。因为棚体过大，易遭风雪破坏。

3. 塑料大棚的长度

塑料大棚的长度以 $40 \sim 60m$ 为宜，最长不宜超过 100m，否则不仅管理不便，而且棚内通气不畅，湿热空气不易排出。

4. 塑料大棚的高度

塑料大棚的高度包括顶高（脊高）和肩高（两侧高）。跨度和长度确定后，塑料大棚的高度决定了大棚的空间，高度高，采光固然好，但保温性差，而且顶端"扒缝"通风操作不便，同时还影响结构强度与用材。一般竹木结构多柱式塑料大棚，脊高以 $1.8 \sim 2.2m$ 为好，钢架棚脊高 $2.8 \sim 3.4m$。

实践证明，塑料大棚肩高以 1.5m 为佳。

（四）塑料大棚的跨拱比

塑料大棚的跨拱比是指其跨度与脊肩高之差的比值。它是在实践中衡量塑料大棚抗风雪损坏能力的参数。

跨拱比的大小表示塑料大棚顶面的形状，跨拱比值大，顶面平坦，棚顶坡度小，易积雨积雪、损坏棚膜。且遇风棚膜易上下扇动，塑料薄膜不易压紧。所以，跨拱比不易过大。生产实践中跨拱比值以 $8 \sim 10$ 为好，超过 15 时易遭风雪危害。

（五）塑料大棚的保温比

塑料大棚的保温比是指塑料大棚内栽培床面积与覆盖的塑料薄膜面积之比。保温比大，表示覆盖的棚膜面积比例小，虽然夜间散热面积小，但白天接受太阳辐射能的面积也小；反之，保温比小，其接受太阳辐射能的面积虽大，但散热面积也大，不利于保温。实践证明,保温比以 0.6～0.7 为宜。

(六)塑料大棚的通风与方向

塑料大棚的方向以南北为宜,不仅利于通风,而且棚内光照分布均匀。

我国目前塑料大棚采用自然通风。即顶部沿塑料大棚长方向开中缝,两侧各开一条侧缝进行通风,通风口的大小应根据当时塑料大棚内的温、湿度状况灵活掌握。

四、塑料大棚塑料薄膜的选用

(一)塑料薄膜的种类

塑料薄膜按树脂原料可分为聚氯乙烯(PVC)塑料薄膜、聚乙烯(PE)塑料薄膜和聚醋酸乙烯(EVA)塑料薄膜。

1. 聚氯乙烯(PVC)塑料薄膜

聚氯乙烯塑料薄膜是在 PVC 树脂中加入增塑剂、稳定剂、功能性助剂和加工助剂,经压延成膜。这种塑料薄膜保温性、透光性、耐候性好,柔软,易造型,适于作为温室、大棚及中小拱棚的棚膜。目前我国生产的 PVC 膜主要有:

(1)普通 PVC 膜。树脂中不加入耐老化助剂,使用寿命仅 4～6 个月。新膜透光性好,但随着使用时间延长,增塑剂渗出,吸尘严重,并且不易清洗,透光率降低显著。目前正逐步被淘汰。

(2)PVC 防老化膜。在原料中加入耐老化助剂经压延成膜,使用寿命 8～10 个月,有良好的透光性、保温性和耐候性,是目前大棚、中小棚覆盖的主要材料。多用于秋延后、春提前栽培。

(3)PVC 无滴防老化膜(PVC 双防膜)。同时具有防老化和流滴特性,透光性和保温性好,无滴性可持续 4～6 个月,安全使用寿命为 12～18 个月,应用较广泛,是目前高效节能型日光温室的首选材料。

(4)PVC 耐候无滴防尘膜。除具耐候、防滴流作用外,薄膜表面经处理,增塑剂析出减少,吸尘较轻,提高了透光率,对日光温室冬春栽培更有利。

2. 聚乙烯(PE)塑料薄膜

聚乙烯塑料薄膜是聚乙烯树脂经挤出吹塑而成,质轻,柔软,易造型,透光性好,无毒。它是世界上用途最广、销量最大的一种塑料,其量约占整个塑料市场的80%。目前我国PE膜的主要产品有:

(1)普通PE棚膜。不添加任何助剂,直接用原料吹塑生产的"白膜",使用期4~6个月,只能种植一季作物,目前生产上正逐步淘汰。

(2)PE防老化膜。在生产PE普通棚膜原材料里加入紫外线吸收剂、抗氧化剂等防老化剂等助剂,经吹塑而成,使用寿命12~18个月,是目前塑料大棚中重点推广产品。

(3)PE无滴防老化膜(双防农膜)。它是在原料中加入耐老化剂及流滴剂等助剂制成。使用寿命可达12~18个月,是目前性能较好、使用广泛的农膜品种。

(4)PE保温棚膜。在原料(PE)中加入无机保温剂制成。它能阻止红外线向大气中辐射,可提高大棚保温效果1~2℃,多在寒冷地区应用,效果明显。

(5)PE多功能复合膜。它是在原料中添加耐老化剂、流滴剂、保温剂等多种功能性助剂,通过3层共挤的工艺路线生产的棚膜。它具有无滴、耐候、保温、长寿等多种功能,使用寿命达12~18个月。

3. 乙烯—醋酸乙烯共聚物(EVA)及聚乙烯乙醇(PVA)薄膜

乙烯—醋酸乙烯共聚物及聚乙烯乙醇薄膜是国外为了弥补PVC与PE两种薄膜的一些缺陷而生产的。它们具有比PVC与PE更好的性能。EVA具有不易污染,透光性、耐候性及保温性强,冬不变硬、夏不粘连等特性,使用寿命可达两年,且老化前不变形,用后可方便回收,不易造成土壤或环境污染。PVA 膜质地柔软,对长波光的透过率低,因此,其保温性能比其他薄膜好。另外,它还具有较强的吸水性和透水汽的特点。将其用于温室,可以抑制室内过高湿度和屋面内冷凝水滴的形成,对作物生长和防止作物病害十分有利。但是 EVA 与 PVA 的价格较高,目前还未推广普及。

4.调光性农膜

调光性农膜是在 PE 树脂中加入稀土及其他功能性助剂制成的,能对光线进行选择性透过,是充分利用太阳光能的新型覆盖材料。与其他棚膜相比,它具有棚内增温、保温效果好,作物生化效应强,对不同作物有早熟、高产、提高营养成分等功能。稀土还能吸收紫外线,可延长农膜的使用寿命。其主要用品有:

(1)漫反射膜。在 PE 原料中添加多种无机添料作为风的散射剂,增加散射光,强化光合作用,增强早、晚光照强度,减弱中午强光,避免因强、光高温给作物带来的不利影响。

(2)光转换膜。在原料中添加稀土元素制成,覆盖后可将紫外光转变成可见光,透光率增加,增温效果好,能增强作物生化效应,可使作物生长快、早熟、高产,同时改进和提高产品品质。

(3)镜面反光膜。在原料中间夹置铝箔、镀铝或与铝粉母料共混制成,具强反光性。镜面反光膜用于果园地面覆盖,可使苹果、桃、葡萄提高着色指数,改进品质。在节能型日光温室内作为反光幕,可改善和提高中后部的光热条件。

(二)塑料大棚塑料薄膜的选用

塑料大棚塑料薄膜的选用,应根据当地气候条件以及栽培要求选用,而且要注意保护环境。

一般可根据需要选用 PE 普通塑料膜、PE 长寿膜、PE 多功能膜以及 PVC 普通膜和 PVC 无滴膜。另外,可根据需要在大棚内选用漫反射膜、光转换膜和镜面反光膜等调节用膜。

第三节　小拱棚

一、小拱棚的基本类型

小拱棚因体积小,结构简单,一般多用轻型材料建造。小拱棚不仅容易建造,而且因体积较小,故比较坚固耐用。它多用于冬春生产,一般建成东西延长式。小拱棚大致可分为以下 3 种。

(一)拱圆形小棚

拱圆形小棚,棚架为半圆形,高度 1m 左右,宽 1.5～2.0m,长度依地而定;骨架可用细竹竿按棚的宽度将两头插入地下,形成圆拱;相邻两根拱杆相距 30～50cm;全部拱竿插完后绑 3～4 道横拉杆,使骨架形成一个牢固的整体。覆盖棚膜后,一般在棚顶中央留一条放风口,采用扒缝放风,或者不留放风口,仅在棚的南面揭开薄膜底部进行通风。

(二)半拱圆小棚

半拱圆小棚,棚架仅为圆形小棚的一半,北面为 1m 左右高的土墙或砖墙,南面为半拱圆的棚面。棚高一般为 1.1～1.3m,跨度 2～2.5m,无立柱,如跨度很大,中间可设 1～2 排立柱。放风口设在棚的南面中腰部,采用扒缝放风。

(三)双斜面小棚

双斜面小棚是三角形或屋脊形,适用于多雨地区。中间设一排立柱,柱顶上拉一道 8 号铁丝,两侧用竹竿斜立绑成三角形。可在平地架棚,棚高 1～1.2m,宽 1.5～2m;也可在棚的四周筑起高 30cm 左右的畦框,在畦上立棚架,覆盖塑料薄膜即成。

二、小拱棚的应用

小拱棚在园艺上应用较多,多用于春秋季的蔬菜生产。在设施栽培果树中,一般栽培葡萄、草莓时使用小拱棚。另外,还可用以培育繁殖苗木,效果很好。

第四节 避雨棚

避雨棚与小拱棚一样,是设施中构造比较简单的一种。避雨棚一般由棚架和顶层覆盖一层塑料薄膜构成,其主要作用是防止果品在成熟期因遭受雨水的侵袭而产生裂果、果发霉、变形、变色等现象,保证果品的产量与质量,是设施栽培桃、葡萄、大樱桃的一种保护设施。

遮雨棚因其作用是避雨,防止裂果,故而其扣棚时间应把握好,一般是在果实开始着色时扣棚。棚的大小一般根据栽培面积的实际需要确定,可建成单栋或连栋避雨棚。

第三章 设施内环境因子的
变化规律与调控

第一节 光因子的变化规律与调控

一、光质及其作用

(一)光质

光质是指各种波长放射能的综合体。从太阳表面到达地面的光波波长范围在 $0.3\sim3.0\mu m$。光波包括紫外线、可见光与红外线。波长在 $0.4\mu m$ 以下为紫外光线，$0.4\sim0.7\mu m$ 的为可见光线，$0.7\sim3.0\mu m$ 的为红外光线。不同光线对果树的生理作用是不一样的。

(二)光质的作用

1. 紫外光线

波长在 $0.29\mu m$ 以下的紫外光线，一般被大气圈臭氧层所吸收，不能作用于果树；波长 $0.29\sim0.32\mu m$ 的紫外线，能够晒红人的皮肤，制造人体所需要的维生素 D，果树也可利用这部分紫外线合成维生素。另外，紫外线还可以进入植物器官内部，促进植物细胞的生长，抑制植株的徒长，促进植物对磷和铝的吸收以及色素的形成。波长为 $0.34\sim0.36\mu m$ 的紫外光线也可促进植株生长。

注意，紫外光线不能透过玻璃，但它可以透过塑料薄膜，这是塑料大棚迅速发展的原因之一。另外，紫外光线随着季节不同而发生变化，一般夏秋季节较多，冬春季节较少。

2.可见光线

可见光线正常为白光,它由红、橙、黄、绿、青、蓝、紫 7 色光谱组成。

可见光中具有最大活性的为波长 $0.6 \sim 0.7\mu m$ 的橙光和红光,其次为波长 $0.4 \sim 0.47\mu m$ 的蓝光,再次为波长 $0.5 \sim 0.6\mu m$ 的绿光。也就是说,红光和黄光对果树的光合作用最为有效,但只有各种光线作用的平衡,果树才能正常生长。

3.红外光线

红外光线是光谱中最热的光线。实验表明,波长 $0.7\mu m$ 以上的红外光线,植物对其吸收为零。红外光线主要是增热作用,可以供给植株热量。

二、设施光因子的变化

图 3-1 和图 3-2 分别是郑州地区 3 月底至 4 月初不同天气类型设施内外的光强日变化动态。可以看出:晴天(4 月 5 日)早上6:30至下午6:30的日平均光照强度,设施外为 50.7klx,设施内为23.8klx,平均透光率为 47.46%;阴天(3 月 24 日)设施外平均光强为 10.5klx,设施内为 6.9klx,平均透光率为 65.77%。设施内外光强均是晴天高于阴天,设施外高于设施内。晴天最高光强出现于中午 12:30 前后。

南北走向的塑料大棚内,1.5m 高度水平方向上光强变化的规律是:上午由东向西光强逐渐减弱,并且在棚的中央有一弱光区,其光强低于两侧任何一观测点;下午由东向西光强逐渐增加,在棚的中央未发现弱光区(见图 3-3)。

在设施内垂直方向上,不同高度位点光强也有差异,其规律是:无论上午或下午,由上至下,随着高度降低,光强也逐渐减弱(见图 3-4)。

设施内 1.5m 高度水平方向上,南北各观测点未发现光强的

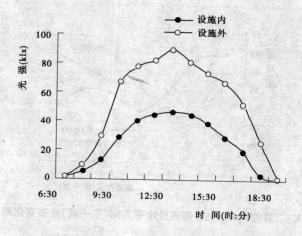

图 3-1　晴天设施内外光强日变化动态比较

（1998 年 4 月 5 日）

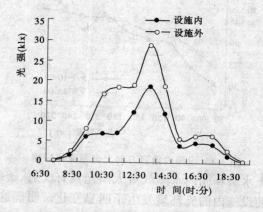

图 3-2　阴天设施内外光强日变化动态比较

（1998 年 3 月 24 日）

明显差异。

太阳辐射是形成设施内特殊微生态环境的一个重要因素。由

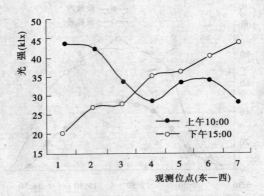

图 3-3　设施内外 1.5m 等高处水平方向(东—西)光强变化规律

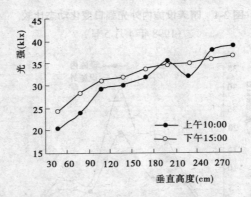

图 3-4　设施内垂直方向上光强变化规律

于棚膜、膜上水滴和棚内水蒸气对太阳光具有反射、透射、散射和吸收作用,使设施内的光环境发生了明显变化。明确这些变化规律,可为建立高效设施果树栽培模式提供理论依据。

三、影响设施内光因子分布的因素

设施由于其结构或形状导致光照的分布不均匀,主要表现在以下几个方面。

（一）设施方位的影响

设施的建造方位对光在设施内分布的影响很大。一般情况下，东西向延长的大棚，内部光照南部较强，而北部较弱，相差可达20%~30%；而南北向延长的大棚，东西部光照不一致，一般东部上午光照较强，下午光照较弱；而西部与之正相反，上午光照较弱，下午光照较强(见表3-1)。

表 3-1   南北延长的塑料大棚由东到西的光照强度

距边沿距离(m)	3.5	4.3		4.3	3.5
	东	东中	中	中西	西
光照度(lx)	5 810	3 350	5 810	3 501	7 942
相对照度(%)	31	18	32	14	44

（二）结构材料的影响

不同的设施构造，其遮荫面积不同，一般是日光温室的遮荫比塑料大棚的大。而日光温室的不同类型，因其东西山墙构造不同，亦使设施内光照分布不均，一般是近东西山墙的光照比较弱，光照时间相对比较短。设施的骨架结构也使得其内部各地的光照分布不均。另外，不同的结构材料其透光率不同，也就是说其遮光率不一样，一般木结构为25%，钢铝结构为15%~25%，金属管架结构约为5%，竹木结构为10%~15%，棚架对光照的影响也很大(见表3-2)。

表 3-2   棚架对光照的影响

棚架类型	相对光照强度(%)
露地(对照)	100
单栋钢架	72
单栋竹木	62.5
连栋钢筋混凝土	56.5

(三)采光面角度的影响

设施屋面不同的角度影响光的透过率,而屋面本身不同的部位因角度不一致(如拱圆形屋面),从而使光照入射角发生变化。一般地,入射角大的部位光照较差。

(四)其他方面的影响

(1)离采光面距离的影响。一般地,离屋面越远,光照越弱;日光温室南部光照较强,北部光照较弱,有时可差近50%左右。

(2)设施内果树畦向的影响。一般设施内用南北畦向栽培作物受光最好,东西方向较差。

(3)温室间距的影响。一般不存在设施间因间距太小产生遮光现象而导致设施内光照的分布不均。但也有一些设施因建造的不合理,或是片面地为了加强土地利用使设施间距小于一定的长度,而导致相互之间的遮光。一般地,设施相互之间间距不能小于设施顶高的2倍。

四、设施内光因子的调节

进入设施内的太阳光,一部分被设施内栽培床、设施果树反射、吸收,还有一部分用于水分蒸发,仅有一小部分被植物的光合作用所利用。

在我国,只要光照强度达到20~50klx就可以满足植物生长的需要。也就是说,在北纬50°以下地区,均可达到植物生长所需的光照条件;超过北纬60°,光线较弱;再向北,到冬季基本上照不到太阳。露地栽培,我国大部分地区光照条件均可满足果树生长的需要。然而在设施条件下,由于塑料薄膜等覆盖材料的反射和建筑材料的遮光等情况,以及因天长日久,塑料薄膜上结尘、结水或其他情况,使得光照条件不足以满足果树生长发育的需要;而且目前设施栽培的范围也不仅仅局限在低、中纬度区,在高纬度区发展设施果树生产时,设施内光照条件就很难满足其生长发育的需要。因此,必需采用补光措施对设施进行补光。

另一方面,在有些地方,由于光照强度过强,超过果树生长发育的需要或夏季炎热,易对果树等产生伤害时,应适时适当地减弱光照。

为了解决设施条件下光照条件的不足与过剩,目前,国内外设施栽培主要从设施光照量、光质、光照时间等方面进行调节,同时适时地给予人工补光、遮光。

(一)设施内光照量的调节

(1)设施形状、结构和方位的选择。研究表明,设施采用拱圆式、南北脊向(除我国东北少数地区可用东西脊向外),南北畦栽培,采光效果最好。

(2)覆盖材料的透光性调节。主要是通过选用透光保持率高的材料做覆盖材料,经常清除粘附在覆盖材料上的灰尘、水滴,使其保持良好的透光率等措施来调节。同时还可利用漫反射膜等多功能膜进行调节。

(3)其他方法调节。还可利用反光膜、透光保温幕等方法来调节设施内的光照量。

(二)光质的调节

光质的调节,是指根据需要利用有色玻璃或薄膜,改变透射到设施内光的光谱成分,提高设施内果树果品产量和品质的措施。如日本用浅蓝色薄膜覆盖进行草莓的半促成栽培,可使其叶子长得大,取得了果实收获多的效果。

(三)光照时间的调节

光照时间的调节,是指人为地延长或缩短光照时间,从而引起花芽分化、现蕾开花的进程改变,即从营养生长过渡到生殖生长的变化,称为光周期的诱导作用。

光照时间的调节就是根据作物要求和栽培目的,分别采取长日照处理和短日照处理。长日照处理方法有两种;一是日落补光法,一般是用白炽灯入夜即点灯,补光时间等于界限日长减去白天的光照时间;一是暗期打断法,即在夜间用短时间的红光照明达到长日照效果,一般使用富含红光的白炽灯,在入夜后6个小时之后,即半夜时分开始。短日照处理一般是在傍晚提前用黑色幕布把设施室内遮严。在暗期一定要注意不要漏进光照,以避免引起暗期打断效应。暗期处理,植物上的光照度要低于5lx。

(四)人工补光

与控制日照时间的日长反应补光(诱导开花、打破休眠等)不同,人工补光主要是促进光合作用,其所要求的光量和光质量也是不同的。日长反应的补光,称为电光栽培,只需要低能量的弱光,但要求红光;而促进光合作用的补光,称为补光栽培,要求的光照强度比较高,必须在植物的光补偿点以上,即光合有效辐射量要高于5 000lx,而且要求光线中富含红光和蓝光。

1. 人工光源的选择

在选择人工光源时,一般参照以下标准来进行综合选择。

(1)人工光源的光谱性能。根据植物对光谱的吸收性能,人工光源光谱中应富含红光和蓝紫光。

(2)发光效率。发光效率是指光源发出的光能与光源所消耗的电功率之比。发光效率愈高,所消耗的电能愈少。一般地,常用人工光源中白炽灯的发光效率最低,低压钠灯的发光效率最高。

(3)其他因素。在选择人工光源时,还应考虑到光源的寿命、安装维护、价格及安全性能等。

2. 设施中常用的人工光源简介

目前作为人工补光的光源有白炽灯、卤钨灯、高压水银灯、高压钠灯、低压钠灯及金属卤化物灯等。

(1)白炽灯。发光效率最低,500W灯的电能转换效率约为6%。发光时钨丝的温度可达3 000K,比太阳的(太阳发光时达6 000K)低,因此,发光光谱中红光成分比太阳光多,远红光成分也多,使用寿命约为1 000小时。目前生产的卤钨灯可使寿命延长1倍左右。虽然其发光效率低,但因价格便宜,目前在人工光源中应用仍较广泛。

(2)荧光灯。荧光灯是在灯管中注入低压水银蒸气,由它发射出紫外线,碰到涂于玻璃灯管壁的发光涂料后激发二次发光。用不同种类的发光涂料可以改变发光光谱。荧光灯的发光效率比白炽灯略高,为17%左右。虽然可以通过改变荧光灯中的发光涂料而改变发光光谱,制成强红光和蓝光的荧光灯,但其能量太小,应用仍不广泛。

(3)高压水银灯。这种光源发光效率较高,但一般含有短波紫外线,对作物不利。而且高压水银灯光色较差,使用较少。

(4)金属卤化物灯及高压钠灯。这种灯是在高压水银荧光灯基础之上,通过封入不同的金属卤化物,改善发光效率和光色。在灯泡内充低压钠蒸气并添加少量汞和氙等金属卤化物帮助起辉。其只有589nm的发射波长,发光效率最高,是目前国内外设施栽培中应用最广泛的人工光源。

(五)人工遮光

设施栽培在一般情况下是缺少光线,要进行人工补光才能满足绝大部分植物生长发育的需要,而且只有进行合理的人工补光,才能获得理想的产品。但是也有例外,有一些植物不需要多少光线,光线太强影响其生长发育,故而必须人为地用遮光材料进行人工遮光,以减少室内照度,满足植物生长发育的需要。

人工遮光有部分遮光和完全遮光两种。

(1)部分遮光。根据需要,人工用遮光材料将设施内光线减弱。通过选用不同的遮光材料遮光,控制设施内的光照,以达到所需的照度。

(2)完全遮光。根据需要,进行完全遮光或基本完全遮光。

(3)不同遮光材料及其遮光效果。表3-3是目前常用的遮光材料,多用于不完全遮光。而完全遮光一般用黑色聚氯乙烯或聚乙烯薄膜,而且可以根据需要选择具有不同遮光率的遮阳网。

表 3-3　　　　　　　　不同遮光材料及其遮光效果

材　料	遮光率(%)
苇　帘	24～76
遮　帘	43～76
塑料纱	25～66
合成纤维网	35～75
白　布	20～28

第二节　温度的变化与调控

一、温度与植物的生长发育

植物在生命周期中的一切生物化学作用,都必须在一定的温度条件下进行。温度在空间上随着纬度和海拔的不同而发生变化(一般是随纬度与海拔的升高而降低),在时间上随着四季及昼夜而呈现周期性变化。当温度超过某一高温或低于某一低温时,植物将停止生长发育,在这一由高温、低温组成的区间,是植物生长的温度范围,其中有一区间是植物生长速度最快的,为最适温度。人们通常把植物生长最适温度区间、最高温与最低温称为植物生长发育温度的三基点。

当温度高到或低到一定程度时,植物死亡,这时的温度称为致死温度,一般比最高温要高,比最低温要低。尤其是在北方寒冷地区,设施内应注意保暖,以防温度过低而冻死果树,产生无法挽回的损失。

设施果树生长发育所需的温度范围一般在 10～30℃ 之间。不同果树对温度的要求也不同,同种果树不同品种、品系对温度的要求也不同,而且同种果树同一品种、品系在不同生育期对温度的要求也不同。如桃树在低于－25℃时,受冻害致死,而杏树却可以忍受－36.3℃ 的低温。生长在苏联的乌苏里李可忍耐－35～－40℃的低温,而生长在我国南方的中国李则对低温非常敏感,低于－25℃就会冻死。

在设施栽培中,要注意栽植果树对温度的要求,在调节光照的同时,注意果树不同物候期的温度要求,对设施温度及时进行人工调节,以使设施果树生长良好,生产出优良、高产的果品,达到预期的生产目的,取得较好的经济效益。

二、设施内温度分布规律

(一)设施内白天与夜间温度的变化

在白天,设施内气温可达到设施外气温的两倍以上。如在北京,春季晴天密闭的大棚内最高气温可升至 45～50℃。由于覆盖材料的种类不同,对红外线的透过率差异,也影响设施内温度的变化。一般采用红外线透过率高的覆盖材料覆盖,设施内气温比用红外线透过率低的覆盖材料覆盖的要高。设施内气温变化一般与太阳辐射同步。在晴朗的天气,随着上午太阳辐射的逐渐增强,设施内气温每小时可升高 5～7℃,下午 1～2 点钟出现最高气温;午后随着太阳辐射的减弱,设施内气温每小时可下降 4～5℃;日落后,设施内气温每小时降低 0.7℃左右,在第二天日出前出现最低气温(如图 3-5、图 3-6)。

设施内气温变化比较复杂。一般地,不加温和无其他保温材料覆盖时,夜间设施内的气温只比外部气温高 2～3℃。若增加保温幕等保温覆盖,设施内气温可相应提高。

在夜间,由于设施内气温高于外部气温,设施内热量通过覆盖

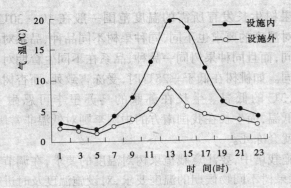

图 3-5 晴天设施内外气温日变化
（1998 年 2 月 25 日）

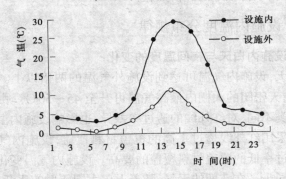

图 3-6 阴天设施内外气温日变化
（1998 年 3 月 2 日）

材料玻璃面或塑料薄膜以辐射、对流、热传导方式传到外部,这个传热系数称为围护结构传热系数。另外,热量还通过缝隙漏风传到外部,这个系数称为冷风渗入传导系数。二者之和为设施的散热系数。即散热系数＝围护结构传热系数＋冷风渗入传热系数。研究表明,夜间设施大棚表面的散热量等于其散热系数与设施表面积以及设施内外温差之积;在不加温的条件下,设施外表面的散

热量等于夜间设施内地面的散热量。即

$$设施表面散热量＝设施地面散热量$$

又即　　　散热系数×设施表面积×设施内外温差

$$＝设施地面积×夜间地面热流率$$

由此可以得出在不加温条件下设施夜间内外气温差。即

$$设施内外气温差＝\frac{设施地面积}{设施表面积}×\frac{夜间地面热流率}{散热系数}$$

其中设施地面积与其表面积之比值称为保温比。设施越小，其保温比也越小，夜间设施内气温下降就越快，设施内气温越低，昼夜温差也越大。如果在有风的晴朗天气的夜晚，这时会出现"温室逆温"现象，即设施内气温反而比外部气温低。这是因为设施大棚表面的辐射散热很强。夜间外界低层空气的气温比高层的低，由于风的作用其不断把热量传递给外部低层冷空气，而又由于覆盖物的阻挡得不到高层热空气的热量补充，从而使得设施内气温反而比设施外部气温低。从热收支平衡分析得知，覆盖材料外表面的净辐射和设施内的净辐射越大，逆温表现越强，来自地中的传热量越多，保温比越大，则逆温现象就越难出现。因此，越是小型的设施，越易出现逆温现象。

（二）设施内温度的空间变化规律

设施内温度的空间分布变化非常复杂。在有保温措施的情况下，垂直方向温差上下可达4～6℃，水平方向的温差则较小。

在垂直方向上，设施内不同位点的温度随高度不同而有所变化，表现出如下规律：上午9时至下午16时，设施内温度随空间高度的降低而下降，上层空间温度高于中、下层，最大差值可达2℃，其余时间虽然不同高处的温度也略有差异，但没有如此明显。对设施内温度梯度的形成推测有如下原因：一是日出后，设施内温度迅速提高，热空气上升后会集于设施内上层；二是棚膜直接吸收一定量的太阳辐射，变成热源首先传递给上层空间；另外，叶幕对日

光的反射、散射和吸收,使下层空间热源相对减弱(见表 3-4)。

表 3-4　　　设施内不同高度位点温度的日变化　　　(单位:℃)

高度	时　　间(时)												
(m)	2	4	6	8	10	12	14	16	18	20	22	24	平均
2.5	10.5	8.0	6.8	9.8	16.5	26.4	29.0	25.4	20.0	18.5	16.0	13.8	16.7
1.5	10.5	8.0	6.6	9.5	15.5	25.8	28.0	24.8	20.0	18.5	16.0	13.5	16.4
1.0	10.5	8.5	6.0	9.0	15.0	25.0	27.8	24.5	19.8	18.6	15.8	13.6	16.2
0.5	10.8	8.6	6.8	8.5	14.5	24.5	27.0	24.0	19.6	18.2	16.8	13.8	16.1
0.2	11.0	8.5	6.5	8.5	14.5	24.5	27.0	23.8	19.5	18	16.6	13.6	16.0

注　测定日期:1998 年 2 月 25 日。

　　设施内温度在水平方向上也有差异,主要表现为:上午东半部1.0m 等高处各观测点的温度高于西半部,下午西半部温度逐渐高于东半部,转折时间在 14~15 时,最大温度差值可达 1.4℃。这种现象的成因可能是:东、西棚面上、下午太阳入射角不同,因此,棚膜对光的反射及棚内不同位置接受的光辐量也有差异;另外,棚内中部的桃树遮荫。此外,设施内由边缘到中央也存在水平温差,即由边缘到中央温度逐渐升高,但变化辐度不大(见表 3-5)。

表 3-5　　　设施内 1.0m 等高处水平方向上温度日变化　　(单位:℃)

观测点	时　　间(时)												
(东→西)	2	4	6	8	10	12	14	16	18	20	22	24	平均
1	9.2	7.5	6.0	9.0	15.0	25.0	27.2	24	18.8	17.5	15.0	13.0	15.6
2	10.0	8.0	6.3	9.0	15.5	25.8	27.6	24.6	19.0	18.0	15.5	13.2	16.0
3	10.5	8.5	6.5	9.2	16.0	26.2	28.0	24.2	19.8	18.5	15.5	13.5	16.4
4	10.5	8.5	6.0	9.0	15.8	25.8	27.6	25.0	21.0	19.0	16.0	13.6	16.5
5	10.2	8.8	6.5	8.5	14.5	25.0	27.5	25.0	19.5	18.5	15.8	13.5	16.1
6	9.5	8.0	6.2	8.0	14.0	24.8	27.0	24.5	19.0	18.0	15.5	13.0	15.6

注　测定日期:1998 年 2 月 25 日。

（三）地温的变化

土壤的热容量大，白天贮蓄太阳辐射能的热量，夜间再散失到设施内以提高设施内气温。在不加温的温室大棚内，夜间地表面的温度比室内气温一般要高。但栽培果树之后，由于果树的遮荫，白天到达地面的太阳辐射量减少，土壤蓄热减少，地温也小。而在日照少的冬季和早春，设施内地温一般较低，不能满足果树生长的要求。

三、不同类型设施内温度变化差异

日光温室与塑料大棚内温度差异主要表现为：冬季日光温室内基本上无冬季变化，在其他不同季节其内部温度变化与外界气温变化也基本一致（见表3-6）。

表3-6　长后坡节能型日光温室11月～翌年2月候平均气温

（单位：℃）

月份	候						平均
	1	2	3	4	5	6	
11	18.3	14.0	17.3	19.5	18.9	12.3	16.7
12	16.9	13.3	17.2	14.7	15.2	17.6	15.9
1	17.6	18.0	17.3	20.7	17.3	18.7	18.3
2	18.5	19.9	20.2	20.1	21.4	16.7	20.1

注　表中数据来自于1991～1992年北京的有关温室。

而在塑料大棚内，存在明显的季节差异（如图3-7）。

根据气象部门确定的四季划分标准（见表3-7），对北京大棚的研究表明，对其季节大致可划分如下：春季：3月26日～5月25日，61天；夏季：5月26日～9月5日，103天；秋季：9月6日～11月10日，66天；冬季：11月11日～3月25日，135天。而外界划

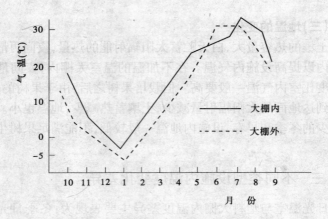

图 3-7　大棚内外各月平均气温

分则为春季:4 月 6 日~5 月 25 日,50 天;夏季:5 月 26 日~9 月 5 日,103 天;秋季:9 月 26 日~10 月 25 日,50 天;冬季:10 月 26 日~4 月 5 日,162 天。

表 3-7　　　　　　　　　四季划分标准　　　　　　　　　（单位:℃）

季 节	候平均气温	旬平均气温	最低气温
冬	≤10.0	≤17.0	≤4.0
春	10.0~22.0	17.0~28.0	4.0~15.0
夏	≥22.0	≥28.0	≥15.0
秋	10.0~22.0	17.0~28.0	4.0~15.0

　　通过上述对比可知,塑料大棚的作用是缩短了冬季,而延长了春、秋两季,而日光温室则无冬季。因此,日光温室内作物一年当中均可生长发育,如果能满足果树的休眠与低温需求,一年中均可生产果品;而塑料大棚仅可以使果品相对于露地提前或延后上市。另外,日光温室内气温一般比塑料大棚内高 2~4℃。

　　日光温室与塑料大棚内除了在季节上温度有差异外,其他方面的差异表现为:日光温室内的气温相对稳定,易对其进行人工调控,而塑料大棚内气温变化波动大,调节相对困难;塑料大棚内易出现"温度逆转现象",且"边际效应"明显,而日光温室内无此现象。

四、设施内温度的调控

(一)设施的保温措施

对设施的保温,所采用的措施有:选择适宜的覆盖材料、适宜的覆盖厚度以及双层或多层覆盖。

一般来说,玻璃比塑料的保温效果好;适宜厚度的覆盖材料,夜间保温效果明显;而双重或多重覆盖保温效果最好。

(二)设施的加温措施

设施内的气温,在一般情况下,只比外部气温增高 2~3℃,在严寒冬季,即使进行两层或多层覆盖保温,仍不能达到理想的温度。在设施栽培条件下,如果两层覆盖不能达到所要求的温度,一般都要进行加温,一种是完全加温,一种是临时加温。

对设施加温方式的选择,通用的有 3 个标准。一是燃料易得且便宜,不污染塑料与作物,不产生有害气体;二是设备安装简单,价格低廉,没有危险;三是节约劳动力。

对设施加温的方法很多,下面就常用方法作介绍。

1.酿热加温措施

酿热加温是一种最为经济的加温措施。我国劳动人民在很早以前,就利用秸草、垃圾、厩肥等有机物,加入适量水后,使其微生物繁殖、分解、发酵生热的方法,来提高地温种植蔬菜。现在,酿热加温用于设施增温仍是一种非常有效的措施,不仅方便、经济,而且效果非常好。

对用来酿热的有机物进行分解生热的主要是好气性细菌。这些细菌活动的情况决定酿热物发酵增温的效果,因此,营养与水分要充足,同时还要适当地通气。

微生物与其他生物一样需要养分,尤其是作为生活能源的碳素以及构造其身体的氮素最为重要。碳氮比是微生物活动的一个重要指标。碳氮比大了,微生物活动缓慢,温度不易上升;碳氮比小了,微生物活动积极,但由于养分很快被消耗完,故温度上升虽快,但持续时间很短。一般地,碳氮比维持在30左右时,微生物活动最活跃,发热正常而持久。常用的主要酿热材料的碳素与氮素含量如表3-8。

表 3-8 各种酿热材料的碳氮比

材　　料	C(%)	N(%)	C/N
稻　草	42.3	0.63	67.1
大麦秆	46.5	0.52	87.7
小麦秆	46.0	0.40	72.0
玉米秆	43.3	1.67	26.0
纺织屑	54.2	2.32	23.3
米　糠	37.0	1.70	21.8
大豆饼	50.0	9.00	5.50
棉籽饼	16.0	5.0	3.20
油　饼	16.0	5.40	3.0
松落叶	42.0	1.40	30.0
栎落叶	49.0	2.00	24.5
甘薯蔓	23.6~29.5	1.18	20~25
紫云英	46.2	2.68	17.3
青刈大豆	45.0	2.54	16.0
烟草秆	37.0	2.02	18.5
新鲜厩肥	42.5	1.60	26.0

酿热物的含水量一般应保持在70%左右。水分过少,发热不持久;水分过多,通气不好,发热困难。而酿热物使用数量,一般是

寒冷地区或低温季节较多,反之则减少。厚度一般在 20～28cm,太厚了通气不良,发热效果差。在配料时,应就地取材,减少花费,同时对照表 3-8 中碳氮比合理配置,使发热快而持久(碳氮比保持在 30)。另外,还可根据天气变化,灵活掌握。如天冷时,多加入碳氮比小的酿热材料,如大豆饼、油饼、棉籽饼等,这样升温快;而在天气转暖后,可增加碳氮比大的材料,如稻草、麦秸等。

2. 火炉加温措施

火炉加温是较为简便的临时加温措施,一般有明火加温与暗火加温两种。

明火加温措施一般是温暖地区防止短期冻害时采用的一种临时加温措施。明火加温的优点是:设备费用低,安装简便,生火容易,增温也较快;缺点是:近火炉处作物亦被烧伤。另外,煤碳质量不好,燃烧不完全,温度管理较困难,同时产生的有害气体对作物与人均不利。

暗火加温则不同,它是一种在寒冷时的长期加温措施。它有较长的烟道,燃料在炉内燃烧后,通过烟道给设施增温,废烟从烟筒中排出室外,其火力也易调节。其优点是设备简单,燃料便宜,安装容易且污染较小。但由于其火力较小,增温较慢,较费人力,也不宜大面积的设施栽培采用。

3. 电热加温措施

电热加温是一种地下加温措施,一般多用于苗床。另外,电热加温,一是电费较高,二是遇长期停电时无法使用,因此,在通常情况下应用较少。

4. 水暖加温措施

水暖加温措施是设施加温中较为理想的措施之一。

水暖加温多用锅炉加温,通过管道,从机体送出热水,随其循环返复,提高室温。其最大优点是温度稳定,而且分布均匀,生产极安全,目前在设施加温中应用非常广泛。

5. 暖风加温措施

暖风加温措施较为简便,不需设置大量管道,而是以热空气直接暖和室内,是目前最普遍应用的加温措施。

暖风加温用一般的暖风机即可。大型温室则需专门设置锅炉,加热空气,而后通过暖风机送入室内。

由于一般的暖风机机型小,简单且较便宜,而对其加上简单装置亦可使设施内气温较为均一,因而在世界各地应用非常广泛,是目前最为广泛的一种设施增温措施。

6. 蒸汽加温措施

蒸汽加温措施是利用锅炉发生蒸汽,再通过管道送入设施之内。其设备费比水暖加温措施要高出 50%,加温设施面积越大,单位面积费用越低。其发热量可达水暖加温的 2 倍。据计算,在 3 000m² 的设施中,蒸汽加温措施与暖水加温措施的费用大致相当。因此,蒸汽加温措施一般用于大型的设施栽培之中。

(三)设施的降温措施

与设施的增温措施一样,设施的降温措施对设施栽培也非常重要。在比较暖和的地区,即使在冬季,在晴朗无风的天气里,设施内气温也可能接近于作物生长的适宜温度。

一般来说,用设施进行栽培,除了要考虑加温措施之外,还应考虑到降温措施。设施降温的措施很多,最主要的是开设换气窗,进行自然换气降温,也可利用通风扇进行人工降温。常用的方法有自然换气降温、人工换气降温、屋面洒水降温与室内喷雾降温等。现分别介绍如下:

1. 自然换气降温与人工换气降温

(1)自然换气降温措施。它是根据设施内外情况的差异,依靠内外温差与外界风作为动力,通过开设天窗与地窗进行换气。一般情况下,每小时可换气量为设施内的 0.5～5 倍。

在自然换气降温设施中,应注意气窗开设的位置与大小,它们直接关系到换气效果。一般地,为了达到最好的换气效果,天窗设在背风的一面,而地窗设在迎风面。气窗的大小,理论上是越大越好,但因为还涉及到设施保温与设施结构的稳固,气窗又不易过大,一般气窗开设的大小宜为设施内面积的15%左右。尤其要保证天窗的面积。但在实际应用中,天窗面积不易太大,这一方面是因为天窗开设过大,必须要有相当结实的材料,不然难以开设大的天窗,另一方面是如果开设大的天窗,投资必然会增加,而且设施的密闭性无法保证。

(2)人工换气降温措施。它是指用换气扇进行人工换气。它可以避免自然换气降温中因天窗窗框不严等在严冬季节易发生冻害的危险,同时不用开设天窗,省工省料。

人工换气降温要注意换气扇安装的位置。换气扇有两种,一种为压力型,另一种为风量型。压力型换气扇一般应安装在迎风面,而风量型换气扇应装在背风面,这样可达到较好的换气降温效果。

人工换气降温措施的不利之处是室温不易均匀一致,在特别低温情况下,吸气口附近易遭受冻害或干燥,而且在大棚比较集中的地方,降温效果不理想。另外,在经常停电地区也不宜使用。

无论是自然换气降温措施还是人工换气降温措施,除了能达到降低室温的效果之外,还可排除湿气和补助设施内二氧化碳的不足。

2. 屋面洒水降温与室内喷雾降温

(1)屋面洒水降温措施。它是在炎热夏季使用的较为方便快捷且效果较好的一种降温措施。具体方法是利用井水洒于屋面直接冷却空气,使室内气温降低。

(2)室内喷雾降温措施。它是通过喷嘴实行高压喷雾,水滴很小,通过水滴蒸发来降低室温。用室内喷雾降温措施与换气降温措施相结合,可以使设施内的气温下降到设施外气温之下。试验证明,当外界气温为 37℃,仅用换气扇进行换气(换气率为 70%),设施内气温可降为 35～36℃,如果再加用喷雾降温措施,设施内气温可降至 28～30℃。

对调节设施内温度的各种措施,在实际应用中应从实际情况出发,结合当地的气候特征,不局限于一种方法,而是要灵活把握各种保温措施、加温措施以及降温措施,综合运用,以达到理想的效果。

第三节　湿度的变化与调控

一、果树对水分的要求

果树的生长离不开水。果树生长发育所需的养分要从土壤中吸收,而土壤中的养分只有溶解在水里才能被果树吸收、利用。光合作用所产生的有机物质,也只有通过水分才能从叶子运到果树各器官。

果树如在生育过程中缺水,植株萎蔫,气孔关闭,同化作用停止。若严重缺水,则会使细胞死亡,植株枯死。但水分如果过多,又容易引起果树树根呼吸困难,严重时也会危及果树生长。因此,应根据设施所栽培果树对水的敏感程度,用科学的方法监测和调节设施内的湿度,使之达到最适果树生长的湿度。

二、设施内湿度的变化规律

(一)设施内外空气相对湿度的日变化动态

晴天和阴天设施内外空气相对湿度(RH)的日变化如图 3-8 和图 3-9,其中设施内的 RH 为各观测点的平均值。比较图 3-8 和图 3-9 可以看出,不同天气条件下,设施内 RH 值日变化趋势比较接近,即日出后 RH 值逐渐下降,中午 13～14 时温度最高时,RH

达到最低值,以后逐渐回升,18～19时以后升至并维持较高水平,夜间波动不大。总之,设施内 RH 日变化趋势是早、晚最高,中午最低,阴天明显高于晴天。

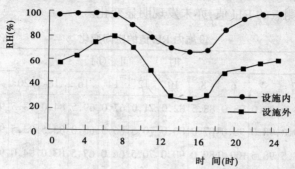

图 3-8　晴天设施内外 RH 值的日变化

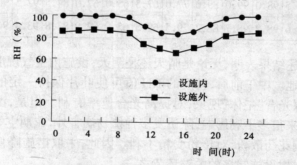

图 3-9　阴天设施内外 RH 值的日变化

在设施外,不同天气条件下 RH 值的日变化差异较大,阴天 RH 值远高于晴天。在晴天,除夜间升到较高水平外,其余时间特别是中午高温时段,RH 值降至很低水平,谷底值只有 25%～30%。设施内外 RH 值之差是晴天大于阴天。

(二)设施内 RH 值的空间变化规律

在设施内中央垂直方向上,白天(9～16时)RH 值随高度增加略有升高。原因是白天温度较高,大量水蒸气上升并会集于上层空间,提高了上层空间的空气湿度。夜间,设施内垂直方向上的RH值无明显差异(见表3-9)。另外,设施内1.0m高度水平方向上各观测点的RH值,亦未发现明显变化。

表 3-9　　　　　　　　设施内 RH 值的空间变化　　　　　　　　(%)

高度 (m)	时　　间　(时)											
	2	4	6	8	10	12	14	16	18	20	22	24
2.5	98.0	99.0	98.0	88.5	82.0	71.0	67.0	69.5	84.0	93.5	96.0	97.0
1.5	99.0	98.0	98.0	87.0	80.0	70.5	66.5	68.0	83.5	93.5	97.5	97.5
1.0	98.5	98.5	100.0	89.0	90.0	70.5	66.0	67.5	83.0	94.0	97.5	93.6
0.5	98.0	97.5	98.0	87.5	78.5	68.0	65.0	67.5	84.0	93.5	97.0	98.0
0.2	99.5	98.0	99.0	89.0	77.0	67.5	65.0	67.5	84.5	92.5	96.5	98.0
平均	98.6	98.2	98.7	88.2	79.5	69.5	65.9	67.9	83.8	93.4	96.9	97.8

上述结果表明,无论是晴天还是阴天,设施内空气湿度均明显高于露地。中午前后,较高的 RH 值可使叶片保持一定的气孔开度,克服光合"午休"现象,对提高光合速率有利。但是,湿度过高也会带来很多不利影响,除诱发多种植物病害外,花期空气湿度过大,影响花药散粉,对传粉受精不利。因此,采取措施降低棚内湿度,是果树设施栽培的关键环节之一。

三、设施内湿度的调节

设施栽培的湿度管理,必须根据种植果树种类及其不同生育期进行合理调整。设施内湿度过低时,可采用增加灌水的方法来提高。研究表明,设施内湿度过低的情况很少,常常是设施内的湿度过高。降低设施内湿度的方法很多,其中最有效的方法是换气和加温。

（一）换气

换气是降低设施内湿度的一种简便易行的方法。设施内湿度过大时，必须及时通风换气，将湿气排出，换入外界的干燥空气。在换气时应注意处理好保温与降湿的关系，因为通风换气时，排出的气体不仅是湿空气，同时也是热空气，与从室外来的气体正好相反，这样通气必然降低设施内的温度。所以通风换气也不能盲目进行，必须根据需要确定其换气与否以及换气程度，开天窗还是开地窗、半开还是全开、在什么时候开以及开多长时间都要严格掌握好，这样才能达到通风降湿的目的。

（二）加温

加温既可增温又可降湿，一举两得。尤其是在低温季节和早晚，设施内湿度过高时，采取加温措施非常有利。

（三）灌水

灌水不仅可调节设施内的湿度，改变土壤的热容量和保热性能，而且可满足果树对水、汽、热等条件的要求，调节三者的矛盾，促进果树生长发育。

目前设施果树栽培很少再用传统的漫灌，而改用滴灌和喷灌，这样不仅节约用水，提高水资源的利用率，而且节省劳动力。但一次性投资相对较大。

除了上述几种调节设施内湿度的方法之外，还有湿帘加湿法及喷雾加湿法，它们在加湿的同时也起到了降温的作用。

第四节　空气条件与毒气防治

一、设施内的二氧化碳

（一）设施内二氧化碳浓度的变化规律

二氧化碳（CO_2）是植物进行光合作用的主要原料，光合作用是果树产量和品质构成的决定性因素之一,因此,二氧化碳对果树生长发育的作用是不言而喻的。果树光合作用所需的二氧化碳主要来自大气,尽管大气中二氧化碳浓度受气候、生物等诸多因素的影响而可能出现波动,但总体上是处于相对稳定的状态。设施栽培使果树生长在相对封闭的空间,特别是深冬季节,由于保温的需要,通风受到限制,因此,设施内二氧化碳浓度必然发生不同于露地的特殊变化。探明其变化规律,对于研究设施栽培果树的生理反应和建立高效栽培模式都是十分必要的。目前设施内观测二氧化碳浓度的仪器多用维萨拉公司二氧化碳检测仪 GMIIA/IIB 和 GMPIII 二氧化碳传感器。

1. 大气中二氧化碳浓度的日变化

1997 年 2 月 24 日和 4 月 12 日分别对大气中二氧化碳浓度的日变化动态进行了测定,结果表明,两次测得的日变化曲线有所不同(见图 3-10):4 月 12 日测得的二氧化碳浓度日变化幅度大于 2 月 24 日的变化幅度,但日变化趋势相同,即日出前,空气中二氧化碳浓度达到最高值($366 \sim 398 \mu l/L$),日出后逐渐降低,中午前后降至最低水平($249 \sim 278 \mu l/L$),16 时以后逐渐回升。大气中二氧化碳浓度的这种变化趋势与自然界中植物的光合作用有直接关系。

2. 设施环境中二氧化碳浓度的变化规律

从图 3-11 和图 3-12 可以看出,设施内二氧化碳浓度的变化与果树生长发育阶段、天气类型和通风与否等因素有关,但日变化趋势十分相似:夜间,果树的光合作用停止,而土壤有机质分解和果树呼吸作用释放出二氧化碳,使设施内二氧化碳浓度升高,并在早晨日出前达到最高值;日出后,随着光照强度和温度的逐渐增加,果树光合作用逐渐增强,消耗大量的二氧化碳,使设施内空气中二氧化碳浓度降低,至 10 时左右已接近最低水平,若此时通风换气,设施内二氧化碳浓度逐渐回升,并最终与外界达到平衡;若

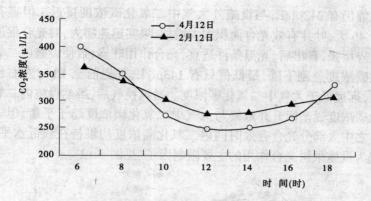

图 3-10　大气中 CO_2 浓度的日变化

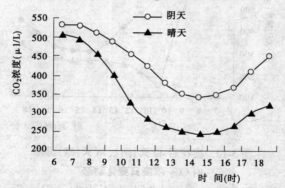

**图 3-11　盛花后 12 天(晴)、14 天(阴)设施
内 CO_2 浓度的日变化动态(未通风)**

未通风,则二氧化碳浓度持续降低,中午前后达到最低水平,以后
又逐渐回升。

盛花后 12、14 天,受精后的果实开始膨大,叶片逐渐展开,已
具备光合作用能力,但因总叶面积尚小,总体光合生产能力低下,
因此,日出后二氧化碳浓度下降缓慢,最低值出现在 14 时左右,日
波动幅度较小(见图 3-11)。这期间,设施内晴天二氧化碳浓度最

低值仍有 242μl/L，与设施外大气中二氧化碳浓度接近。但盛花后 46 天，叶片有效光合面积大大增加，果实迅速膨大，对光合促进效应增强，日出后，光温条件适宜，光合作用旺盛，致使设施内二氧化碳浓度急剧下降，最低值只有 143μl/L，且提前至 10 时左右出现，远远低于大气中二氧化碳浓度。通风换气后，虽然设施内二氧化碳浓度逐渐回升并最终与大气中二氧化碳浓度趋于平衡，但一日之中大部分光合有效时间内二氧化碳浓度均维持在较低水平，成为设施果树光合作用的主要限制因子(见图 3-12)。

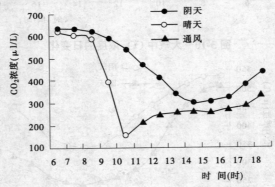

图 3-12　盛花后 42 天(阴)、46 天(晴)设施
内 CO_2 浓度日变化动态

设施内二氧化碳浓度在空间分布上也有一定变化，上层空间和地面空间二氧化碳浓度较高，叶幕层内二氧化碳浓度较低，这主要与光合作用的消耗与空气疏通受阻有关。

(二)设施内二氧化碳的补充

设施内二氧化碳浓度在白天随光合作用的进行而逐渐下降，有时在见光后 1~2 小时后甚至下降到果树植物二氧化碳补偿点以下。实践证明，晴天二氧化碳浓度宜控制在 1 000~1 500μl/L，阴天以 500~1 000μl/L 为好。若不及时补充二氧化碳，光合作用将受到阻碍,合成物质下降,影响果树的正常生长发育。试验表明,人工及时补充二氧化碳,可使设施地桃树增产 10%～30%,而且品质也有所提高。

增加设施中二氧化碳浓度的方法很多,主要有下面几种:

1. 施用固体二氧化碳肥

固体二氧化碳肥是一种富含二氧化碳的复合肥料,为褐色固体,每公顷施用 600kg,设施内二氧化碳浓度可达 1 000μl/L,施后 6 天可产生二氧化碳,有效期可达 90 天左右,高效期 40～60 天。该肥料施放完二氧化碳的残渣中含有效磷 20.7%,速效氮 11.8% 等。

在施用固体二氧化碳时应注意下面几点:

(1)施后要保持土壤湿润、疏松(覆土后不要踩实)。

(2)棚内放风可根据需要正常进行,但以中、上部放风为好。

(3)施用时,切勿撒到果树的叶、花、根上,以防烧伤。

(4)存放不易太久,且应置于低温干燥处。

2. 二氧化碳发生器

二氧化碳发生器是利用强酸与碳酸盐反应生成二氧化碳。生产实践证明,每公顷施用 30kg 碳酸氢铵加 18kg 硫酸,反应后生成二氧化碳气体,可使二氧化碳浓度增加 420μl/L。利用二氧化碳发生器应在晴朗的天气,早上太阳出来后的 1～2 小时内施用。

3. 多施有机肥

多施有机肥是目前我国设施内补充二氧化碳最切实可行的方法。试验证明,施入 1 000kg 有机物,最终可释放出 1 500kg 二氧化碳。在酿热温床中施入大量的有机肥料,当发热量达到最高时,设施内二氧化碳浓度可超过大气中二氧化碳浓度的 100 倍以上。

4. 通风换气

通风换气以补充设施内二氧化碳浓度是简便易行,且投入较少的一种方法,但要把握好通风的时间以及通风持续的时间。

二、设施内有毒气体的危害及预防

设施内有毒气体主要有 4 种,即氨、亚硝酸、一氧化碳以及二氧化硫气体。

(一)氨的危害及预防

氨气浓度达到 $5\mu l/L$ 时,多数果树便发生受害症状。氨气从气孔侵入危害细胞,不同果树对其敏感度不一样。桃树在氨气达到 $40\mu l/L$ 时,经 24 小时,所有植株均受到严重危害,甚至枯死。

氨气在设施内的积累主要是施肥不当所致。在设施内过多地使用碳酸氢铵或尿素以及未充分腐熟的有机肥料,未经充分发酵的鸡禽粪、马粪、饼肥等均易产生氨气危害果树。预防措施,除了施肥时应注意外,还可在早晨测试棚膜水滴 pH 值,如呈碱性,说明有氨气积累,应及时放风换气,以免氨气危害。

(二)亚硝酸气体的危害及预防

亚硝酸气体危害也是因施肥不当引起的。其在设施内积累达 $2\mu l/L$ 时,植株出现受害症状,浓度过高时会使全株枯死。

对亚硝酸气体危害的预防,主要是不要过多地施用氮素化肥;同时注意监测,如亚硝酸气体积累过多,应及时通风换气。

(三)一氧化碳与亚硫酸气体的危害及预防

一氧化碳(CO)与亚硫酸(SO_2)气体是因设施内加温用燃料燃烧不完全或质量不好时产生的。其中一氧化碳对人危害极大,严重时能致人死亡;亚硫酸气体及二氧化硫气体对人、畜及植株危害也非常大,严重时会使植株死亡。

对一氧化碳与亚硫酸气体危害的预防,主要方法是:切断产生一氧化碳与亚硫酸气体的来源,在给设施增温时,尽可能不用直接采暖火炉增温;在使用燃料时,要注意使其完全燃烧,并注意通风换气。

第五节　土壤环境的调节

　　设施栽培与露地栽培不同,它是在特殊的环境条件下进行的栽培、施肥管理,并在不大的土壤容量内布满大量的根系,需要吸收大量的养分,因此,它比在露地栽培要求更高的营养条件。设施栽培大多是进行高度集约和轮作生产,以特定的肥料为主,施肥量大。每茬所施的肥料由于在设施内,没有雨水的淋溶,除灌水外土壤中的水分大多是由下而上地运动,土壤耕作层容易形成高浓度的盐类危害,使作物生育受到阻碍,以致造成产量降低。尤其是目前自动化调节控制程度不高,设施内的操作还靠人工进行,也易造成土壤物理性状的恶化,影响作物的生长。此外,设施内其他环境条件也比露地差,透光量少,碳水化合物的同化量也减少。室内的温度往往又比露地高,由于土壤表面的蒸发和作物蒸腾消耗的水分完全靠人工灌溉,如此循环往复,土壤中有害成分向外散发不出去,也会造成设施内有害气体的危害。

　　设施内栽培与各种物理学、化学或生物学的因子相联系,果树受危害的情况随栽培年限而严重。所以,为了在设施栽培中获得高产,除了注意栽培管理外,更要注意肥料的种类、形态、施肥量以及施肥的方法。此外,改善土壤物理性质,保持土壤良好的气体环境也是十分重要的。

一、土壤中气体环境及调节

(一)土壤空气的组成

　　土壤空气主要由氧气与二氧化碳气体组成,但其组成比例主要决定于生物学过程的强度,以及土壤空气与大气进行气体交换的情况。一般地,土壤空气中二氧化碳含量为空气中的 6～7 倍,而氧气则比空气中的少。这种差异随大气与土壤空气之间的换气作用、季节、土壤条件、作物种类、耕作及微生物活动状况的变化而发生改变。

表 3-10 表明了不同深度土壤中氧气与二氧化碳含量的变化，表 3-11 说明了植物生长与增施肥料对土壤空气中二氧化碳含量的影响。

表 3-10　　粉砂壤土中土壤空气扩散时 O_2 及 CO_2 含量变化　　（%）

日期	不同深度土层中空气成分					
（月／日）	30cm		60cm		90cm	
	CO_2	O_2	CO_2	O_2	CO_2	O_2
11/14	1.2	19.4	2.4	11.6	6.6	3.5
3/23	0.15	20.15	2.1	0.15	5.6	0.3
4/21	1.9	18.65	3.2	0.35	6.85	0.25
5/24	3.7	16.23	3.95	13.9	5.6	13.35
6/21	1.7	19.25	4.15	17.1	5.35	16.4
7/25	2.0	19.8	3.1	19.1	5.2	17.59
8/19	2.4	19.0	3.7	17.4	5.0	16.7
9/22	3.0	15.3	4.8	11.0	5.8	9.95

日期	不同深度土层中空气成分					
（月／日）	120cm		150cm		180cm	
	CO_2	O_2	CO_2	O_2	CO_2	O_2
11/14	9.6	0.7	10.4	2.4	15.5	0.2
3/23						
4/21						
5/24						
6/21	9.6	9.45	10.95	2.1		
7/25	9.1	14.5	11.7	12.4	12.6	9.8
8/19	8.55	15.25	11.85	12.95	11.9	11.85
9/22	8.45	8.95	10.55	8.4	10.6	9.0

（二）土壤空气的更新——气体交换

土壤空气的更新是扩散作用与气象因子的影响而引起的。这

表 3-11　植物生长与增施肥料对土壤空气中 CO_2 含量的影响　　（%）

处　理	不同日期的土壤空气中 CO_2 含量				
	5/15	5/25	6/10	7/7	7/27
不施肥、休闲	0.10	0.07	0.08	0.08	0.09
施肥、休闲	0.22	0.32	0.17	0.36	0.35
生 长 小 麦	0.61	0.32	0.35	0.48	0.30

些气象因子包括土壤温度、气压、风以及降水或灌溉水所引起的土壤空隙度的变化。

1.土壤温度的影响

土壤不同层次间的温度差异,导致土壤孔隙内的空气膨胀与收缩,热空气向上运动,从而使不同土层间或土壤与大气间的气体发生交换。

2.气压的影响

气压的变化使土壤中空气产生压缩或膨胀,从而使土壤空气与大气发生气体交换。

3.风的作用

大风的压力与吸力作用使土壤中空气与大气发生气体交换。

4.降雨的影响

降雨后,雨水渗到土壤中而引起土壤空气的更新。

5.扩散作用的影响

土壤的扩散作用主要指土壤中的二氧化碳逸向大气以及大气中氧气进入土壤的过程。

三、土壤空气的调节

土壤中的气体环境是受多因子制约的。调节土壤中的气体环境,是设施栽培增产的重要环节。其调节方法主要有土壤耕作、合理施肥、合理灌溉以及地膜覆盖等。

(一)土壤耕作

通过机械对土壤进行耕翻,创造一个良好的土壤表面状态以及适宜的耕层构造,建立土壤中水、热、气等因素与外界环境的动态平衡,控制土壤微生物的活性和生物化学活性,调节有机质的分解和积累,有利于蓄水保墒和防止土壤侵蚀;正确翻埋肥料;创造适合各种果树作物生长发育的土壤环境条件,促进作物的个体发育;减轻病、虫、杂草对植株的危害。

(二)合理施肥

设施栽培中,合理施肥可改善土壤结构,调节土壤的气相比、全孔隙量(见表 3-12)。

表 3-12　　　　　　　施用有机肥料对土壤理化性质的影响

项　　　目		无堆肥区	堆肥区	生稻草区	混播牧草区
三项分布	固　相(%)	57.3	53.9	51.6	56.3
	液　相(%)	22.9	23.6	21.7	24.6
	气　相(%)	19.8	22.5	26.8	19.1
全孔隙量(%)		42.7	46.1	48.5	43.7
土壤硬度(kg/cm^2)		5.2	4.0	3.2	4.5
团粒含量(%)	>2.4mm	5.0	9.1	10.1	10.5
	2.4～0.5mm	24.7	31.0	27.1	30.7
	0.5～0.111mm	10.7	15.1	13.3	15.4

(三)合理灌溉

在条件允许的情况下,尽量采用喷灌和滴灌。这样做,一是不易破坏土壤结构,土壤不板结;二是可减轻土壤盐渍化;三是可以节约用水。另外,还可起到调节土壤空气的作用。

(四)地膜覆盖

研究表明,地膜覆盖对土壤二氧化碳含量影响很大,如表

3-13。这主要是由于地膜覆盖阻断了大气与土壤的气体交换,从而使土壤氧气减少;另外,还由于土壤微生物活动增强,根系呼吸作用加大,消耗了土壤空气中的大量氧气。

表 3-13　　　　　　　　覆膜对土壤 CO_2 含量的影响

处　理	4/20	5/4	5/11	5/18	5/24	6/1	6/8	6/15
露地无苗	956.8	960.1	1 334.1	1 960.4	1 179.2	2 549.2	2 936.5	
露地有苗	972.5	1 166.3	1 570.1	1 680.0	1 211.4	1 741.4	1 661.9	4 075.9
覆膜无苗	1 725.4	3 688.8	9 116.1	7 139.6	4 441.9	8 527.3	6 332.9	10 291.9
覆膜有苗	3 476.9	3 471.7	9 287.4	7 653.9	3 742.0	9 155.7	7 825.3	5 595.2

第六节　环境的综合调节

　　设施栽培环境的综合调节,是指对设施内的日射量、气温、地温、湿度、二氧化碳浓度、有害气体等环境要素进行的综合调节,使之达到设施生产中所需的最适状态。

　　目前,我国大部分设施栽培还是依靠人工其环境进行综合调节。在有条件的情况下,可采用计算机自动调节系统,这样可使设施栽培收到更好的经济效果。

第四章 设施栽培果树的
生长反应

果树营养生长和生殖生长规律首先由遗传基因决定,但环境因子对其有极重要的影响。设施内光、温、湿、二氧化碳等主要生态因子的变化规律与露地明显不同,为果树生长提供了特殊的小区环境,因此,势必对果树的生长发育造成重要影响。

第一节 果树营养生长对设施栽培的反应

一、果树设施栽培对枝、叶生长的影响

果树的枝、叶生长除了受品种本身的遗传特性和砧木类型决定外,环境条件对其也起着重要的作用。温度是控制枝梢生长的决定因素,各种果树生长都有自己适宜的温度范围;水分供应充足,能促进新梢伸长,缺水往往抑制细胞增大,促使提早分化,以致生长减弱,组织成熟加速;光照能影响新梢生长时期的长短和生长强弱。一般认为:长日照可以增加枝条生长速率和持续时间,而短日照则减低生长速率,促进芽的形成。紫外线有抑制生长的效应,而红光、红外光则可以促进生长。此外,土壤中的矿物元素,如氮素对枝梢生长具有显著的影响,磷、钾能促进枝梢生长充实、健壮(中国农业科学院郑州果树研究所等,1988)。

设施栽培为果树提供了一个高温、高湿、密封、弱光照的生长环境,从而对果树枝、叶生长产生较大的影响。

中国农科院郑州果树所(王志强,1999)在油桃上所做的研究结果表明,设施栽培可明显促进油桃的枝、叶生长。

图 4-1 是设施内外两年生曙光油桃当年新梢的生长动态。从图中可以看出,在整个生长期内,新梢生长对设施栽培反应十分明显,无论是当年绝对生长量(生长季末新梢总长度),还是盛花后某一相同时间的新梢长度,设施内都远远超过露地。至生长季末(9 月下旬测量),设施内当年新梢总长度是露地的 2.0 倍。

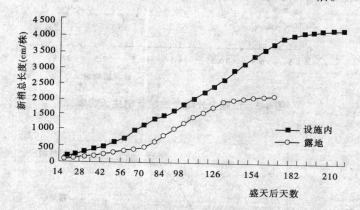

图 4-1 设施内外曙光油桃新梢生长动态

从生长速度看,设施内油桃新梢有两次生长高峰,一次是在盛花后 8～9 周,即 4 月中旬;另一次是在盛花后 18～19 周,即 6 月下旬至 7 月上旬(见图 4-2)。

叶是进行光合作用,制造有机物的主要器官,果树体内 90 %左右的干物质来自叶片。樊巍(1999)研究了设施栽培油桃叶幕的形成规律,结果表明,和露地比较,设施栽培油桃叶幕形成得快,高峰到来得早(见图 4-3)。

Kappel 和 Flore 在研究遮荫对桃树生长发育的影响时发现,遮荫可使叶片变薄,单叶面积增大,比叶重下降。王志强的研究表明,油桃在设施内新梢生长量较露地成倍增加的同时,单株叶面积也相应增加 87.1 %,而且叶片变大、变薄,单叶面积增大 12.3 %,比叶重(Special Leaf Weight,SLW)显著减小,但节间长度差异不

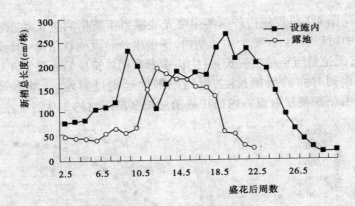

图 4-2　设施内外曙光油桃新梢生长速率

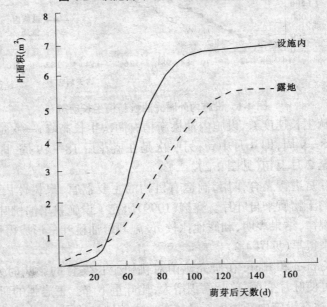

图 4-3　设施内和露地油桃叶幕动态

显著(见表4-1)。

表 4-1　　　　　设施内外两年生曙光油桃营养生长之比较

类别	总叶面积 (m^2)	单叶面积 (cm^2)	比叶重 (mg/cm^2)	节间长 (cm)	树体各部分组成(干重)(g)				
					总重	叶	枝干	根	根冠比
露地	4.15	29.2	11.0	1.5	2 357.6	389 (16.5)	1 284.9 (54.5)	683.7 (29.0)	0.41:1
设施	7.79	32.8	7.8	1.6	3 918.6	674 (17.2)	2 254.4 (57.3)	999.2 (25.5)	0.34:1

注　表中括号内的数字表示占总量的百分比(%)。

　　上述结果表明,在其他栽培条件相同的条件下,无论是单株新梢总长度、总叶面积还是树体干重,设施内都显著大于露地。这一结果与 Caruso 等人的研究结果相似。通过对新梢生长动态和生长速率的研究可以更清楚地看出,设施内树体生物量的增加主要缘于生长速率加快和生长期的延长(设施内树体全年生育期较露地延长 50 天左右,见图 4-2)。设施内新梢生长速率的加快与其所处的独特小生境有关。光对果树的生长和形态建成有极为重要的影响,太阳光辐射中的短波光部分可以抑制细胞的分裂和伸长,促进细胞分化和增大,维持果树的正常生长。设施内辐射减弱和较高的环境温度刺激了新梢旺长。据对盛花后 60 天设施内外新梢的比干重(干重/鲜重×100%)进行的测量,结果是设施内显著低于露地,说明设施内新梢生长速率的加快是高温、弱光导致的徒长,树体干重(生物量)相对于露地的增加主要是生长期延长的结果。在实践中,新梢生长量的增大有利于对其进行修剪操作(如PCR 修剪),但是设施内新梢第一次生长高峰发生在盛花后 8～9周,此时,也正值果实迅速生长期,这无疑加剧了果实和新梢生长对光合产物的竞争。

但草莓并不完全是这样,其枝叶生长与品种及覆盖日期有一定的关系。日本在气候温暖的福冈县进行的试验结果(如表 4-2)表明,品种达那在 1 月 20 日前开始覆盖,植株表现出矮化现象,1月 10 日和 1 月 20 日两组的差异非常明显;八千代在 12 月 20 日的区组也有一定的矮化现象,但程度比较轻。

表 4-2　　　　塑料薄膜覆盖时期对草莓植株发育的影响

处理组		植株净重(g)	根重(g)	地上部长(cm)	叶数(枚)	叶面积(cm²)	平均单片叶面积(cm²)
达那	12 月 20 日	33.7	12.8	12.3	12.2	261	21.3
	1 月 10 日	23.0	10.6	11.0	8.4	185	22.0
	1 月 20 日	70.0	14.0	16.9	10.6	711	67.0
	2 月 5 日	68.4	11.0	20.1	9.0	804	89.3
	露　地	98.8	18.4	24.0	11.8	1 242	105.2
八千代	12 月 20 日	262.0	31.3	36.8	42.3	3 638	86.0
	1 月 10 日	284.3	32.0	40.2	34.2	3 851	112.6
	1 月 20 日	372.7	23.3	42.3	40.7	4 591	112.8
	2 月 5 日	343.3	16.3	43.4	34.3	4 550	132.5
	露　地	328.0	50.0	36.5	30.0	3 779	125.5

二、设施栽培对果树根系的影响

Bellini 等(1983)对设施高密栽培桃根系的发育情况进行了观察,发现根系分布较浅,且主要在行间发展,并明显受到相邻根系竞争性的限制,与此相关联,树冠的发展也受到限制。王志强(1999)的研究结果也表明,设施油桃根系生物量所占比例显著下降,根冠比也明显减少(见表 4-1)。

从日本福冈县在草莓上的试验结果来看,不论是达那还是八千代,不论什么时间扣棚,露地草莓的根系都明显大于设施草莓(见表4-2)。

研究探明,在水肥条件相同的情况下,温度和树体的有机营养是影响根系生长的主要因子。果树根系生长的最适温度为24℃,较高的地温和较低的气温对根系生长有利。树冠和根系的生长既互相依赖,又互相制约。当树体光合能力不足,有机营养减少时,光合产物首先供给地上部分使用。在设施栽培条件下,叶片的变化显然是光辐射减弱的结果。光照不足使树体光合能力低下,加之设施内温度较高又导致新梢陡长,消耗大量的光合产物,致使根系有机营养不良,发育受阻,根冠比下降。根系生长发育不良,必然造成吸收能力不足,抗逆性降低,这是在果树设施生产实践中制定具体的栽培技术措施时必须考虑的。

第二节　果树生殖生长对设施栽培的反应

一、设施栽培条件下果树花芽分化的规律

果树经过一定时期的营养生长之后,就能感受外界信号并产生成花刺激物。成花刺激物被运输到茎尖,发生一系列的诱导反应,随后其分生组织进入一个相对稳定的状态,即成花决定态。已进入成花决定态的植株,只要外界条件适宜,就可以启动花的发生,进而开始花的分化和发育。花芽形成的多少及其分化、发育的质量,是决定果树产量的主要因素之一。果树花芽分化和果实生长发育受其自身遗传基因控制和多种环境因子的制约,因此,研究设施栽培条件下果树花芽分化的规律及其影响因素,可为建立高效速成的栽培模式提供依据。下面,我们在分析环境条件对果树花芽分化影响的基础上,以设施油桃和草莓的花芽分化为例来说

明设施栽培条件下果树的花芽分化规律。

(一)环境条件对果树花芽分化的影响

果树的花芽分化是内外因子协同作用的结果,特别是在花诱导阶段,外界环境条件对生长点的变化起着重要的作用。它们可以通过有关器官的生长势、光合产物的积累量或激素平衡的变化刺激内部因子的变化,从而启动或阻遏成花基因的活动。在自然条件下,环境因子总是综合地对成花诱导和花芽的形态建成发生作用,对其作用方式的一些细节目前尚不完全了解(吴邦良等,1995)。

1. 温度

果树的花芽分化必须在适宜的温度下才能正常进行。大多数落叶果树的花芽分化属夏秋分化型,通常认为6~8月份这一时期的高温气候有利于花芽分化(吴邦良等,1995)。据平井等(1961)在日本调查,大久保桃从萌芽到花芽分化期要求10℃以上的有效积温在900℃以上。

葡萄的花芽分化要求的适宜温度较高。据 Buttrose(1970)利用人工气候室对 5 个品种的试验结果,Chsnoz、Gordo 和 Sultans 3 品种在20℃以下不能形成花芽;Rhine Riesling 和 Shiraz 在15℃以下不能形成花芽,在 20℃时只形成少数花芽。5 个品种的花芽形成率均以 30~35℃时最高(见图4-4)。同时他还发现,一天中的高温比积温更重要,每天只需保持 4 小时以上 30℃的高温,花芽分化即能被诱导。

温度对草莓花芽分化的影响更大,温度过高或过低都不能诱导花芽分化。Went 和伊东所做的试验表明,在 10℃以下和 30℃以上时,无论长日照还是短日照都不能诱导花芽分化,只有在 10~24℃时辅以 12 小时以下短日照才行(张秀刚等,1993)。

2. 光照

光照对花芽分化的影响分光周期和光照强度两方面。草莓是

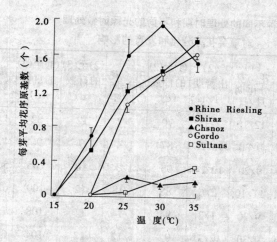

图 4-4　温度对 5 个葡萄品种新梢基部
12 节芽内花序原基数的影响

典型的短日照植物,一般温度在 10～24℃ 之间时,12 小时以下的短日照都会诱导植株花芽分化;在自然状态下,草莓一般在9月末到 10 月初就自然地进入花芽分化期了(张秀刚等,1993)。江口用 Victoria 品种所做的试验表明,短日照促进草莓花芽分化,而长日照则有助于促进分化后的发育(如表 4-3)。这种现象在实际栽培过程中有很重要的意义。设施栽培时,有在异地进行花芽分化的问题。例如,进行高山冷地育苗时,将完成花芽分化后的植株再运回到山下或平原地区,由于平原的气温高,光照时数也较长,因而促进了花芽分化后的发育,使其提早开花结实,达到了设施栽培果实提早上市的目的(张秀刚等,1993)。

　　绝大多数木本果树的花诱导对光周期不敏感,但对光照强度反应敏感,大都要求在花芽分化期有强烈的光照,而使光照条件恶化的一切因子都会减弱花芽分化。对桃、杏、葡萄所做的试验都证明了这一点(如表 4-4,图 4-5)。

表 4-3　　　各种不同的处理时期和不同的光照时数处理
对草莓花芽分化和发育的影响

处理开始时间	处理	(1)花芽分化期(月/日)	(2)出蕾期(月/日)	(1)至(2)的日数(d)	(3)开花开始期(月/日)	(2)至(3)的日数(d)	(1)至(3)的日数(d)	蕾数
7月10日	长日照	12/10	2/18	70	3/2	12	82	4.6
	对　照	9/30	12/26	87	1/4	9	96	4.5
	短日照	9/20	12/24	95	1/3	10	105	5.2
8月10日	长日照	11/10	2/6	88	2/18	12	100	6.0
	对　照	9/30	1/2	94	1/14	11	108	7.2
	短日照	9/30	12/31	92	1/12	12	104	6.0
10月10日	长日照	9/30	12/22	83	1/3	12	95	8.6
	对　照	9/30	1/8	100	1/24	16	116	8.3
	短日照	9/30	1/8	100	1/23	15	115	6.7

表 4-4　　遮光对玫瑰露葡萄花序形成的影响(小林等,1963)

光照强度(为自然光强的%)	新梢节数(个)	叶绿素含量(mg/100cm^2)	次春单株平均		
			花序数(个)	花序重(mg)	>15mg 花序数(个)
100	12	2.70	26	530	17
70	12	2.70	26	520	16
50	14	2.30	21	300	11
35	16	2.06	21	250	9
26	15	2.08	15	260	9
20	14	1.88	7	160	5

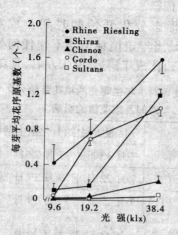

**图 4-5　光强对人工气候室内 5 个葡萄品种新梢基部
12 节芽内花序原基数的影响**(Buttrose,1970)

3. 水分

在花芽分化临界期前,短期适度控水,保持田间持水量在
60%左右,有利于抑制新梢生长和光合产物的积累,有利于枝梢内
ABA 和 CTK 的积累,可促进花芽分化(张秀刚等,1993)。

(二)设施油桃花芽分化的规律

油桃花芽分化与普通桃一样,可分为生理分化、形态分化、休
眠和性细胞形成 4 个阶段。形态分化阶段可分为分化初期、萼片
分化期、雄蕊分化期和雌蕊分化期共 4 个时期。由于目前还没有
确切的生理生化指标能说明植物是否已经开始花芽分化,所以,判
定花芽分化的最早时间就是形态分化初期。

1. 定植当年油桃花芽分化特点及影响因子

检测发现,郑州地区露地 3 年生曙光油桃 6 月 24 日有
13.0%的花芽开始分化,7 月 1~8 日已有 54.2%~86.3%进入花
芽分化初期,为始分化集中期。1996 年 2 月定植芽苗,当年花芽
分化的时间始于 7 月 15~22 日,明显晚于 3 年生成年曙光树。不

同栽培措施对花芽形态分化开始的时间及成花量的影响见表 4-5。表中结果显示,当年定植芽苗若不作任何处理(对照),花芽分化始于 7 月 22 日,比成年树迟 29 天左右,且花芽量很少。

表 4-5   不同处理对 1 年生曙光油桃花芽始分化时间及成花量的影响

处理及时间	分化起始期	始分化集中期	花芽数(个/株)
PP$_{333}$(7 月 2 日)	7 月 15 日	7 月 22 日	443
PP$_{333}$(7 月 25 日)	7 月 22 日	7 月 29 日	216
0.5%尿素 + PP$_{333}$(7 月 2 日)	7 月 22 日	7 月 29 日	232
0.5%磷酸二氢钾 + PP$_{333}$(7 月 2 日)	7 月 15 日	7 月 22 日	527
对照(CK)	7 月 22 日	8 月 5 日	102

多效唑(PP$_{333}$)对花芽分化有良好的促进效应,但与施用时期有关。7 月 2 日叶面喷施 0.05%多效唑,花芽比对照提前 7 天开始分化,始分化集中期提前 14 天,且单株花芽比对照增加 3.3 倍;7 月 25 日喷施同样浓度的多效唑,花芽始分化时间未提前,但始分化集中期提早 7 天,单株花芽数比对照增加 1 倍;喷多效唑的同时加 0.5%尿素,且以后每隔 10 天喷一次同样浓度的尿素,对花芽分化具有明显的负效应,分化时间推迟,单株花芽数减少;喷多效唑的同时加 0.5%磷酸二氢钾,且以后每隔 10 天喷一次同样浓度的磷酸二氢钾,虽对花芽始分化时间无影响,但单株花芽数比单独施用多效唑增加 19.0%。

油桃花芽分化的启动和正常进行受多种因素影响,其中树体营养物质的积累是花芽分化必备的物质基础。幼树生长旺盛,顶端优势明显,大量的光合产物消耗于营养生长,树体积累营养物质较少,所以定植当年,幼树花芽分化起始时间比成年树推迟了 1 个月左右。不少研究证明,内源植物激素参与了花芽分化的调控,赤霉素可刺激生长素活化,防止生长素分解,赤霉素和 IAA 共同促进新梢节间伸长,赤霉素(GA)还可加速淀粉分解,使之消耗于新梢生长。现已发现,花芽分化始于新梢缓慢生长期,桃树新梢节间体积小于 $200mm^3$ 时花芽才可能形成。多效唑是一种普遍使用的生长抑制剂,其作用机制是拮抗赤霉素的作用,抑制新梢生长,减少营养消耗,增加养分积累,因此,促进了花芽分化。大量的研究指出,磷对花芽分化有重要作用。上述研究对油桃幼树在喷施多效唑的同时,增施磷酸二氢钾,显著增加了单株花芽数。Bould 和 Parffit 在苹果上的研究也取得了类似的结果。但增施氮素促使新梢旺长,消耗了大量光合产物,对花芽分化不利。

总之,定植当年,由于幼树生长旺盛,花芽分化迟,数量少,通过适时施用生长调节剂(多效唑),适度控水、控氮、增磷,可较好地协调营养生长和生殖生长的关系,提高花芽分化的数量和质量,是保证油桃设施栽培早期丰产高效的关键环节之一。

2.PCR 修剪后再生树冠花芽的分化

"采后去冠"(Postharvest Canopy Removal,简称 PCR)是油桃高密度设施栽培中控冠的关键技术。进行 PCR 修剪后,再生树冠的花芽分化及形成情况对翌年的产量有决定性影响。

表 4-6 中显示,PCR 修剪时间对花芽始分化时间有直接影响,即随着 PCR 修剪时间的推迟,花芽分化相应延迟。5 月 1 日与 5月 15 日修剪,虽然再生树冠花芽分化起始时间不同,但平均单株花芽数无显著差异,且花芽饱满,复花芽比例较大,超过定植当年花芽形成的水平。但是 5 月 30 日进行 PCR 修剪的再生树冠,不仅花芽分化时间大大推迟,而且平均单株花芽数显著减少,单花芽比例增大,必然对翌年的产量构成不良影响。

油桃与普通桃相似,树体生长量大,每年可多次发生副梢,副梢成花力较强,是其基本生物特性之一。但是,PCR 修剪对树体前期积累的有机营养损耗很大,再生树冠必须有足够的时间重新积累光合产物,才能为花芽分化提供丰厚的物质基础。本研究结果提示我们,在设施栽培条件下,采用 PCR 方式控冠,应尽量选用早熟品种,提高设施促早效果,否则,果实成熟晚,必然推迟 PCR 修剪时间,影响再生树冠花芽分化的数量和质量。

表 4-6   PCR 修剪时间对再生树冠花芽分化的影响

PCR 修剪时间	始分化期	始分化集中期	单株花芽数	单、复花芽比
5 月 1 日	7 月 8 日	7 月 15 日	583a	2.57∶1b
5 月 15 日	7 月 22 日	7 月 29 日	566a	2.46∶1b
5 月 30 日	8 月 5 日	8 月 12 日	302b	3.23∶1a

(三)草莓的花芽分化与调控

日本对设施草莓的花芽分化及调控进行了深入细致的研究(张秀刚等,1993)。

1.移植

设施栽培前需要有意识地移植草莓苗数次以促进花芽分化。江口使用福羽和大岛两品种的试验表明,移植的次数与花芽分化密切相关。移植可使植株的生长发育延迟,但花芽分化期提前了。也有报道认为,移植虽然可使花芽分化期提前到来,但花芽数减少,且花芽发育受阻。

移植时总要损伤一部分根,植株的生长发育因而较差。一般认为,这一过程可使植株的营养生长受到抑制,转而影响生殖生长。移植的次数越多,植株的生长发育越差,叶片数越少,花芽分化期虽然可以大大提前,但总产量不理想。

移植时期的早晚与花芽分化期的关系并不紧密。江口就 Victoria 和 New Orland 两品种进行两年的观察表明,在 6 月末至 9 月末期间进行移植均无差异,花芽分化几乎都是在 9 月下旬至 10 月上旬间同时进行的。

但早移植可使营养生长旺盛,分化的花芽数也多。昼田用品种 Fair Fax 的试验表明,移植的时期对植株的生长和花芽形成的影响是很明显的,移植早的植株,营养生长旺盛,花芽数也多。他同时发现,这些植株的顶花数减少,但随着叶片数增加,腋花芽数却有所增加。这一结果表明,秋季适量增多叶片数,可增加腋花芽数,因而会增加产量。

2. 摘叶

摘除植株下部的老叶是对付某些病害的常用对策,而在以前的设施栽培中却是促进花芽分化的手段之一。如上文所述,摘叶是为了去除叶中的抑制物质,达到促进花芽分化之目的。当然,摘叶过多也会使花芽发育不良和花芽数减少,因而影响产量。

上野认为,摘叶要有一定的数量限制(2~6 枚),以保证植株生长健壮,花芽发育良好;移植的植株最多为 4 枚,按这一标准可使分化的花芽数最多。摘叶过多会适得其反。

3. 施肥

植株营养生长过分旺盛,花芽分化期就要推迟。S.E.Arney 在花芽分化期之前 3 次施用氮肥,结果推迟分化期 10 天以上。Guttridge 用品种 Templar 的试验表明,植株呈饥饿状态时可促进花芽分化,而施用氮肥的植株花芽分化延迟。

由此可知,抑制植株的营养生长可使花芽分化期提早,但对营养生长的过分控制则可能引起营养缺乏症,对产量就会有较大影响,因而也是不可取的。

4. 高冷地育苗

草莓喜冷凉气候,在夏季暑热干燥的气候条件下生长不良。日本设施栽培和平原地栽培用苗,由于植株在夏季高温季节发育不良,需要将植株搬运到较冷凉的山地栽培,秋季再搬回到平原地区定植。

所谓高冷地指某些山区,在夏季比平原地区凉爽,有适于营养生长的温度条件,而到了秋季又具备冷凉的气候条件使花芽提早分化。二宫用福羽和 Excellent 两个品种在海拔 500～1 000m 的山区栽培,可比平原地区提早花芽分化 5 天左右。横沟也用福羽品种在海拔 750m 的山区栽培,可比平原地区提早约 2 周进入花芽分化期。

已知海拔每升高 200m,气温就要下降 1℃,夏季植株在高冷地上生长旺盛,较之在平原上更能促进花芽分化。高冷地栽培正是利用了草莓的这种生理特性。

上山时间一般在 8 月中旬左右,花芽开始分化 4～5 天后再移到山下栽植。

半设施栽培的品种达那,一般在海拔1 200～1 400m 的高冷地育苗,这种栽培方式可促进其花芽分化。因而一般在 8 月中旬至 11 月下旬进行高冷地育苗。设施栽培所需要的时间有时还要更长些。

5. 遮光

最近,平原地区的半设施栽培中采用遮光的方法促进花芽分化,即由高冷地育苗发展成冷纱遮光育苗法。遮光的方法有降温效果,但可能尚不具备短日照的效应。

高冷地育苗后也可实行冷纱遮光法,这样更能促进花芽分化。横沟利用品种福羽进行试验,结果如表 4-7。

从表 4-7 可以看出:平原地区无遮盖的区组,10 月 5 日开始花芽分化;经冷纱遮光 1 个月后则可提早 10 天;粗草席遮盖能提早 20 天。在海拔 750m 的山区栽培能比平原地区提早 20 天进入花芽分化,遮盖竹帘和冷纱还可提早 5 天,而用粗草席遮盖能提早 15 天。可见,花芽分化最早的高冷地上遮盖粗草席处理可比平原地区的对照提早 35 天。但要指出,这些提早进入花芽分化的植株,其营养生长和花芽发育欠佳。

表 4-7 　　　　　　　　　　　　　**遮光处理和花芽分化**

处理区			9 月份						10 月份	
			1 日	5 日	10 日	15 日	20 日	25 日	1 日	5 日
山地育苗	覆盖1个月	粗草席	分化	分化	萼初	萼形	花初	↑形	♀初	药肥大
		竹帘			分化	分化	花穗	萼形	↑初	↑初
		冷纱			分化	分化	花穗	花初	↑初	↑形
	覆盖2个月	粗草席			分化	分化	花穗	萼初	萼形	↑形
		竹帘				分化	花穗	↑形	↑形	♀初
		冷纱				分化	花穗	↑初	↑初	↑形
	标准区					分化	分化	萼初	花初	♀初
平地育苗	覆盖1个月	粗草席				分化	花穗	↑初	↑形	↑形
		竹帘						分化	花穗	↑初
		冷纱						分化	花穗	↑初
	覆盖2个月	粗草席					分化	萼初	花初	↑形
		竹帘							分化	分化
		冷纱							分化	分化
	标准区									分化

注　分化——花芽分化；萼形——萼片形成期；花穗——花穗分化期；
　　花初——花瓣初生期；萼初——萼片形成初期；↑——雄花；♀——雌花。

6.冷藏

高冷地育苗要耗费大量的劳力用于搬运等项繁杂的事务性工作,加之那些适于高冷地育苗的地区往往有交通不便等诸多问题。因而,人们试验在平原地区进行人为低温处理的方法,以期在较短时期内满足植株进行花芽分化对低温的需要。

横沟首先就此进行了试验。他从 8 月下旬至 9 月上旬,在 6

~14℃条件下对福羽品种进行了 6~9 天的处理,促进了花芽分化。同时他还认为,在黑暗条件下,每天给予 8 小时的照明也可以收到促进花芽分化的效果。照度在 5lx 的弱光照更有效。

7.化学控制

(1)赤霉素(GA 或 Gebberellin)。某些研究者曾报道,在足以诱导花芽分化的界限温度和光照时数条件下,喷施赤霉素能促进花芽分化。但有些研究认为,花芽分化之前外施赤霉素,使体内的赤霉素类物质含量增加时,会抑制花芽分化,而不可能是促进。

C.G.Guttridge,I.C.Porlingis 以及 P.A.Thompson 对此都持反对意见,认为喷施赤霉素只能抑制花芽分化。

(2)脱落酸(ABA)。H.M.M.El-Antably 曾报道了施用脱落酸之后,可抵消体内赤霉素类物质的抑制作用,促进花芽分化。

(3)抑制生长类物质。2,4-D 等抑制草莓生长,效果都不好。

但是,CCC 和 B_9 可抑制营养生长,使叶片缩短,葡匐茎发生的数量少。而且以前把赤霉素只作为长日照处理和促进营养生长的物质。

另外,CCC 和 B_9 可能都是抑制赤霉素体内生物合成的物质,对这类成花过程逆向的促进作用的机制,还有待深入了解。El-Antably 报道,在土壤中施用 2 000mg/kg 的 CCC 之后,使供试品种 Chombridge Favourate 的 10 株中有 5 株完成了花芽分化。J.P.Nitsch 报道,喷施 8%的 B_9 可促进植株的花芽分化。

二、设施栽培条件下果实的生长发育规律

果实生长发育是果实细胞分裂、增大和同化产物的积累转化,从而使果实不断增大和增重的过程,是果树生产上构成经济产量的重要过程。不同树种的果实均有其一定的生长发育规律,它既受本身遗传特性和树体各器官间相互关系的制约,又受着环境条件和栽培条件的影响。全面了解果实的生长发育规律在生产上有

着重要的意义,这对于设施栽培就更为重要。

果实生长发育规律有两种基本模式。一种为具有单S型生长曲线的模式,另一种为具有双S型生长曲线的模式。属于单S型生长曲线的果实有苹果、梨、板栗、核桃、石榴、柑橘、枇杷等。这一类型的果实在开始生长时速度较慢,以后逐渐加快,直至急速生长,达到高峰后又渐变慢,最后停止生长。这种慢—快—慢的生长节奏是与果实中细胞分裂的开始和停止、细胞的膨大,以及细胞分化、成熟的节律相一致的。属于双S型生长曲线的果实有桃、李、杏、梅、樱桃、葡萄、枣、柿、山楂、无花果和猕猴桃等。这一类型果实的生长曲线可依相对停长期为界分为前后两个连续S型的生长曲线,从而表现出慢—快—慢—快—慢的生长节奏。下面主要以设施油桃的生长发育过程来说明设施果树的生长发育规律。

大量的研究表明,桃果实生长发育的模式为典型的双S形曲线,通常将其生长全过程划分为3个时期,即Ⅰ期、Ⅱ期、Ⅲ期。在Ⅰ期中,除胚乳和胚外,受精子房各部分由于细胞分裂和增大而迅速生长;在Ⅱ期,果实生长处于相对停滞阶段,但果实内部胚乳迅速发育,内果皮发生木质化;Ⅲ期是果实第二次迅速增长期,主要基于中果皮细胞的膨大和营养物质的大量积累。对油桃果实的生长发育规律研究尚少。Fogle和Faust的初步研究认为,油桃与普通桃不同,果实生长不具有规律的双S曲线。许多因素如光照、温度、土壤水分、有机和无机营养等都可影响果实的生长发育,因此,深入研究设施栽培对果实生长发育规律的影响,可为桃、油桃优质、高产设施栽培模式的建立提供理论依据。

(一)设施内外桃、油桃的果实生长曲线

图4-6~图4-11为3个油桃品种和1个普通桃品种设施内外果实纵径和横径的生长曲线。

比较分析可以看出:①普通桃品种早露露果实纵径和横径的生长曲线均呈典型的双S形。3个油桃品种果实生长曲线不一

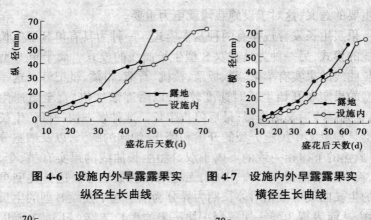

图 4-6　设施内外早露露果实　　　图 4-7　设施内外早露露果实
　　　　纵径生长曲线　　　　　　　　横径生长曲线

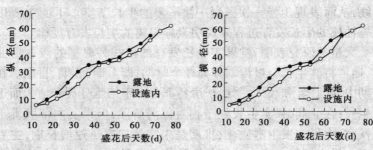

图 4-8　设施内外曙光油桃果实　　图 4-9　设施内外曙光油桃果实
　　　　纵径生长曲线　　　　　　　　横径生长曲线

致,其中曙光、艳光生长曲线与普通桃相似,也是双 S 形,可明显地
区分为Ⅰ期、Ⅱ期和Ⅲ期,华光则呈不规整的双 S 型,主要特点是
3 个时期区分不明显,曲线较平滑,起伏波动不大;②不同油桃品
种果实生长曲线对设施栽培的反应有明显的共同点,即与露地相
比,设施内果实生长的Ⅰ期延长,Ⅱ期缩短,果实整个发育期延长,
单果重普遍有所增大。例如曙光Ⅰ期比露地延长 5 天,Ⅱ期缩短
5 天,Ⅲ期生长 210 天左右,因此,果实整个发育期延长 10 天,平
均单果重增加 6.8%;但普通桃早露露经设施栽培,仅Ⅰ期延长 10

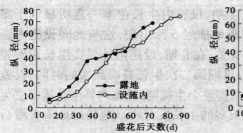
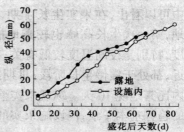

图 4-10 设施内外艳光油桃果实　　图 4-11 设施内外华光油桃果实
　　　　　纵径生长曲线　　　　　　　　　纵径生长曲线

天,Ⅱ、Ⅲ期未见有改变(见表 4-8)。

表 4-8　　　　设施内外不同品种果实发育各期及单果重比较

品种	处理	Ⅰ期(d)	Ⅱ期(d)	Ⅲ期(d)	果实发育期(d)	平均单果重(g)
曙光	露地	35	15	15	65	98
	设施	40	10	25	75	102
艳光	露地	35	20	15	70	103
	设施	50	15	20	85	110
华光	露地	35	15	15	65	86
	设施	45	10	20	75	96
早露露	露地	35	10	15	60	108
	设施	45	10	15	70	124

　　另外,设施栽培条件下,桃和油桃在果实生长Ⅰ期和Ⅱ期,体积均小于露地相应时期的体积,仅在Ⅲ期末,即相对于露地的延长期内,果实体积才超过露地,说明在盛花后相同的时间内,设施内果实的发育落后于露地果实。

　　图 4-12 是设施内外曙光油桃果实纵径生长速率曲线。从图

中可以看出,在果实生长Ⅰ期,设施内生长速率一直明显低于露地,第一次生长高峰也较露地推迟5天出现,这与此间设施内温度,特别是夜间温度较低有关;在Ⅱ期,设施内外果实生长速率相近,都处于缓慢生长阶段;Ⅲ期第二次生长高峰到来的时间,设施内比露地晚10天。纵观果实整个生长期,设施内外生长速度变化的趋势基本一致,但设施果实的生长发育明显地较露地果实滞后5~10天。

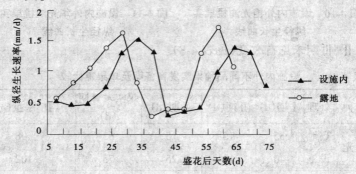

图4-12 设施内外曙光果实纵径生长速率变化

(二)设施内外果实生长曲线差异的原因分析

上述结果表明,设施栽培对4个桃、油桃品种果实生长发育的共同效应表现在,果实生长3个时期的相对长度发生变化,第Ⅱ期缩短,第Ⅰ期延长,果实整个生长期因品种不同延长10~15天,平均单果重增加。另外,在果实生长发育前期,设施内果实生长较露地缓慢,也是其共同特点。

果实的生长发育除受自身遗传基因控制外,还受诸多环境因子的影响,其中温度是影响果实生育期(Fruit Development Period, FDP)的最主要因子。Blake首先发现,桃的FDP受三四月份温度的影响。后来其他学者也相继发现,核果类果树花期和坐果后早期较高的温度可以缩短FDP,温度可通过影响FDP而最终影响果实成熟期和果实大小。温度与果实生长之间的这种反应,贯穿于果实的整个生育期。基于果实生育期温度而建立的预测模型已经用于预测不同果树的成熟期。我们把果实生长发育各期记录的设施内外的温度资料整理后得表4-9。

表 4-9　　　　　　果实发育不同时期设施内外气温比较　　　(单位:℃)

果实发育阶段	Ⅰ期	Ⅱ期	Ⅲ期
露　地	14.0~24.0℃	16.0~27.5℃	20.8~31.5℃
设　施	7.0~21.0℃	19.0~29.0℃	15.0~25.5℃

从表4-9中可以看出,在果实发育早期(Ⅰ期),设施内外温度差异明显,主要表现为设施内昼夜温差大,夜间温度较低,由于果实生长主要在夜间,而夜温对果实生长有着关键性影响,所以,夜间温度偏低,果实生长缓慢,Ⅰ期延长;Ⅱ期设施内温度高于露地,加快了果实的生长,表现为Ⅱ期的缩短;Ⅲ期时,由于通风降温,设施内外温度趋于平稳,但此间(4月中旬至5月初)设施内环境温度明显低于露地果实Ⅲ期(5月中旬至6月上旬)时环境温度,致使设施内果实生长的Ⅲ期延长。相关分析显示,供试4个品种果实生长各期平均长度(天数)与各期夜温呈显著负相关($r = 0.915$)。

桃果实的生长可分为两个主要阶段,即细胞分裂期和细胞膨大期。在果实发育早期,细胞分裂占主导地位,桃和油桃完成细胞分裂约需要28天。之后,果实的生长主要依赖于细胞膨大,成熟时果实的大小取决于细胞的数量和体积。有报道指出,在果实发育早期,较低的环境温度不仅使细胞分裂期延长,而且可诱导产生较多的细胞分裂素,促进细胞分裂。那么,在设施栽培条件下,油桃单果重的增加是由于细胞数目的增加,还是由于生育期的延长和细胞体积的膨大呢?为此,我们曾在本研究中通过提高设施内果实生长Ⅲ期的环境温度,缩短了Ⅲ期天数和果实的FDP,使之提前成熟,但果实体积和单果重未发生显著变化。另外,从表4-8可以看出:早露露经设施栽培,Ⅰ期延长10天,Ⅱ、Ⅲ期天数并未变化,成熟时平均单果重仍较露地栽培明显增加,这些事实说明,设施栽培条件下,油桃和桃果实的增大,主要缘于发育早期细胞分裂的增强和细胞数目的增加。

关于设施促早的原因,过去曾有人归因于设施内较高的环境温度使FDP缩短,果实生长速率加快,但本研究的结果清楚地表明,设施栽培提早成熟的原因是萌芽和开花提前的结果,而不是FDP的缩短。事实上,经设施栽培FDP被不同程度地延长了,这与Lalatta,Pisani和Lorenzo等人的研究结果一致。

三、设施栽培对果树产量和品质的影响

(一)影响果品品质的环境因素

温度,特别是夜温是影响果实品质的重要因素。小林(1965)对玫瑰露葡萄的测定表明,以22℃温度处理的果实可溶性固形物含量最高;远腾(1972)对长十郎梨的观测也是以22℃处理的果实含糖量最高;小林等(1968)对宫川早生柑橘的观测表明,以昼夜恒温20℃处理的果实含糖量最高;Tukey(1952)对酸樱桃的测定,以夜温20℃处理的果实含糖量最高。

温度还和果实着色有关。据小林等(1965)调查,玫瑰露葡萄着色以22~28℃最好(见表4-10)。

光照强度与果实品质密切相关。小林等(1968)对玫瑰露葡萄进行的遮光试验表明,受光度大的果粒和果穗发育好,重量大,果皮着色也好,可溶性固形物含量也高,含酸量反而变小,成熟期也提早(见表4-11)。

对草莓来讲,温度和光照的协同作用也许更大。F.W.Went用品种Marshal对昼夜温度变化(人工辅助光照时间、光照强度

表 4-10　　　　8 月 6 日以后的夜温对玫瑰露葡萄果皮着色
和色素含量的影响

处理夜温 (℃)	8 月 27 日	9 月 3 日		9 月 10 日	
	着色程度	着色程度	色素含量	着色程度	色素含量
35	3.5	4.0	70.8	4.0	77.1
27~28	5.0	5.0	64.2	5.0	61.2
22	4.5	5.0	66.9	5.0	67.7
15	4.3	4.8	73.8	5.0	73.9
自然温度 (23~27)	5.0	5.0	64.7	5.0	68.0

注　色素含量用光电比色计的透光率(%)表示,数值越小表示含量越多;着色程度
用目测法,完全成熟果为 5,未熟果为 0。

表 4-11　　　　　玫瑰露葡萄果粒肥大中期到成熟期
遮光对果实品质的影响(小林等,1968)

光照强度 (自然光的%)	果粒重 (g)	果穗重 (g)	着色度	含酸量 (%)	可溶性固形物(%)	水分含量 (%)	适采期 (月/日)
100	1.35	60	5	0.74	19.0	77	8/15
70	1.33	55	5	0.79	18.5	79	8/15
50	1.20	51	4.5	1.07	17.8	79	8/15
35	1.20	51.5	4.5	1.05	17.8	83	8/20
26	1.20	50.8	4	1.05	17.0	82	8/20
20	1.02	45.9	3	1.05	17.0	77	8/20

注　遮光时期为 7 月 1 日至 8 月 20 日;调查日期为 8 月 15 日。

等)对果实的成熟和风味影响进行了调查,结果如表 4-12。其就
昼温(17、23、30℃ 等 8 个处理),夜温(6、10、14、17、20℃)、辅助光

照时间(4、8、16 小时)和光照强度 0、200、600、1 500(ft—c)的多种组合,设置了 32 个区组。从结果可发现,在昼温为 17℃时的低温条件下果实成熟较迟。在这一处理内进行辅助光照,光照强度低时果实成熟最迟,光照强度高时果实成熟则早。产量最高时的成熟条件为:昼温 23℃(8 小时)+20℃(8 小时),合计光照时数为 16 小时+夜温 20℃(8 小时)。就风味而论,一般是光照强度越大越好。成熟最早的果实,虽然食之也有甜味,但缺少芳香味,因而风味欠佳。

表 4-12   昼夜温度、光照时数、光照强度等不同处理 21 天后成熟的果实数和风味状况

昼温 (℃)	夜温及其辅助光照中的温度 (℃)	光照时数 (h)	成熟果数(4 株)				成熟果的风味			
			1 500 ft—c	600 ft—c	200 ft—c	0 ft—c	1 500 ft—c	600 ft—c	200 ft—c	0 ft—c
30	10	16	3	1	2	5	2	1	0	0
23	10	16	7	4	1	0	3	2	1	
17	10	16	1	0	0	0	3			
23	6	16	4	0	0					
23	10	24	7	1	1	0	2	2	0	
23	14	16	6	4	4	1	1	1	0	
23	17	12				0				
23	20	16	20	9	5	5	0	0	0	0

注   风味栏中 3 表示优,2 表示良,1 表示较差,0 表示无风味。1ft—c＝10.8lx。

另外,辅助光照强度为 700 和 1 500ft—c,昼温 23℃(8 小时)+人工照明(10℃,0、4、8、12、16 小时)+夜温 10℃时,对果实芳香味的影响如图 4-13。从图上可以看出,当光照强度为 1 500ft—c 时 2 小时辅助光照的处理,其果实有芳香味;而光照强度为

700ft—c 时,非 8 小时以上的辅助光照果实是没有芳香味的。

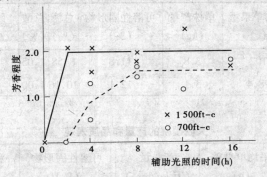

图 4-13　辅助光照对草莓芳香程度的影响

　　从上述实验结果可知,要想在 10℃ 以下的低温条件下也保持成熟果实的芳香味,就必须有短时间的强辅助光照(1 500ft—c)才行。由此看来,温室条件下与春季露地栽培是一致的,即初次收获的草莓风味最好,次后收获的果实总要稍逊一筹。由此也可解释为什么夏季高温暖地栽培的果实缺乏芳香味,甚至根本没有芳香味,以及为什么在高寒和高纬度地区的低温强光照情况下,收获的果实有芳香味,就是这个道理。

　　(二)果树设施栽培的产量和品质表现

　　大多数研究表明,由于设施内较好的温、湿度条件和较长的生长期,使得设施栽培的产量高于露地栽培。根据河南省林科所的资料,设施油桃的果个增大,单株产量提高了 22％(见表 4-13);设施樱桃平均单果重提高 24％,单位面积产量平均提高 41％(见表 4-14);葡萄产量提高 15.7％。王金政等(1998)研究表明,设施栽培红灯樱桃平均单果重增加 7.5％,中国樱桃平均单果重增加 29％。

　　日本对多个草莓品种的设施栽培表明,果数和平均单果重大多是增加的(见表 4-15)。

表 4-13　　　　大棚栽培对曙光油桃产量、品质的影响

处理	平均单果重 （g）	单株产量 （kg）	可溶性固形物 （%）	总糖 （%）	总酸 （%）	维生素 C （mg/100g）
大棚	102	3.8	11.8	8.58	1.05	9.3
露地	98.4	3.1	12.1	10.16	1.00	10.1

表 4-14　　　　大棚樱桃的产量和品质表现

处　理	平均单果重 （g）	产　量 （万 kg/hm^2）	可溶性固形物 （%）	采前裂果 （%）
大棚	2.6	1.22	15.8	6~8
露地	2.1	0.863	16.5	20.0

表 4-15　　　　塑料薄膜覆盖时期与草莓产量的关系

处理组		1963 年(寒冬)					
品　种	覆盖时期	花穗数	花数	果数	果重(g)	开花期	收获期
达　那	12 月 20 日	4.8	33.0	23.5	207.1	3 月 7 日	4 月 20 日
	1 月 20 日	4.1	39.1	28.5	305.4	3 月 6 日	4 月 19 日
	2 月 5 日	4.5	29.2	21.5	243.0	3 月 9 日	4 月 20 日
	露　地	5.0	27.5	25.7	234.8	4 月 11 日	5 月 15 日
八千代	12 月 20 日	3.6	33.4	22.7	192.3	3 月 7 日	4 月 20 日
	1 月 20 日	4.0	41.2	28.1	279.4	3 月 7 日	4 月 23 日
	2 月 5 日	3.9	32.9	23.2	229.4	3 月 11 日	4 月 23 日
	露　地	3.8	23.6	19.7	160.8	4 月 14 日	5 月 16 日
久留米 31 号	12 月 20 日	6.5	73.9	40.5	322.4	3 月 16 日	5 月 1 日
	1 月 20 日	5.1	62.1	36.6	346.4	3 月 15 日	4 月 23 日
	2 月 5 日	4.7	48.4	34.2	301.2	3 月 18 日	4 月 25 日
	露　地	6.7	33.2	31.9	214.1	4 月 13 日	5 月 15 日

处理组		1964 年(暖冬)					
品　　种	覆盖时期	花穗数	花数	果数	果重(g)	开花期	收获期
达　那	12 月 20 日	4.6	22.8	15.2	108.9	1 月 10 日	3 月 19 日
	1 月 20 日	5.2	28.1	19.8	123.4	2 月 6 日	4 月 2 日
	2 月 5 日	5.4	24.9	22.6	165.2	2 月 8 日	4 月 7 日
	露　地	6.4	16.9	16.2	125.7	2 月 8 日	5 月 5 日
八千代	12 月 20 日	9.6	55.1	50.1	384.3	2 月 10 日	4 月 5 日
	1 月 20 日	6.4	59.0	55.6	480.0	2 月 28 日	4 月 10 日
	2 月 5 日	6.4	47.1	46.0	373.4	2 月 29 日	4 月 12 日
	露　地	5.0	36.8	34.2	281.2	3 月 20 日	5 月 10 日
久留米 31 号	12 月 20 日		66.1	52.4	275.8	2 月 9 日	4 月 4 日
	1 月 20 日		61.0	55.9	373.1	2 月 20 日	4 月 8 日
	2 月 5 日		69.5	66.3	383.8	2 月 25 日	4 月 11 日
	露　地		61.7	58.2	341.2	3 月 10 日	5 月 7 日

　　但大多数研究也表明,设施栽培条件下,果树果实品质是下降的(见表 4-15)。陈晓铃(2000)对 10 个设施油桃品种的品质进行了测定,和露地比较,设施栽培油桃果实着色情况,总糖、总酸、可溶性固形物含量等都有所下降,表现为风味、口感较差(见表 4-16)。

　　设施栽培条件下,果实品质下降的原因是多方面的:设施内光照强度较低,造成叶片光合能力下降;果实发育期新梢旺长,造成果实发育时营养不全,糖分积累减少等等。这说明,今后要把果树设施栽培的品质改善作为一项重要的课题去研究。

四、设施栽培果树的果实生长发育障碍及其防治

　　设施栽培果树的果实生长发育的主要障碍就是落花、落果现象严重,坐果率低。究其原因,主要有3大因素:①低温对花发育

表 4-16   曙光等 3 个油桃品种设施和露地栽培品质表现

品种	处理	着色面积 （%）	总糖 （%）	总酸 （%）	糖酸比	可溶性固形物 （%）
艳光	设施	86	7.243	0.502	14.43	9.5
	露地	90	7.542	0.510	14.79	10.2
曙光	设施	92	7.680	0.481	15.97	11.0
	露地	94	7.810	0.514	15.19	11.7
华光	设施	88	7.340	0.457	16.06	10.3
	露地	92	7.931	0.507	15.64	10.8

的伤害；②高温对花发育的伤害；③生理落果。

（一）低温对花发育的伤害

各种果树开花都有其适宜的温度，桃为 12～14℃，梨为 14～15℃，苹果为 17～18℃，柿为 17℃以上，枣为 19～20℃，葡萄为 20～25℃。如果花期遇上适宜的温度和较高的湿度，则花期长，柱头上的花粉发芽快，花粉管伸长迅速，有利于提高坐果率；而低于适温时，花期延长，完成授粉到受精作用所需的时间增加，不利于坐果。温度更低时还影响传粉昆虫的活动，不利于授粉。

花期遇有零度以下低温时，则造成花器伤害，严重时甚至导致完全不能结实。不同的树种，在开花的不同阶段中对低温的忍耐力是不同的（见表 4-17、表 4-18）。

高东升等（1999）以日光温室栽培的油桃五月火、曙光品种为试材，研究了坐果后不同发育时期的幼果对低温伤害的反应特性。结果表明，不同发育期的幼果对低温的抗性不同，总的趋势是随幼果生长发育，其耐低温的能力增强。但其间有两个低温敏感期，分别是花后 4 天和 6 天（见图 4-14）。低温对幼果的伤害程度与低温发生前的环境高温密切相关，表现出明显的温差效应，温差愈大，

表 4-17　　　　　　　落叶果树开花时能忍耐的临界低温

（永泽,1978）　　　　　　　　（单位:℃）

树　种	花器发育阶段		
	未开的蕾	开放中的花	刚谢花后的幼果
苹　果	-3.8	-2.2	-1.6
洋　梨	-3.8	-2.2	-1.1
桃	-3.8	-2.7	-1.1
李	-3.8	-2.7	-1.1
樱　桃	-2.2	-2.2	-1.1
梅	-3.8	-2.2	-1.1
葡　萄	-1.1	-0.5	-0.5
核　桃	-1.1	-1.1	-1.1

表 4-18　4 种核果类果树花芽不同发育阶段的致死临界温度(℃)

（Westwood,1978）　　　　　　（单位:℃）

树种	致死标准（%）	花芽发育的各个阶段					
		芽膨大	露红或花序伸出	现蕾或花序分离	初花	盛花	谢花
桃	10	-7.8	-5.0	-3.9	-3.3	-2.8	-2.2
	90	-17.0	-13.0	-9.4	-6.1	-4.4	-3.9
杏	10	-9.4	-5.6	-4.4	-3.9	-2.8	-2.2
	90		-13.0	-10.0	-7.2	-5.6	-3.9
李	10	-10.0	-4.4	-3.3	-2.8	-2.2	-2.2
	90	-18.0	-8.9	-5.6	-5.0	-5.0	-5.0
甜樱桃	10	-8.3	-3.3	-2.8	-2.2	-2.2	-2.2
	90	-15.0	-8.3	-4.4	-3.9	-3.9	-3.9

注　(1)致死临界温度的标准,包括 10% 和 90% 两种(LT_{10} 和 LT_{90})。

(2)观察品种桃为 Elbcrta,李为 Italian 和 EarlyItatian,甜樱桃为 Bing、Lambert 和 Rainier。

伤害愈重。低温引起幼果细胞膜伤害,导致原生质外渗,并且使得膜脂过氧化防护系统 SOD 酶的活性降低。试验发现,SOD 酶受伤害与失活先于原生质的大量外渗。

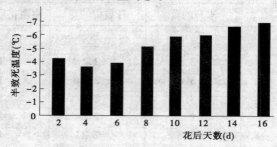

图 4-14　五月火油桃幼果不同发育时期低温半致死温度

（二）高温对花器发育的伤害

在自然条件下,果树经过冬季低温解除自然休眠后,因气温过低而长期处于被迫休眠状态。在被迫休眠期间,果树性器官仍缓慢进行分化和发育。果树解除自然休眠后即进行扣膜加温,如果升温过快,性器官分化发育太快而不充实(小林章,1980)。目前,果树设施栽培普遍存在只开花不结果或结果很少的现象,其直接原因是由于升温过快而造成的性器官败育(王志强等,1998;边卫东等,1998)。

沈元月等(1999)在可控温度生长箱内,研究了 4 个昼/夜温度处理对两年生盆栽早露蟠桃性器官发育的影响。结果表明,随着温度的升高,性器官发育速度加快,败育趋势增加。①与 20/15 处理相比,25/15、30/15 处理花粉粒成熟期分别提前 3 天和 6 天;花粉粒数量分别减少 54%、86%;35/15 处理花粉母细胞减数分裂异常,造成雄性完全败育;②与 20/15 处理相比,25/15、30/15、35/15 处理株心原基及胞原细胞出现期均提前了 3 天;25/15、30/15 处理胚囊母细胞出现期分别提前 3 天和 6 天;30/15 处理后期胚囊发育受阻;35/15 处理早期株心发育受阻(见表 4-19,表 4-20)。

表 4-19   温度对早露蟠桃胚珠发育进程的影响   (单位:d)

处理(昼/夜,℃)	珠心原基突起	珠被原基突起	胞原细胞出现	胚囊母细胞出现	胚囊出现
20/15	8	11	11	17	23
25/15	5	8	8	14	18
30/15	5	8	8	11	
35/15	5	8			

注 (1)珠被肥大增生
　　(2)表内时间(d)均为处理后天数。

上述研究表明,设施栽培应在性器官正常发育的前提下,保持较高的温度以提早开花。但温度超过一定的范围,会造成性器官败育。从开花到盛花期以昼温 20℃、夜温 15℃ 为好,昼温最高不宜超过 25℃。

河南农业大学就温度对设施曙光油桃花器官的发育进行了观测研究,结果表明:温度对油桃花器官的形态和质量都有显著的影响。

(1)温度越高,花芽发育越快,开花越早。但温度超过一定的范围,就会造成高温伤害。25℃ 和 30℃ 处理的盛花期比 16～20℃ 处理分别提前了 4 天和 6 天,35℃ 处理绝大多数花芽露蕾后不久便停止发育,不能正常开花而脱落;16～25℃ 处理花器官发育正常,花瓣的大小、花丝的长短、花药的大小、雌蕊的长度基本一致;30℃ 处理极显著地抑制了花冠、雌蕊及雄蕊的发育,开花后花粉不能正常开裂散粉;35℃ 处理则使花器发育异常。

(2)随着温度的升高,花粉粒发育速度加快,雄性败育趋势增加。与 20℃ 处理相比,25℃ 和 30℃ 处理花粉粒的数量分别减少了 51% 和 86%,发芽率分别减少了 29% 和 78%,瘪小花粉粒分别增加了 2 倍和 5.8 倍。35℃ 处理影响花粉粒的正常发育,造成雄性完全败育。因此,从扣棚到盛花,昼温应逐渐升到 20～25℃,以不超过 25℃ 为最好(见表 4-21、表 4-22)。

表 4-20　　　温度对早露蟠桃雄蕊发育进程的影响　　　(单位:d)

处理 (昼/夜,℃)	雄蕊	处理后天数						
		2	5	8	11	14	17	20
20/15	花粉粒	花粉 母细胞	单核 中央期	单核 靠边期	单核 趋中期	单核 中央期	二胞期	胞中胞球/ 三角形期
	绒毡层	充分 发育	大部分 解体	仅留 残迹	基本 消失	完全 消失		
	纤维层 (μm)	5.2~ 6.5	5.2~ 6.5	10.4~ 13.0	20.8~ 26.0	26.0~ 31.2	31.2~ 39.0	31.2~ 39.0
25/15	花粉粒	四分体	单核 靠边期	单核 趋中期	单核 中央期	二胞期	胞中胞球/ 三角形期	
	绒毡层	开始 解体	大部分 消失	仅留 残迹	完全 消失			
	纤维层 (μm)	5.2~ 6.5	10.4~ 13.0	26.0~ 31.2	31.2~ 39.0	31.2~ 39.0	31.2~ 39.0	31.2~ 39.0
30/15	花粉粒	二分体	单核 靠边期	单核 靠边期	二核期	胞中胞球/ 三角形期		
	绒毡层	开始 解体	部分 解体	大部分 残留	仅留 残迹			
	纤维层 (μm)	5.2~ 6.5	5.2~ 6.5	20.8~ 26.0	26.0~ .31.2	26.0~ 31.2		
35/15	花粉粒	中期 I	减数分 裂异常					
	绒毡层	开始 解体	大部分 残留					
	纤维层 (μm)	5.2~ 6.5	5.2~ 6.5					

表 4-21　　　　　　　　　温度与油桃花器官大小的关系

温度处理 （℃）	花冠大小 （cm）	花丝长 （cm）	花药宽 （μm）	花药长 （μm）	雌蕊长 （mm）
16	4.72A	1.32A	112.2A	125.1A	12.2A
20	4.75A	1.29A	113.0A	124.2A	12.0A
25	4.82A	1.24A	109.1A	115.6A	11.2A
30	3.35B	0.77B	65.2B	91.7B	8.4B
35	2.66B	0.42B	34.7C	62.5C	6.6B

表 4-22　　　　　　温度与油桃花粉粒、染色率及发芽率的关系

温度处理 （℃）	花粉粒长 （μm）	花粉粒宽 （μm）	瘪花粉粒率 （%）	染色率 （%）	发芽率 （%）
16	56.6～68.8	27.8～38.6	4	96.6	93
20	56.2～68.8	27.1～37.2	3.8	96.7	92
25	53.2～63.8	22.0～31.9	8.8	83.2	64
30	52.6～62.2	21.3～32.2	22.4	71.4	16
35	48.2～53.1	16.8～28.6	46.3	53.3	0

（三）生理落果

1. 核果类的生理落果

核果类果树一般有 3 次落果高峰。第一次实际上是落花,花朵自花梗基部形成离层而脱落,多发生在花后 1～2 周内,各树种间大同小异。脱落的主要原因是花器中的雌蕊败育,以及部分花朵未授粉受精。此外,花期及花期前后天气不良(发生冻害、低温霪雨、大雾、大风等)造成雌蕊生殖机能衰退,或影响正常的授粉受

精过程,也都会加剧这次脱落。如将这次落花不计,则核果类果树主要只有两次落果高峰。

第二次落果高峰发生在花后 2～4 周间,树种间略有差异。这次落果在形式上是有一定大小的幼果脱落,但究竟是小幼果还是未曾受精的膨大子房的脱落,认识上尚不一致。目前多数资料认为,这次脱落是由于受精不良和胚乳发育受阻所致。树体营养匮缺、不良气候条件均可引起胚乳的中途败育,而加剧脱落。有人在杏的这次脱落果中发现,约有 80% 的小幼果未曾发育胚乳。但黑田(1975)根据自己在桃上所做的工作,认为在盛花后 20～40 天所发生的第二次落果,其脱落状况与花前去雄套袋的不受精果大体一致,是未受精子房的脱落。第二次脱落果与第一次落果相同,均带有花托和萼片。近年有人指出,梅在花后 20～35 天的落果是未受精子房的脱落。这一问题看来尚需深入研究后才能澄清。

核果类的第三次落果高峰发生在硬核期。露地大约在 5 月中下旬到 6 月上旬这段时间内出现,属于"6 月落果"的范畴,设施栽培大约是果实生长第 Ⅱ 期末(核尚未硬化)和生长第 Ⅰ 期(核已硬化)之间。此期落果离层多在幼果与果梗的花托间产生。幼果脱落后的一段时间内,花托和果梗残留枝上。落果主要是由于供应果实生长的同化养分不足,导致受精胚中止发育所引起。外观可见凡竞争力较弱的果实,内部种子先端种皮首先开始发生褐变,而后果实即萎黄脱落。着果过多、叶果比小和新梢旺长的树,养分竞争激烈,脱落均较严重。

影响核果类果树正常结实进程的各种内外因子如图 4-15。

从果树系统发育的观点来看,核果类果树的生理落果也是树体对开花结实过多、造成负荷过重时的一种反馈调节。提高同化产物的源强(source strengh)(包括扩大有效叶面积和提高叶功能)或降低营养器官的库强(如疏剪无用新梢)和库活性(如摘心、喷布生长延缓剂)等,都有利于提高坐果率。但坐果率的提高有一定的限度。通常在正常花量的前提下,桃的大、中果型品种有 5% ~ 10%,桃的小果型品种及李、杏等的大果型品种有 15% ~ 25% 的最终坐果率,即能满足生产上的需要。当花果密度过大时,用疏花疏果的方法降低生殖器官的库强,可能比其他措施对改善坐果状况更有效。这在生长衰弱的树上应用效果尤其明显。

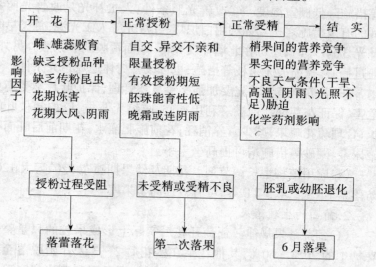

图 4-15　影响核果类果树坐果的因子图解(吴邦良)

提高核果类果树坐果率的常规措施有:

(1)选择适合设施栽培的优良品种。适宜设施栽培的品种一般应具有早熟、自花结实率高、丰产、需冷量低、树势中庸、耐湿、耐弱光等性状。另外,应注意配置适宜的授粉树,进行花期放蜂或人工授粉,保证授粉受精,以提高坐果率。

(2)合理调控设施内温、湿、气、光条件。①温度调控:设施开始升温至萌芽期,温度宜缓慢上升,不能过猛,昼夜温差控制在10℃以内。花期和幼果期温度要严格控制,过高、过低都会损害幼胚组织,引起幼果生长缓慢或停止发育,严重者会导致生理落果。一般温度要求为:萌芽期最高25℃,最低5℃,日均温10~15℃;花期最高22℃,最低4~5℃,日均温12~14℃。②湿度调控:高湿的不良影响,除病虫害严重外,主要是根系吸收和输导养分能力减弱和授粉受精不良。可通过地膜覆盖,肥水微、滴灌,通风换气等措施降低棚室湿度。③改善光照条件:人工补光是改善光照条件的有效措施之一。如利用白炽灯、红灯光等人工光源,每天早晚补光3~4小时;还可在北墙挂反光幕、地面覆膜调节光照。另外,通过摘心、疏缩剪无果枝等措施,也可改善树体通风透光条件。

(3)营养调节。首先要加强头年夏秋管理,保护叶片不受病虫危害,保证花芽健壮饱满。利用摘心、疏缩无花枝,以控制枝叶旺长;合理疏花疏果,减少营养消耗;花前施肥灌水,花期前后叶面喷施尿素、硼砂等措施均可提高坐果率。

(4)应用植物生长调节剂。花期及幼果期喷布920、云大120、防落素BRS、2,4,5-TP等,可有效提高坐果率。

2. 葡萄的生理落果

(1)葡萄落果规律。葡萄开花后实际上形成果粒的只是整个花穗中的20%~60%,其他花朵在盛花后2~3天开始脱落至开花后两周内落完。葡萄落花落果的波相,据奥田和渡边(1967)的研究(见图4-16),白玫瑰品种在盛花后4天,巨峰5天,玫瑰露8天分别出现高峰,各个品种的落果均急剧而整齐,在盛花后15天落完,其后几乎没有生理落果,这一点和其他果树不同。葡萄生理落花落果是一种自我调节机能,但落果过多或过少,都会对生产带来不利影响。

(2)落花落果的原因。主要有以下3个方面:

一是花器发育不全。葡萄花器发育不全主要表现为花粉和胚珠的异常。据中川(1962)调查,玫瑰露品种正常花粉率只有35%~40%,结实率可达49.7%,巨峰品种正常花粉率可达85%,但结

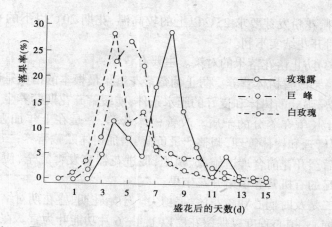

图 4-16　3个葡萄品种的落果动态(奥田、渡边,1967)

实率只有 11.7%,因此,落花落果的原因并不在于花粉方面。另据佐藤(1977)研究,葡萄胚珠的异常率,品种康拜尔早生约 40%,高尾是 57%,巨峰是 48%。因此,花器发育不全造成落花落果的主要原因可能是胚珠异常。

　　二是树体贮藏营养不足或新梢生长过旺。葡萄花蕾中各器官的分化是在展叶后逐渐形成的,主要依靠上年的贮藏营养。在这个时期,花蕾分化、新梢生长和根系生长同时进行,相互间争夺贮藏营养激烈,而新梢生长点夺取营养物质的能力比花序强,如树体内贮藏营养不足,则会引起胚珠发育不良,不完全花增多和花粉发芽率降低,从而导致大量落果。尤其是树势强旺时,大量的贮藏营养消耗在新梢生长上,落果更为严重。

　　据石由之(1985)研究,易导致落花落果的树体内部条件,是新梢中水溶性氮素含量多和碳水化合物含量少;相反,若体内水溶性氮素含量少而碳水化合物含量多时,则落花落果少。

　　三是气候条件的影响。开花期出现低温、阴雨天气,往往影响授粉、受精作用的正常进行,也减弱了当时叶片光合作用的效率。品种间受低温的影响有较大的差异。欧洲种和欧美杂交种中的巨峰品种,花粉发芽要求 25℃ 以上的较高温,花期 20℃ 以下的平均气温对开花结实不利。

(3)防止落花落果的对策。主要有 3 个:

一是改善树体营养。防止葡萄落花落果最根本的措施是调整好树势,强壮的树体和良好的肥水条件,能缓解开花期营养生长和生殖生长争夺养分的矛盾。改善树体营养,一是在上年加强土、肥、水管理和树体管理,调整产量负荷,增加树体贮藏营养;二是在萌芽后至开花前合理追施氮、磷肥,促进花器官发育完全,使花期有充足的有机营养供给开花坐果。

二是及时摘心和疏花序、掐穗尖。于始花期、盛花期对结果枝进行摘心,摘心程度以保留花序以上 4～6 片功能叶为宜。在此范围内及时摘除梢尖小于正常叶片 1/3 的叶,因为初展叶对营养物质的消耗大于制造。在摘心的同时还需控制副梢的生长,疏除多余的花序,并对留下的花序及时掐除穗尖及副穗,以缓和营养生长与生殖生长争夺营养的矛盾,使留下的花序得到较多的营养,从而提高坐果率。容易落花落果的品种如巨峰、玫瑰香等,从开花前 1 周到生理落果结束以前,要求不出现梢尖和幼叶的旺长。

三是使用生长调节剂和微量元素。对容易落花落果的品种,在树势连年过旺的情况下,用 3 000mg/kg B_9 或 2 000mg/kg 矮壮素等生长延缓剂在开花前 10～20 天(生长良好的新梢展叶 7 片时)喷布枝叶和花序,能显著提高坐果率。在开花前 7～20 天,对葡萄喷硼(硼酸 0.2% + 石灰 0.05% 或 0.3% 硼砂液),可使新梢内的糖向花运转,并可防止花冠不落症,促进葡萄结实。另据张慈芳(1989)的试验,在该时期内喷布 3 000mg/kg B_9 或 1 000 mg/kg 硼砂的,坐果率比单用 B_9 处理的提高 5.23%(绝对值),差异极显著。此外,喷布 20mg/kg 防落素,500mg/kg EF 植物生长促进剂,或 10～20mg/kg 4-溴苯氧乙酸等对提高坐果率也有明显的效果。马锋旺等(1992)试验表明,巨峰葡萄于初花期(5 月 26 日)和幼果期(6月17日)各喷布1次0.2%的$MnSO_4$、0.2%的Na_2MoO_4及0.4%的$(NH_4)_2MoO_4$,坐果率分别较对照(喷清水)增长31.8%、24.9%及30.9%。锰和钼能提高坐果率与促进花粉萌发和提高叶片光合能力有关。

第五章 设施栽培对果树基础 生理过程的影响

第一节 设施栽培果树的光合作用

光合作用是植物生长发育的基础,也是果树产量和品质构成的决定性因素;同时果树的光合作用又受树体内外多种因素的影响,是一个对环境条件变化十分敏感的生理过程。深入研究设施栽培对果树光合作用的影响,探讨设施条件下果树光合作用的特点与规律,找出影响产量和品质形成的限制因子,不仅有助于建立优质、高产、高效的栽培模式,而且有助于探明果树对设施栽培的生理反应,因此具有重要的理论意义和实际意义。目前,国内外对设施栽培对光合作用的影响研究报道不多,现以作者对油桃设施栽培光合生理特性的研究为主,结合国内外资料来阐明这一问题。

一、设施栽培条件下叶片叶绿素含量的变化

表 5-1 是盛花后 56 天取材测定的露地和设施栽培曙光油桃的叶绿素含量。从表中可以看出,与露地栽培相比,设施内油桃单位重量(干重)的叶片叶绿素 a 和 b 含量均有明显增加,但单位面积叶片的叶绿素含量却有下降,而叶绿素 a/b 值基本不变。

叶绿素是果树进行光合作用的主要色素,检测其含量变化,可以从一个方面了解叶片的光合性能。Kappel 和 Flore(1983)、Nii 和 Kuroiwa(1993)在研究遮荫对桃树生长发育的影响时都发现,遮荫可使桃叶片变大、变薄、叶绿素含量增加,而且叶片光合性能降低。设施栽培条件下,叶绿素含量的变化,推测与设施内光辐射减弱有关。

表 5-1　　　　设施栽培对曙光油桃叶片叶绿素含量的影响

处　理	叶绿素 a		叶绿素 b		总叶绿素		a:b	
	mg/dm²	μg/mg DW	mg/dm²	μg/mg DW	mg/dm²	μg/mg DW	mg/dm²	μg/mg DW
露地栽培	2.66b	2.94n.s	1.08b	1.41n.s	3.74b	4.35n.s	2.5n.s	2.1n.s
设施栽培	3.43a	2.63n.s	1.29a	1.20n.s	4.72a	3.83n.s	2.7n.s	2.2n.s

二、油桃光合速率对光强变化的反应

在温度为 (28 ± 1)℃,RH 为 $60\%\sim65\%$,二氧化碳浓度为 $300\mu l/L$ 左右(大气二氧化碳浓度)的条件下,对露地和设施栽培的曙光油桃叶片的光合—光反应曲线进行了测定,结果如图 5-1。从图 5-1 中可以看出:①在一定的光合有效辐射(PAR)范围内,无论是露地还是设施内油桃,其叶片净光合速率(P_n)都随光照强度的增加而提高,最后达到光合速率最大值(P_{max});②在较低的 PAR 范围内,设施内油桃的 P_n 高于露地,并首先在 PAR 为 $560\mu mol/(m^2\cdot s)$ 时达到光饱和点,然后随光照强度的增加,P_n 呈下降趋势,而露地油桃单叶在 PAR 为 $740\mu mol/(m^2\cdot s)$ 左右时,才达到光饱和点。设施内曙光油桃的光补偿点为 $20\mu mol/(m^2\cdot s)$ 左

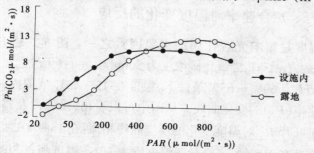

图 5-1　曙光油桃光合—光反应曲线

右,比露地栽培的光补偿点 $32\mu mol/(m^2 \cdot s)$ 略低;③设施内曙光油桃的光合性能低于露地,表现在光饱和点时 P_n 最大值(P_{max})仍低于露地的 P_{max},光饱和点降低的幅度大于补偿点降低的幅度,即设施内油桃光合作用对光的适应范围有所缩小。但是,在弱光辐射下($PAR < 400\mu mol/(m^2 \cdot s)$),设施内油桃 P_n 和光能利用率(PUE)高于设施外。

上述结果表明,油桃经设施栽培后,对设施内的弱光条件产生了一定的适应性,对弱光的利用率提高。有研究证明,叶片前期的受光状况,对其光合潜力有重要影响(河北农业大学,1980);遮荫可以降低桃树的光补偿点(Nii、Kuroiwa,1993);树冠不同位置的叶片光饱和点和最大光合速率不同。这些现象说明,果树在一定范围内对其所处的光环境可产生适应性变化。Nii 和 Kuroiwa 还发现,受弱光胁迫的叶片,叶绿素含量增加,叶绿体变大,类囊体丰富,表现出对弱光环境的适应。但严重的弱光胁迫可使叶片的组织结构发生改变,栅栏层细胞发育不良。此外,弱光胁迫下气孔阻力,RuBP 羧化酶活性和暗反应等都可能成为叶绿素的光反应效率和 P_{max} 的限制因子。设施栽培后,油桃叶片是否也发生了类似变化,尚有待于进一步研究。

三、光合速率对温度变化的反应

温度是影响光合作用的主要因素之一。图 5-2 是 PAR 为 $800\mu mol/(m^2 \cdot s)$、二氧化碳浓度为 $300\mu l/L$ 左右(大气二氧化碳浓度)、RH 为 $60\% \sim 65\%$ 条件下,温度在 $15 \sim 45℃$ 范围内,油桃净光合速率(P_n)的变化曲线。从图中可以看出,设施内及露地栽培的油桃叶片 P_n 对温度变化的反应曲线相似:在 $15 \sim 30℃$ 之间,P_n 随温度升高而增加;光合最适温度均为 $30℃$;温度超过 $30℃$ 则 P_n 趋于下降。温度超过 $35℃$,下降幅度增大。但是,在"低温区间"

（15～25℃），设施内油桃叶片的 P_n 略高于露地油桃；"高温区间"（30～45℃），设施内油桃的 P_n 迅速下降，其幅度大于露地。说明经设施栽培后，油桃光合作用对低温的耐受力增强，但对高温的反应较敏感。

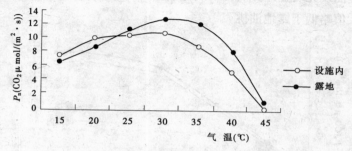

图 5-2　曙光油桃单叶光合—温度曲线

另外，在最适温度条件下，设施内油桃的 P_n 也略低于露地油桃，这也从一个侧面说明，油桃经设施栽培后叶片光合性能有所下降。有研究指出，植物光合作用对温度的反应除与植物本身的遗传特性有关外，还受环境条件，特别是测定前一段时间内所处的光温环境有关（Boardman N. K. 1977；Mooney H. A.，1978）。光合—温度曲线的变化是油桃对设施内特定的环境条件产生适应的结果，也提示我们在油桃设施栽培实践中，要严格控制高于 30℃，特别是 35℃ 以上的高温，以增加光合积累。

四、光合速率对二氧化碳浓度变化的反应

二氧化碳是光合作用的底物，其浓度变化直接影响光合速率。图 5-3 是在 PAR 为 $560\mu mol/(m^2 \cdot s)$、温度为 $(28 \pm 1)℃$、RH 为 $60\% \sim 65\%$ 条件下测得的光合速率—二氧化碳浓度反应曲线。可以看出，曙光油桃单叶的二氧化碳补偿点为 $50 \sim 60\mu l/L$，随着二氧化碳浓度增加，光合速率亦迅速提高，特别是在 $100 \sim 500 \ \mu l/L$

浓度范围内,P_n 几乎与二氧化碳浓度直接相关,之后,虽然 P_n 仍随二氧化碳浓度的升高而增加,但曲线趋于平缓,约在 1 200 $\mu l/L$ 时达到饱和。设施内外曙光油桃光合作用对二氧化碳浓度变化的反应曲线无明显差异。但二氧化碳饱和时,设施内油桃叶片的 P_n 最大值略低于露地油桃。

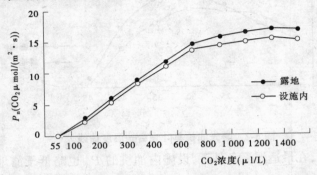

图 5-3　油桃光合速率对 CO_2 浓度变化的反应

五、设施内外油桃光合速度的日变化规律

在自然条件下,普通桃光合作用的日变化为双峰型曲线(PeetM. M. *et al*,1987),但油桃的光合日变化规律尚未见报道。图 5-4 是 1998 年 5 月测得的不同天气类型露地栽培的曙光油桃光合速率的日变化曲线。从图可以看出,在自然条件下,晴天,曙光油桃 P_n 日变化也呈曲型的双峰曲线:早上日出后,P_n 迅速上升,至 10 时左右 P_n 出现第一次高峰;之后出现"午休"现象,光合速率下降,约在 13 时达到低谷;然后又逐渐回升,15 时左右出现第二次峰值,此后,又逐渐下降。全天 P_n 最高峰出现在上午 10 时左右。光合作用的"午休"现象在许多作物上均有发现。一般认为,中午前后,强烈的太阳辐射和高温、低湿,使叶片温度过高,蒸腾强烈,叶片严重失水引起气孔关闭、细胞间二氧化碳浓度降低等

是光合作用降低的主要原因。"午休"现象虽然是植物在长期进化过程中对自然环境的一种适应,但它降低了果树的光合生产能力,限制了产量提高。如何减少"午休"损失,一直是光合生理研究的重要课题之一。

　　阴天,曙光油桃的光合日变化曲线较为平缓,全天 P_n 水平较低,第一次光合高峰推迟至 11 时左右出现,最高值只有晴天的 40% 左右。中午前后 P_n 处在较高水平,但"高峰"及"午休"现象均不明显(见图 5-4)。

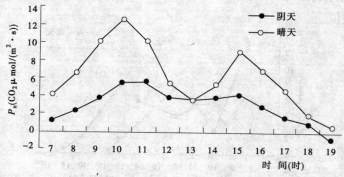

图 5-4　露地不同天气类型曙光油桃的光合速率日变化动态

　　设施内油桃光合作用日变化规律与露地明显不同(见图5-5):晴天,早上 6 时 30 分揭开草苫,7 时即可测到很高的光合速率,8 时左右 P_n 达到高峰,之后光合作用迅速减弱,10 时 P_n 降至低谷,此后开窗通风,光合作用逐渐回升,并分别在 12 时和 15 时出现两次峰值,以后光合作用逐渐减弱。与露地油桃光合作用日变化曲线相比,设施内油桃光合作用有如下特点:①光合速率第一次高峰提前 2 小时,在上午 8 时左右出现,且在一日之内有 3 次峰值,P_n 最高值出现在约上午 8 时。上午 10 时,露地油桃 P_n 达到高峰,而设施内 P_n 却处于低谷。②光合"午休"现象不明显。虽然 P_n 也在 13～14 时走低,但明显高于露地油桃此间的 P_n 水平。其原因可能是设施内过度强烈的太阳辐射被减弱,且高温可人为调控之故。③晴天设施内油桃日平均光合速率为 $5.97\mu mol/(m^2 \cdot s)$,比露地的 $7.00\mu mol/(m^2 \cdot s)$ 低 17.25%。

　　阴天,设施内油桃光合作用日变化趋势与晴天不同,整体上为较平缓的双峰形曲线。光合作用第一次峰值较晴天推迟 2 小时,在 10 时左右出现;通风后,P_n 小幅度下降,然后又逐渐回升,至 13 时左右出现第二次峰值,此后,一直呈下降趋势,16 时以后 P_n 呈负值。

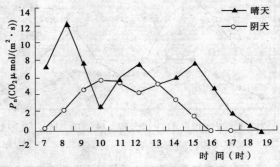

图 5-5　设施内不同天气类型油桃光合速率日变化动态

　　邓伯勋等(1995)以 3 年生朋娜脐橙为试材,研究了不同天气类型下塑料大棚对脐橙叶片净光合速率(P_n)的影响。结果表明,晴天,棚内 P_n 日均值是棚外的 2 倍左右,持续时间长 4 小时;多云天气,P_n 是棚外的 2.4 倍,持续时间比晴天短 1 小时;阴天,P_n 日均值是棚外的 2.6 倍,持续时间比棚外长 6 小时。无论何种天气类型,棚内 P_n 的变化规律与棚外相似,但是棚内叶片在晚上还有一定的同化二氧化碳的能力,而棚外叶片的 P_n 则为负值(如表5-2,图 5-6～图 5-8)。

表 5-2　在不同天气类型下大棚对脐橙叶片净光合速率（P_n）的效应

年度	天气	棚　内		棚　外		棚内外 P_n 日均值比
		I	II	I	II	
1991~1992	晴天	7~23	11.06	7~20	5.24	1.99:1
		7~23	12.95	7~20	6.83	
1991~1992	多云天	7~22	8.97	7~19	3.65	2.43:1
		7~22	10.35	7~19	4.29	
1991~1992	阴天	7~21	8.18	8~17	2.90	2.63:1
		7~21	10.05	8~17	4.04	

注　I：测定 P_n 的时间。

　　II：P_n 日均值，单位为 $CO_2 mg/(dm^2 \cdot h)$。

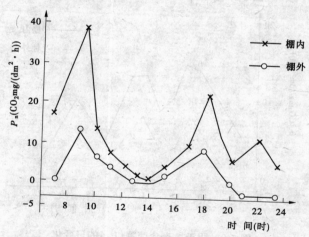

图 5-6　晴天净光合速率（P_n）的日变化

　　这两个研究的差异可能与研究条件有关。油桃设施内外的对比是设施内外同一物候期光合作用的对比；而脐橙则是在 12 月至第二年 2 月间同一时间的对比，而此时露地气温低，脐橙的光合能力差。

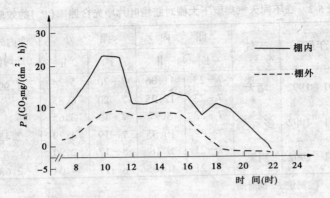

图 5-7　多云天净光合速率(P_n)的日变化

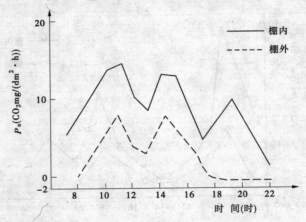

图 5-8　阴天净光合速率(P_n)的日变化

六、设施内主要生态因子对光合作用的协同效应

光、温、水和二氧化碳都是影响光合作用的重要因子。如前所述,设施内这些生态因子的变化规律与露地条件下存在较大差异,因此,研究设施内各因子对光合作用的协同效应,探明设施内光合

作用的限制因素和促进因素,并尽量创造有利条件,从整体上提高光合生产能力,对于建立优质高产、高效的栽培模式至关重要。

表 5-3、图 5-9 是晴天测定设施内光合速率(P_n)日变化规律时,同时测得的设施内光合有效辐射(PAR)、空气二氧化碳浓度(C_a)、气温(T_a)和空气相对湿度(RH)的日变化情况。可以看出,晴天,早上 7~8 时,虽然 PAR、T_a 偏低,RH 偏高,均不是光合作用的最适值,但此时光合速率不仅走高,而且在 8 时 P_n 达到全天最高峰,这说明这段时间 PAR、T_a、RH 虽然是限制因子,但不起决定作用,二氧化碳高出设施外近 2 倍,是光合作用的促进因子,并起了决定性作用。9 时以后,T_a、PAR 逐渐升高,RH 略有降低,对光合作用有利,也是设施外油桃光合作用最旺盛的时段,但设施内 P_n 不仅未升高反而下降,并在 10 时左右降至谷底,这是因为日出后旺盛的光合作用消耗大量的二氧化碳,使设施内密闭环境中二氧化碳迅速下降,10 时只有 $103\mu l/L$,已接近油桃二氧化碳补偿点,这一时段 PAR、T_a、RH 虽然是光合促进因子,但未起决定作用,二氧化碳严重匮乏,成为关键的限制因子。开窗通风后,设施内二氧化碳浓度逐渐回升到大气水平,P_n 也迅速增加,并在 12 时出现第二个峰值,但通风也使设施内 RH 迅速降低,成为光合作用的限制因子,加之温度偏高,致使 P_n 在 13~14 时下降,出现所谓的"午休"现象。但由于棚膜减弱了过强的太阳辐射,最高温度也只有 32.0~33.2℃,所以,"午休"期间的 P_n 值仍维持在 5.5~6.2$\mu mol/(m^2 \cdot s)$,高于露地油桃光合"午休"时的 P_n 水平。14 时以后,虽然 RH、T_a、C_a 对光合作用较有利,但 PAR 逐渐减弱,成为关键性的限制因子,致使 P_n 逐渐降低。

综上所述,设施内油桃的光合作用日变化规律是各种生态因子协同作用的结果,在一日之内的某个时段,一种或几种生态因子对光合作用有利,成为促进因素,另一种或几种因子对光合作用不

表 5-3　　　　设施内主要生态因子日变化及其对 P_n 的影响

时　间	7	8	9	10	11	12	13	14	15	16	17	18	19
P_n $(\mu mol/(m^2 \cdot s))$	7.3	12.5	7.8	2.7	6.0	7.7	5.5	6.2	7.9	5.2	2.3	0.8	0.2
PAR $(\mu mol/(m^2 \cdot s))$	168	267	385	546	680	760	712	602	460	350	220	106	19
$RH(\%)$	96	88	78	70	55	43	36	35	45	67	74	80	89
$C_a(\mu l/L)$	860	790	480	103	210	286	312	320	301	306	321	316	344
$T_a(℃)$	15.0	20.2	26.4	30.6	28.7	29.8	32.0	33.2	30.0	27.4	23.0	20.6	18.6

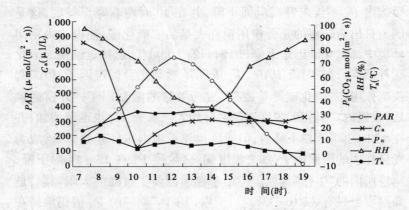

图 5-9　设施内主要生态因子日变化及其对 P_n 的影响

利,成为限制因素,而光合速率的高低最终受这两类因素的综合影
响。设施栽培的主要优势之一就在于为果树提供了一个特殊的小
区环境,在这个小环境内,对各种生态因子可以按照果树生长发育
的需要进行人为调节。因此,在探明设施内各生态因子变化规律
及其对光合作用之影响的前提下,通过人为调控,变限制因素为促

进因素,为果树光合作用提供一个理想的生态环境,必将极大地提高果树整体的光合水平,优质、高产地进行果品生产。

七、设施内二氧化碳加富对油桃光合作用及产量形成的影响

晴天,从早上8时向设施内定量增施二氧化碳,10时后开窗通风,其他管理措施与对照完全相同,测得设施内二氧化碳浓度及光合速率日变化如图5-10和图5-11。

从图5-10中可以看出,二氧化碳加富处理后,设施内二氧化碳浓度,特别是9时至10时之间的二氧化碳浓度大幅度提高,即使在通风后2小时,二氧化碳浓度仍明显高于对照,从早上7时至晚上19时,日平均二氧化碳浓度达497μl/L,比对照的380.7μl/L高30.55%。光合速率日变化由对照的三峰曲线变为双峰曲线,P_n第一次高峰比对照推迟2小时,出现于10时左右,峰值达14.6$CO_2\mu$mol/$(m^2 \cdot s)$,明显高于对照。图5-11结果还显示,二氧化碳加富对上午8~12时之间P_n的促进效应最显著,13时以后P_n略低于对照,推测是午前旺盛的光合作用使细胞内光合产物积累丰富而引起的反馈抑制。但就全天而言,日平均光合速率仍为

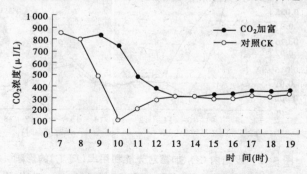

图5-10 CO_2加富对设施内CO_2浓度日变化规律的影响

$6.95CO_2\mu mol/(m^2 \cdot s)$，比对照的 $5.52CO_2\mu mol/(m^2 \cdot s)$ 提高 25.9%。

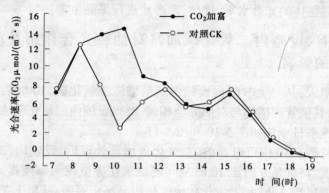

图 5-11 CO_2 加富对设施内油桃光合速率日变化规律的影响

图 5-12 显示了增施二氧化碳对设施内油桃光能利用率 *PUE* 的影响：二氧化碳加富处理与对照的 *PUE* 日变化趋势十分相似，但增施二氧化碳后，上午 8～12 时之间的光能利用率较对照显著提高。

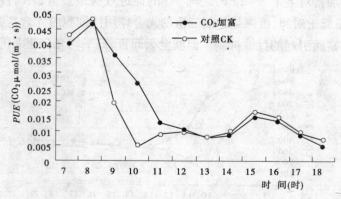

图 5-12 设施内 CO_2 加富对光能利用率(*PUE*)的影响

二氧化碳浓度提升对光合作用的促进效应在一些作物上已有

报道。有研究指出,在一定范围内提高环境中二氧化碳浓度,增大二氧化碳与氧气的比值,可以增加 RuBpcase 活性,从而提高羧化酶与加氧酶活性之比,抑制光呼吸,提高光合速率。设施内光合有效辐射(PAR)减弱 50% 左右。本研究结果表明,设施内二氧化碳加富使油桃日平均光合速率提高 25.9%,光能利用率也显著增加,这在一定程度上弥补了光照不足对果实生长发育的影响,改善了树体的有机营养水平,有助于果实产量和品质的提高。

表 5-4 列出了设施内二氧化碳加富处理对曙光油桃若干性状的影响。可以看出,与对照相比,二氧化碳加富处理的植株,树体生长健壮,叶片肥厚,比叶重增大,树体生物量(未含果实)增加 12.4%,单果重增加,产量提高 19.8%,成熟期提早 2~3 天,可溶性固形物及其他品质分析指标都有不同程度的改善。

表 5-4　CO_2 加富对曙光油桃生物量及若干经济性状的影响

处　理	生物量 (g)	比叶重 (g)	单果重 (g)	平均 株产 (kg)	可溶性固 形物(%)	可溶性糖 (%)	维生素 C (mg/100g)
CO_2 加富	4 404.5a	9.6a	105n. s	4.43a	12.6a	8.5	3.9
对照 CK	3 918.6b	7.8b	102n. s	3.70b	10.4b	7.6	3.7

注　表中不同字母表示 LSD 检验有显著差异($P<0.05$)。

第二节　设施栽培果树的水分生理特性

一、设施栽培条件下果树的气孔生理特性

气孔是植物与外界进行二氧化碳和水、气交换的主要通道。叶片气孔的关闭情况,直接影响着植物的光合作用、蒸腾作用以及

其他生理过程。

(一)设施栽培果树的气孔密度与大小

表 5-5 是笔者对设施栽培条件下葡萄、油桃、杏 3 种叶片下表皮气孔密度、气孔大小的观测结果。从表中可以看出,设施栽培条件下,果树气孔密度减小,气孔长度、宽度加大,这可能是和设施条件下光照减弱、温度高、湿度大有关。这与以往的一些研究成果是基本一致的(束怀瑞,1993)。

表 5-5　　设施栽培条件下几种果树的气孔密度大小 ($\frac{设施}{露地}$)

树种	气孔密度 (个/cm²)	气孔长度 (μm)	气孔宽度 (μm)
曙光油桃	$\frac{146}{160}$	$\frac{0.72}{0.65}$	$\frac{1.73}{1.51}$
katy 杏	$\frac{414}{427}$	$\frac{0.34}{0.28}$	$\frac{1.62}{1.54}$
京秀葡萄	$\frac{136}{141}$	$\frac{0.62}{0.56}$	$\frac{2.02}{1.91}$

(二)设施条件下油桃气孔开度与阻抗

笔者观测了设施栽培条件下曙光油桃的气孔开度。结果发现,设施栽培油桃气孔开度大于露地栽培,特别是在正午前后,两者差异最大,这更有利于减缓光合作用的"午休"现象(如图5-13)。

气孔阻抗是气孔开度的直接函数。观测表明,设施栽培增加了曙光油桃的气孔开度,降低了气孔阻抗。据观测,日平均气孔阻抗降低了,如表 5-6。

二、设施条件下植株水分状况

水分是植物生长发育的重要因子。笔者对曙光油桃的观测表明,设施栽培条件下,油桃植株的水分状况明显好于露地栽培,不

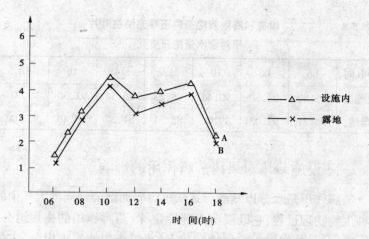

图 5-13　设施内外油桃气孔开度日变化

论是叶水势,还是相对含水量,设施栽培都好于露地(见表5-7、表5-8)。这可能和设施内湿度大、土壤水分充足有关。良好的水分供应是保证植物发挥正常生理功能的基础。

表 5-6　　　　设施栽培对曙光油桃气孔阻抗的影响　（单位:s /cm）

观测时间（时）	06	08	10	12	14	16	18
露地	3.43	2.18	1.38	1.82	2.78	3.12	3.37
设施内	3.12	2.07	1.36	1.57	2.48	2.16	2.86

表 5-7　　　　设施栽培和露地环境曙光油桃叶水势日变化

（单位:MPa）

时间(时)	06	08	10	12	14	16	18
设施内	− 0.40	− 0.98	− 1.62	− 2.36	− 2.48	− 1.80	− 0.94
露地	− 0.51	− 1.16	− 1.88	− 2.45	3.04	− 2.10	− 1.16

表 5-8　　　　　设施和露地栽培条件下曙光油桃叶片

相对含水量的日变化　　　　　（%）

时间（时）	06	08	10	12	14	16	18
设施内	95.80	93.60	90.44	88.23	86.54	91.50	93.21
露地	94.71	92.03	89.00	85.31	84.37	89.46	92.04

三、设施栽培对果树蒸腾作用的影响

蒸腾作用是水分以蒸汽形式从植物表面散失到周围大气中的一种生物物理过程，它既受蒸发速度定律（蒸腾作用的物理组分）的影响，又受蒸发组织的生物学状态（蒸腾作用的生理组分，主要是气孔状态）的影响。特别是在设施栽培条件下，光照减弱、温度高、湿度大、气体交换减少，对果树蒸腾作用的影响十分复杂。据笔者对设施栽培条件下曙光油桃叶片蒸腾作用的测定表明，一般棚内油桃的蒸腾速率小于同时期棚外油桃的蒸腾速率。而就其日变化规律来看，早、晚时段设施内油桃的蒸腾速率低于设施外，而正午时设施内蒸腾速度高于设施外（见表 5-9）。这可能是因为早、晚时段棚内光照弱、湿度大、气体交换少，正午放风时降低了湿度，而此时棚内油桃仍具有较大的气孔开度和较充足的水分供应的缘故。

表 5-9　　　　　　　设施和露地栽培曙光油桃叶片

蒸腾速率的日变化　　　（单位：mmol /(m² · s)）

时间（时）	06	08	10	12	14	16	18
设施内	1.38	2.41	4.24	6.16	6.87	5.03	3.64
露地	1.86	3.17	4.67	5.83	6.02	5.14	4.38

第三节　设施栽培条件下果树的矿质营养及补给技术

矿质营养对于果树的正常生长和发育有重要作用。为了争取高额而稳定的产量和获取品质优良的果品,应当满足果树对于各种矿质营养的需要。否则,不管其总的矿质营养水平是降低,还是个别营养元素缺乏,都会引起果树矿质营养代谢的失调,使生长发育受阻,并最终导致产量降低和果实品质下降。设施栽培作为一种特殊的栽培方式,生长期长,栽培密度大,营养生长最大,产量高,修剪量大,对矿质营养消耗大。必须研究设施果树独特的矿质营养生理特性,摸清其需肥规律,才能正确制定其营养补给技术,保证设施栽培的优质、高产、高效。

一、设施栽培条件下果树营养元素的变化规律与补给(陈晓玲等,2000)

(一)设施油桃各器官氮、磷、钾含量

表5-10给出了5月5日(果实采收前)和9月5日(经PCR修剪树冠形成后)油桃不同器官氮、磷、钾3大元素的含量。从表中可以看出,不论是在5月份还是在9月份,不同器官油桃含氮量都以叶为最高,分别达2.84%和2.03%,依次为当年生新梢、果实、根,二年生枝和主干;磷的含量也基本上是这个规律;但钾以果实含量最高,其次是叶和当年生新梢。就两个时期不同器官氮、磷、钾含量的变化来看,叶和当年生新梢中氮、磷、钾含量在后期是下降的,而根和主干中后期略有上升,这可能和后期养分已开始倒流积累有关。

表 5-10 油桃各器官养分含量 （%）

器 官	干重(g)		N		P		K	
	5 月	9 月	5 月	9 月	5 月	9 月	5 月	9 月
根	521.6	724.4	0.63	0.81	0.081	0.083	0.131	0.154
主干	826.8	868.6	0.21	0.26	0.068	0.072	0.064	0.081
2 年生枝	546.6		0.58		0.104		0.240	
当年生新梢	38.9	723.4	1.37	1.01	0.216	0.190	1.030	0.948
叶	521.0	584.0	2.84	2.03	0.282	0.290	1.800	1.530
果实	407.0		1.23		0.218		2.210	

（二）不同时期油桃叶片中氮、磷、钾含量的变化规律

表 5-11 给出了不同时期油桃叶片中氮、磷、钾 3 大元素含量的变化规律。从表中可以看出，叶片中氮、磷、钾含量呈现"高→低→高→低"型变化：生长初期开始最高，以后逐渐减少，到盛花后 80 天至桃果成熟前最低，110 天后突然升高，以后逐渐降低，这和其他在露地桃上做的工作不一致（Rogers 等，1953，见图 5-14）。这可能是因为在果实采收后（大约在盛花期后 85 天）进行了 PCR 修剪，盛花后 110 天采样期样品全是重新萌发的新梢上的叶片，这等于是又重新开始了一轮生长进程，随着新梢的生长氮、磷的含量又逐渐降低，这说明采果后 PCR 修剪前是设施油桃营养补给的最佳时期。至于钾的含量变化基本不大。

表 5-11 不同时期油桃叶片中氮、磷、钾含量 （%）

盛花后天数(d)	20	50	80	110	140	170	200
N	3.52	3.17	2.84	3.44	3.08	2.81	2.03
P	0.28	0.25	0.18	0.26	0.21	0.23	0.19
K	1.83	1.74	1.80	1.76	1.81	1.57	1.53

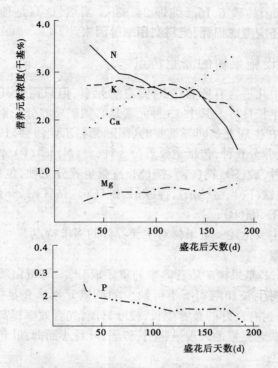

图 5-14　生长期中桃叶片营养元素的浓度变化

(三)设施油桃的营养补给探讨

设施油桃密度大,产量高,消耗多,因此,其营养补给是栽培中的关键问题。从上述分析来看,设施油桃营养补给应掌握两个关键环节:一是果实采收后,PCR 修剪以前,补给量应以采收的果实与 PCR 修剪剪去的枝叶营养元素含量为准。由表 5-10 可计算出高密度栽培 PCR 修剪条件下,以株产 4kg 油桃计,大约为每株需补纯氮 23.5g,纯磷 3.1g,纯钾 20.08g。第二个环节是秋末,补给量是落叶和冬季修剪去掉枝条的养分含量,经计算为每株需补纯氮 19.66g,纯磷 3.06g,纯钾 14.83g。两次合计,全年每株需补给纯氮 43.16g,纯磷 6.16g,纯钾 34.83g。当然,这只是理论计算,实际应用还应考虑损耗、肥料利用率等因素。

二、设施果树的需肥特点

植物中几乎含有所有(92 种)自然元素,但只需要其中 16 种元素即可生长良好。其中 13 种元素是必须矿质养分元素,而且这 13 种元素在生理上是同等重要的(国际肥料工业协会,1999)。它们是:大量养分 6 种,包括主要养分 3 种,氮(N)、磷(P)、钾(K),中量养分 3 种,硫(S)、钙(Ca)、镁(Mg);微量养分 7 种,包括重金属元素 5 种,铁(Fe)、锰(Mn)、锌(Zn)、铜(Cu)、钴(Co),非金属元素 2 种,氯(Cl)、硼(B)。

下面主要论述一下果树对主要养分的需求特点。

(一)氮

氮素(N)是果树矿质营养中的重要成分,参与蛋白质的合成,是保证果树生长和结实所不可缺少的矿质元素。充足的氮素营养,可使果树有良好的营养生长,枝叶繁茂,光合效率提高。

果树缺乏氮素的表现是:生长势弱,叶片小而薄;叶色淡,呈淡绿或黄绿色。

在一定的限度内,果树形成花芽的多少、坐果率的高低以及最终获得的产量是与氮素水平的高低密切相关的。换句话说,在一定的范围内,随着氮素养分的增加,花芽量、坐果率和产量也相应增加。

氮素过量也会给果树生长发育带来有害的影响。P·马利诺夫(1982)的研究表明,当土壤中碱性水解氮的含量超过 100～200mg/kg 时,或叶片中氮素含量超过 3.5% 时,果树就会发生氮中毒现象。氮素过量引起的中毒症状表现为:叶片变成暗绿色,并稍微呈现蓝色;在生长后期叶缘变黄,并逐渐扩展到叶片内部,形成不规则的坏死斑;病斑最后遍及整个叶片,叶缘稍向上翘起,使叶片变成船形,除新梢顶端的 1～2 片叶子以外,其余叶子很快脱落。

氮素对果树生长和结实的作用,不仅取决于本身的量的多少,也取决于同其他矿质元素的配合。P·马利诺夫(1982)的实验表明,氮肥与磷、钾肥配合施用比单独施用可明显提高杏花芽量、坐果数和产量(见表 5-12)。$N_3P_0K_0$ 处理的杏产量为 24.2kg/株,而 $N_3P_2K_2$ 处理的杏产量可达到 36.4kg/株。

表 5-12　　　　　　　　矿质营养对杏树结实的影响

处　理	花芽数		结果数		产量(kg/株)	
	1976 年	1977 年	1976 年	1977 年	1976 年	1977 年
$N_0P_0K_0$	196	448	3	148	6.4	20.7
$N_1P_0K_0$	237	503	4	170	7.2	24.9
$N_2P_0K_0$	247	546	9	215	10.3	27.2
$N_3P_0K_0$	341	555	6	183	7.3	24.2
$N_1P_1K_0$	210	406	3	133	8.0	21.5
$N_1P_1K_1$	192	446	7	201	8.8	28.2
$N_2P_2K_2$	202	527	14	300	10.5	26.2
$N_3P_2K_0$	255	439	13	256	10.1	26.9
$N_3P_2K_2$	223	581	11	289	12.3	36.4
$N_3P_3K_3$	295	600	19	278	12.0	27.2

注　据 P·马利诺夫(1982),N 施用量分别为 $N_0 = 0$,$N_1 = 100$,$N_2 = 200$,$N_3 = 300$(kg/hm^2);P 为 $P_0 = 0$,$P_1 = 80$,$P_2 = 160$,$P_3 = 240$(kg/hm^2);K 为 $K_0 = 0$,$K_1 = 100$,$K_2 = 200$,$K_3 = 300$(kg/hm^2)。

(二)磷

磷(P)是果树矿质营养中的又一重要成分。磷参与核酸和蛋白质的组成,并在一系列代谢活动中起重要作用,是保证果树生长和结实所不可缺少的矿质元素。在果树的叶片、花、果实,特别是种仁中含有较多的磷。充足的磷素供应对果树发生新根有良好的作用。我国北方,特别是华北平原地区,土壤中磷含量很少。同时,土壤中磷很容易被固定而不能被根吸收,这也是造成土壤缺磷的重要原因。因此,增施磷肥是必要的。

果树严重缺磷会引起生长停滞、枝条纤细、叶片变小。起初,叶色变成深灰绿色,颇似氮素过多的症状,但不久基部出现花叶,进而脱落,但仍保留枝梢顶端的叶片。缺磷的杏树花芽分化不良,坐果率低,产量大减,果实小,不鲜艳。据研究(P·马利诺夫等,1982),当杏树叶片中五氧化二磷的含量由 0.28% 增加到 0.40% 时,平均单株产量一直是增加的;含量为 0.39～0.40% 时,获得了最高的产量(见图 5-15)。

磷对氮有明显的增效作用。同样的氮素水平,如果同磷肥配合施用,其增产效果比单独施用时增加 1 倍左右。不管是高氮还是低氮,只要配合施用磷肥,都可获得良好的效果。此外,磷还可以缓解氮素过多引起的毒害作用,当每公顷单独施 300kg 氮素时,即可产生毒害作用而使产量降低,但当配合施以 120kg/hm² 的磷肥时,不但清除了毒害作用,还可使产量有所提高(见表 5-12)。

(三)钾

钾(K)和氮、磷一起构成矿质营养三要素,也是一种不可缺少的营养成分。钾参与有机体内的主要代谢活动,如糖的代谢和积累等。钾能促进水分的吸收,维持细胞的膨压,并提高有机体的抗逆能力。

果树缺钾时,叶片小而薄,黄绿色,叶缘向上卷起,并由叶尖部开始焦枯,枝条中部和顶部的叶片比基部更重。严重时使整个树呈现一种焦灼状,尤其是结果多的树,看上去如火烧一样。严重缺钾会使树体枯死,这种死树现象不同于一般猝死,而是在越冬之后枯死,很像冻害引起的死树。在一般情况下,当叶片中钾含量低于 1.2% 时,果树开始呈现缺钾症状。如及时追施钾肥,使叶片中钾

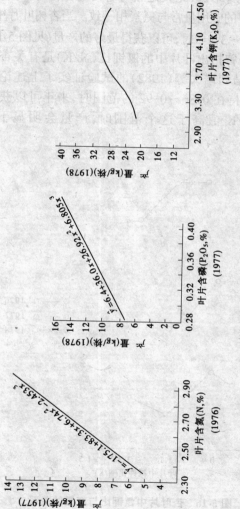

图 5-15　杏叶片中 N,P,K 含量与产量的关系

的含量增加,则仍可恢复正常。

钾可促进花芽形成,尤其是当与磷共同存在时,对花芽形成有更好的效果。钾的施用量常与氮素相一致。当杏树叶片中钾(K_2O)的含量为 3.4%～3.9%时,可以获得最好的产量(见图 5-15)。

Balo(1974)曾指出叶片中的氮钾比(N/K)是有关杏树产量的重要指标。P·马利诺夫等(1982)的试验证实了上述论断。当叶片中 N/K 值保持在 0.86～0.92 的范围时,来年可以获得最高的产量。而当 N/K 值高于这个范围时,产量会明显下降(见图 5-16)。

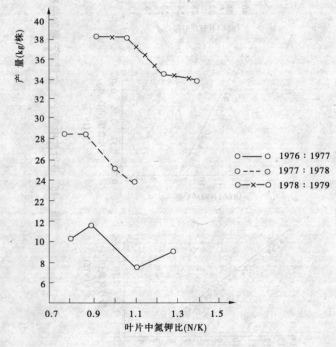

图 5-16 杏叶片中氮钾比与产量的关系

三、设施果树的营养诊断

(一)叶分析与果树叶片的养分最佳含量

目前,叶分析是判断果树营养状况最主要和最有效的方法(国际肥料工业协会,1999)。关键是取样的代表性和取样时间。通常是拿叶中养分含量与临界养分浓度进行比较,以确定营养补给量。表 5-13~表 5-21 给出了主要果树的叶养分最佳含量,供生产上参考。

表 5-13 　　主要落叶果树叶片分析的养分正常值范围(束怀瑞,1993)

树　　种	N	P	K	Ca	Mg
	(%)				
苹果	1.8~2.6	0.15~0.23	0.8~2.0	1.0~2.0	0.3~0.5
梨	2.0~2.4	0.12~0.25	1.0~2.0	1.0~2.5	0.25~0.80
桃	2.8~4.0	0.2~0.4	1.5~2.2	1.5~2.4	0.30~0.6
葡萄*	0.6~1.3	0.10~0.3	1.0~2.5	1.0~1.8	0.26~0.5
樱桃	2.5~2.9	0.15~0.25	1.0~1.8	1.5~2.1	0.4~0.7
核桃	2.5~3.3	0.1~0.3	1.2~3.0	1.0~2.0	0.3~1.0
山楂**	2.0~2.5	0.13~0.14	0.6~0.7	1.8~2.0	0.4~0.5
杏***	2.4~3.0	0.19~0.25	2.0~3.5	2.0~4.0	0.3~0.8
李***	2.4~3.0	0.14~0.25	1.6~3.0	1.5~3.0	0.3~0.8
柿***	1.57~2.0	0.10~0.19	2.4~3.7	1.35~3.11	0.17~0.46
草莓***	2.5~3.5	0.3~0.5	1.5~2.5	1.0~2.0	0.4~0.6
中华猕猴桃***	2.4~26	0.17~0.23	1.5~1.9	3.1~3.8	0.4~0.5

树　种	Fe	Mn	Cu	Zn	B
	(mg/kg)				
苹果	150～290	40～150	5～15	15～50	30～60
梨	100～200	30～60	6～50	20～60	20～50
桃	100～200	35～150	7～25	20～60	25～60
葡萄*	30～100	30～150	10～50	25～50	25～60
樱桃	90～210	35～150	12～17	16～28	20～50
核桃		30～350	4～20	20～200	35～300
山楂**	177～217	28～41	4～5	17～19	27～32
杏***	100～250	40～160	5～16	20～60	20～60
李***	100～250	40～160	6～16	20～50	25～60
柿***	52～124	238～928	1～8	5～36	48～93
草莓***	70～200	50～350	5～10	30～50	35～50
中华猕猴桃***		104～190	5～15	15～22	31～42

注　＊　系叶柄含量；＊＊　系一个园片的数据；＊＊＊　系澳大利亚的标准。表中数据是根据仝月澳、李港丽、顾曼如、查普曼的资料及黄卫东翻译的资料综合而成的。

表 5-14　　桃叶片大量养分最佳值(国际肥料工业协会,1999)

国家	来源	栽培种	采样时期*	占干物重(%)**					
				N	P	K	Mg	Ca	S
澳大利亚	a	全部	1~2月	3.00~3.50	0.14~0.25	2.00~3.00	0.30~0.80	1.80~2.70	0.20~0.40
巴　西	b	全部	开花后13~15周	3.26~4.53	0.15~0.28	1.31~2.06	0.52~0.83	1.64~2.61	
德　国	c	全部	7~8月	2.20~3.20	0.18~0.35	1.50~3.00	0.30~2.50	1.50~2.50	
匈牙利	d	全部	8月上旬	2.60~3.60	0.18~0.26	2.00~3.00	0.40~0.60	1.70~2.40	
意大利	e	全部	7月末至8月初	3.00~3.80	0.19~0.27	2.10~3.30	0.35~0.55	1.80~2.80	
				3.00~3.60	0.16~0.22	1.50~2.50	0.40~0.60	1.60~2.40	
				3.20~3.60	0.16~0.21	2.10~2.80	0.65~1.00	1.40~2.00	
日　本	f	Ookubo	6月中	3.40~3.50	0.20	1.60~2.00	0.27~0.40		
南　非	g	全部	1月31日	2.20~3.80	0.12~0.20	0.80~3.20	0.35~1.10	1.20~3.50	
美　国	h	全部	仲夏	2.50~3.36	0.15~0.30	1.25~3.00	0.25~0.54	1.90~2.50	

注　*采样部位为中部第三片叶;**数值范围表明产量和品质均满意;

资料来源:a. Reuter & Robinson,1986;b. Basso,1990;c. Bergman,1988;d. Szucs,1990;e. Failla,1991;f. Lalatta,1987;g. Kotze,1990;h. Childers,1973。

表 5-15　桃叶片微量养分最佳值(国际肥料工业协会,1999)

国　家	来源	栽培种	采样时期*	mg/kg(干物重)**				
				Fe	Mn	Zn	Cu	B
澳大利亚	a	全部	1~2月	100~250	40~160	20~50	5~16	20~60
巴　西	b	全部	开花后13~15周	100~230	31~160	24~37	6~30	34~63
德　国	c	全部	7~8月		35~100	15~50	7~15	20~60
匈牙利	d	全部	8月上旬	120~150	20~140	15~30	4~12	20~80
意大利	e	全部	7月末至8月初	50~250 80~300	30~150 30~200	15~50 3~100	3~30 1~15	18~30 22~32
日　本	f	Ookubo	6月中		50~100	30~50	5~15	20~70
南　非	g	全部	1月31日	60~240	30~140	18~50	3~20	24~45
美　国	h	全部	仲夏	124~152	20~142	15~30	4~12	20~80

注　*采样部位为中部第三片叶;**数值范围表明产量和品质均满意。

资料来源:a.Reuter & Robinson,1986;b.Basso,1990;c.Bergman,1988;d.Szucs,1990;e.Failla,1991;f.Katou,1990;g.Kotze,1990;h.Childers,1973。

表 5-16　李叶片大量养分最佳值*(国际肥料工业协会,1999)

国　家	来源	采样时期**	占干物重(%)***				
			N	P	K	Mg	Ca
澳大利亚	a	1~2月	2.40~3.00	0.14~0.25	1.60~3.00	0.30~0.80	1.50~3.00
巴　西	b	开花后13~15周	3.26~4.53	0.15~0.28	1.31~2.06	0.52~0.83	1.64~2.61
丹　麦	c	8月15~30日	2.30~2.80	0.15~0.30	2.20~2.80	0.20~0.40	1.60~2.10
德　国	d	7—8月	2.20~3.20	0.18~0.35	1.50~2.50	0.30~0.60	1.20~2.50
匈牙利	e	7月15日~8月15日	2.2~3.20	0.17~0.23	2.00~3.00	0.50~0.70	2.00~2.80
南　非	f	1月31日	2.30~3.20	0.16~0.25	2.20~3.50	0.36~0.87	1.20~2.30
美　国	g	仲夏	1.80~2.10	0.14~0.25	1.50~2.50	0.18	2.00~4.00

注　*适合所有栽培种;**采样部位为中部第三叶片;***数值范围表明产量和品质均满意。

资料来源:a.Reuter & Robinson,1986;b.Basso,1990;c.Vang‐Petersen,1990;d.Bergman,1988;e.Szucs,1990;f.Kotze,1990;g.Childers,1973。

表 5-17　李叶片微量养分最适值*(国际肥料工业协会,1999)

国　家	来源	采样时期**	mg/kg(干物重)***				
			Fe	Mn	Zn	Cu	B
澳大利亚	a	1~2月	100~250	40~160	20~50	6~16	25~60
巴　西	b	开花后13~15周	100~230	31~160	24~37	6~30	34~63
德　国	c	7~8月	—	25~100	15~50	5~12	30~60
匈牙利	d	7月15日~8月15日	50~100	50~90	30~50	7~10	25~50
南　非	e	1月31日	80~135	22~85	17~34	3~20	32~46
美　国	f	仲夏	50~100	53~93	25~50	7~10	33~50

注　*适合所有栽培种;**采样部位为中部第三叶片;***数值范围表明产量和品质均满意。

资料来源:a.Reuter & Robinson,1986;b. Basso,1990;c. Bergman,1988;d. Szucs,1990;e. Kolze,1990;f. Childers,1973。

表 5-18　杏叶片大量养分最佳值*(国际肥料工业协会,1999)

国　家	来源	采样时期**	占干物重(%)***				
			N	P	K	Mg	Ca
澳大利亚	a	1~2月	2.40~3.00	0.14~0.25	2.00~3.50	0.30~0.80	2.00~4.00
德　国	b	7~8月	2.20~3.20	0.18~0.35	2.00~3.20	0.30~0.60	1.20~2.50
匈牙利	c	7月中	2.00~2.70	0.17~0.23	2.20~3.10	0.40~0.60	1.50~2.10
南　非	d	1月31日	1.80~2.80	0.11~0.20	2.00~3.20	0.25~0.70	1.10~1.80

注　*适合所有栽培种;**采样部位为中部第三叶片;***数值范围表明产量和品质均满意。

资料来源:a.Reuter & Robinson,1986;b. Bergman,1988;c. Szucs,1990;d. hotze,1990。

表 5-19　杏叶片微量养分最佳值*（国际肥料工业协会，1999）

国　家	来源	采样时期**	占干物重（%）***				
			Fe	Mn	Zn	Cu	B
澳大利亚	a	1～2月	100～250	40～160	20～60	5～16	20～60
德　国	b	7～8月		30～100	15～50	5～12	20～60
匈牙利	c	7月中	100～200	25～140	25～40	3～20	25～80
南　非	d	1月31日	60～200	30～100	30～70	3～20	31～42

注　*适合所有栽培种；**采样部位为中部第三叶片；***数值范围表明产量和品质均满意。

资料来源：a. Reuter & Robinson，1986；b. Vang‑Petersen，1990；c. Bergman，1988；d. Szucs，1990。

表 5-20　欧洲甜樱桃叶片大量养分最佳值*（国际肥料工业协会，1999）

国　家	来源	采样时期**	占干物重（%）***				
			N	P	K	Mg	Ca
澳大利亚	a	1～2月	2.20～2.60	0.14～0.25	1.60～3.00	0.30～0.80	1.40～2.40
丹　麦	b	8月15～30日	2.60～3.20	0.15～0.30	1.40～1.90	0.20～0.40	1.60～2.10
德　国	c	6～7月	2.60～2.80	0.18～0.30	1.60～2.00	0.30～0.50	1.20～2.00
匈牙利	d	7月1～5日	2.20～3.20	0.17～0.23	1.40～2.00	0.50～0.80	1.90～2.70

注　*适合所有栽培种；**采样部位为中部第三叶片；***数值范围表明产量和品质均满意。

资料来源：同表 5-19。

表 5-21 欧洲甜樱桃叶片微量养分最佳值[*]（国际肥料工业协会,1999）

国 家	来源	采样时期**	占干物重（%）***				
			Fe	Mn	Zn	Cu	B
澳大利亚	a	1～2 月	100～250	40～160	20～50	5～16	20～60
德 国	b	6～7 月		30～100	15～50	5～12	30～60
匈牙利	c	7 月 1～5 日	120～200	40～150	20～50	8～30	35～55

注　*适合所有栽培种;**采样部位为中部第三叶片;***数值范围表明产量
和品质均满意。

　　资料来源:a.Reuter & Robinson,1986;b.Bergman,1988;c.Szucs,1990。

（二）土壤分析

根据不同土壤、不同果树种类确定土壤养分临界值。低于临界值时,应施肥料;高于临界值时,则不应施肥。

（三）树相诊断

树相诊断是根据不同营养水平形成的不同树体外观形态来判断果树的养分状况。它是一种十分简单有效的方法。日本松浦一郎对巨峰葡萄进行了细致研究,提出了适宜树相(束怀瑞,1993,如表 5-22)。

表 5-22　　　　　巨峰葡萄的适宜树相诊断标准

诊　断　项　目		栃 木 县	长 野 县
结果母枝的发芽率（%）		80 以上	80 以上
将要开花时	第二新梢长（cm）	30～38	40～50
	平均新梢长（cm）	25～30	
	叶面积（cm²）	110～130	110～130
	鲜叶重（g）	2.0～3.2	2.0～3.2
	叶　色	1.5～3	3～4
	叶内含氮量（%）	3.2～3.9	3.0～4.5

诊　断　项　目		枥　木　县	长　野　县
盛花后 70 天	第二新梢长(cm)	60～100	60～120
	平均新梢长(cm)	45～60	
	叶面积(cm²)	120～160	110～135
	鲜叶重(g)	3.7～4.5	2.5～3.5
	叶　色	5.5～6.5	6～7
	叶内含氮量(%)	2.4～2.8	2.5～3.5
新梢基部至第 7 节长度[cm(Ⅰ)]		28～35	25～30
新梢 7～14 节的长度[cm(Ⅱ)]		25～36	30～35
开花期的新梢增长率(Ⅱ/Ⅰ)		0.7～1.2	1.0～1.2
盛花后 50 天的新梢生长停止率(%)		90	85
新梢成熟率(%)		70 以上	65 以上
果穗重(g)		300～350	350～380
每一果穗着粒数		25～30	30～35
每 0.0987hm²(1.48 亩)着穗数		3 500～4 000	3 200～4 300
每 0.098 7hm²(1.48 亩)产量		1 200	1 200～1 500

第四节　设施栽培对果实激素调节的影响

　　植物激素是植物体内产生的极微量却具有重要生理活性的一类小分子物质,它们通过调控基因的表达而实现其作用,几乎调节着植物生长发育的所有生理过程。本节通过笔者的工作,结合有关资料分析设施内外桃果实发育过程中内源激素体系的变化规律及外源激素对果实发育的影响,试图探索桃果实生长发育过程中的激素调控机制和设施栽培的影响,为利用外源激素调控果实生长发育和建立优质、高产、高效的设施栽培模式提供理论依据。

一、果实发育早期内源激素变化动态

图 5-17 和图 5-18 是设施曙光油桃盛花后 10～25 天幼果内源激素含量的变化曲线。玉米素(ZT)在盛花后 10 天已达到较高水平,露地和设施果实中 ZT 的含量分别为 654.3、548.7μg/gFW,并随着果实的发育继续升高,分别于盛花后 15 天和 20 天达到第一次高峰,之后,逐渐降低。

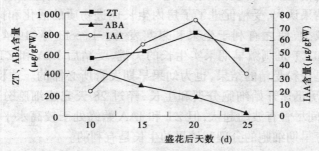

图 5-17 设施内油桃果实发育早期 ZT、IAA、ABA 含量的变化

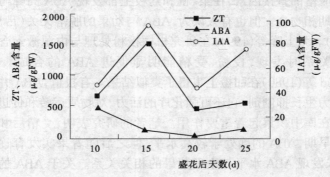

图 5-18 露地油桃果实发育早期 ZT、IAA、ABA 含量的变化

比较图 5-17 和图 5-18 可以看出,露地和设施内果实中这两种促生长激素的变化趋势基本一致,但设施内 ZT 和 IAA 峰值的出现较露地推迟 5 天,说明设施内油桃果实的早期发育较露地缓慢,在生理上,前者落后于后者,这与上一节果实发育早期设施内温度较低,I 期延长的观测结果是吻合的。盛花后第 10 天,幼果中脱落酸(ABA)的含量也处于较高水平,露地和设施内分别为 450.3、462.4μg/gFW,之后,随着果实发育,ABA 含量逐渐下降,并维持较低水平,设施内外变化趋势基本一致。

受精、坐果与内源激素变化的关系在一些果树上已有报道。多数结果认为,受精促进了子房内生长促进物质的活化和抑制物质的减少,使之有利于坐果和果实发育。Lepold 等(1994)认为 IAA 和 ZT 是刺激早期果实生长的关键,受精后 IAA 和 ZT 的激增既是授粉受精的结果,也为幼果早期发育所必需的。油桃受精后,子房迅速开始细胞分裂和生长,经过 28 天完成细胞分裂,所以,此间尽管有波动起伏,但 ZT 和 IAA 始终处于较高水平,对油桃发育早期细胞的分裂和幼果的生长是有利的。

关于 ABA 与幼果发育的关系,有人认为 ABA 水平的升高是幼果脱落的直接因素,在梨、桃和荔枝上都发现 ABA 高峰与落果高峰期相吻合。但也有人认为,ABA 与幼果的脱落无关(吕忠恕,1982)。张上隆等(1994)在研究柑橘授粉处理与内源激素含量变化的关系时发现,授粉、受精能明显促进 ABA 的合成。Goldschmid 等(1980)在甜橙上也得了类似结果。有报道,ABA 并不总是作为生长抑制剂,它还可强化库的活力,对物质运转和促进光合产物在库中积累起着重要作用。笔者的研究表明,受精后和幼果发育早期,ABA 的确处于较高水平,但之后随着果实发育逐渐下降,未发现 ABA 水平与生理落果的相关关系。关于 ABA 的功能和作用尚有待于进一步探讨。

二、设施内外油桃果实发育过程中玉米素浓度的变化规律

玉米素(ZT)是广泛存在于高等植物中最主要的一类细胞分裂素。从盛花后 25 天起,每隔 5 天取样,分别测定果皮和种子中 ZT 的含量,结果如图 5-19 和图 5-20。

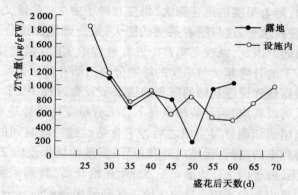

图 5-19   油桃果实发育过程中果皮 ZT 含量变化动态

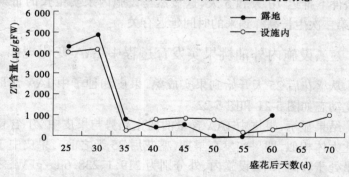

图 5-20   油桃果实发育过程中种子 ZT 含量变化动态

从图中可以看出,ZT 在果实发育前期(盛花后 30 天之前)处于较高的含量水平,且种子内 ZT 的含量高于果皮,最高峰相差

1.6 倍,之后,随着果实的生长发育,果皮和种子中 ZT 含量都有波动起伏,但总体上呈下降趋势,且种子内 ZT 含量下降幅度大于果皮。据报道,桃的果肉组织完成细胞分裂的时间是受精后 28 天左右,此间,胚和果皮也处在旺盛的细胞分裂期,果实生长迅速,种子和果皮内较高含量的细胞分裂素与此相吻合。盛花 30 天以后,果肉组织细胞分裂完成,ZT 含量也降至较低水平。但果实发育后期(即Ⅲ期),随着果实的迅速膨大,果皮和种子中 ZT 含量又一次攀升,达到较高水平,这与随着果实的膨大,果皮细胞加速分裂的过程是一致的。因此,纵观果实整个发育过程中 ZT 含量的变化,可以看出,ZT 的升降起伏与果实的细胞分裂活动有密切关系。

比较露地和设施栽培的曙光油桃果实发育过程中 ZT 含量的变化曲线可以看出,两种栽培条件下,ZT 含量变化趋势基本一致。但是果肉组织细胞分裂完成之后,ZT 含量经过一段时间的走低,二次高峰到来的时间,设施内外有差异:露地油桃果皮内 ZT 从盛花后 50 天,种子内 ZT 从盛花后 55 天开始升高,直到果实成熟;而设施内果皮和种子内 ZT 的含量二次高峰出现的时间分别比露地条件下推迟 10 天和 5 天,这显然与设施内果实生长的Ⅲ期延长,第二次生长高峰到来的时间延迟有关。

三、设施内外油桃果实发育过程中 IAA 变化规律

从盛花后 25 天开始到果实成熟,果皮和种子中 IAA 含量的变化动态如图 5-21 和图 5-22。

结果显示,果皮中 IAA 含量的变化趋势与果皮中 ZT 含量的变化大体相似,即果实发育早期(盛花后 25 天之前),果皮中 IAA 含量处于较高水平,设施内、外分别为 219.1、238.6μg/gFW,之后逐渐下降,盛花后 45 天降至谷底(设施内、外谷底值分别为 8.2μg/gFW 和 0),然后,露地油桃果皮中 IAA 含量开始逐渐回升,至成熟前达到较高水平(76.8μg/gFW);而设施内油桃果皮中

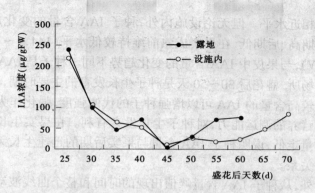

图 5-21　油桃果实发育过程中果皮 IAA 浓度变化动态

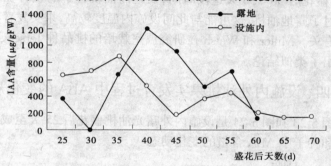

图 5-22　油桃果实发育过程中种子 IAA 含量变化动态

IAA 含量继续走低,直到盛花后 60 天才开始上升,比露地推迟 10天(见图 5-21)。在整个果实发育期内,设施内、外果皮中 IAA 含量的变化规律,与设施内外果实的生长规律相吻合。

种子中 IAA 含量在整个果实发育过程中波动起伏较大(见图5-22)。设施内油桃种子 IAA 含量从盛花后 25 天开始连续上升,至盛花后 35 天达到高峰,峰值为 867.3μg/gFW,以后,虽然随着果实的发育有小幅度的起伏变化,但总体呈下降趋势;而露地油桃种子 IAA 含量自盛花后 25 天开始下降,至谷底后又连续上升,并于盛花后 40 天时达到峰值(1 199.0μg/gFW),然后又连续下降至设施内相近水平。但无论设施内外,种子 IAA 含量的变化趋势,都是前期高、后期低,在果实成熟前维持较低水平(144.1～180.0 μg/gFW),与果皮中 IAA 含量的变化趋势不同。种子是 IAA 合成的主要场所,盛花后 30～50 天是种子生长发育的主要时期,此间,种子中较高含量的 IAA 可以增强种子的代谢强度,强化作为"库"对有机营养的调运能力,对种子生长发育有利。在果实生长Ⅲ期 IAA 含量走低,说明种子 IAA 含量与果实后期的迅速生长无明显的相关关系。

另外,从种子 IAA 含量峰值出现的时间和整个曲线波动的态势看,盛花后 30～50 天这段时间,设施内油桃种子的发育在生理上超过了露地油桃,这可能与此间设施内温度较高,果实发育Ⅱ期缩短有关。Miller 和 Walsh 在研究温室栽培的桃品种 Jersegglo 时也得出了类似结论。

四、设施内外油桃果实发育过程中 ABA 的变化规律

图 5-23 和图 5-24 是设施内外曙光油桃盛花后 25 天至成熟前果皮和种子中 ABA 含量的变化动态。

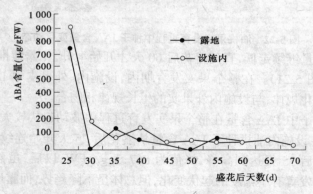

图 5-23 油桃果实发育过程中果皮 ABA 含量的变化动态

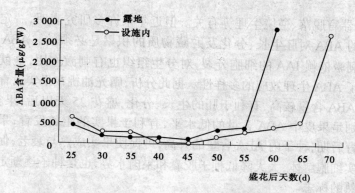

图 5-24 油桃果实发育过程中种子 ABA 含量变化动态

图 5-23 显示,设施内外曙光油桃果皮中 ABA 含量具有相同的规律性变化,即盛花后 25 天之前,果皮中 ABA 含量处于较高水平(734.6～904.5μg/gFW),25 天之后迅速下降,并在以后果实发育进程中一直维持较低水平,直到果实成熟。

种子内 ABA 含量变化动态与果皮明显不同。盛花后第 25 天,设施内、外油桃种子 ABA 含量分别为 618.4、416.2μg/gFW,以后呈连续下降趋势,至盛花后 45 天降至最低值(设施内外分别为 27.1、79.0μg/gFW),之后又连续上升,至果实成熟前达到第二次高峰,峰值分别为 2 863.6、2692.0μg/gFW。纵观油桃发育全过程,前期(花后 45 天之前)种子内 ABA 含量变化与果实发育呈显著负相关,相关系数分别为 $r = -0.922\,7$(设施内)和 $r = -0.892\,6$(设施外);后期(盛花后 45 天至成熟)种子内 ABA 含量变化与果实发育呈显著正相关,相关系数分别为 $r = -0.874\,7$(设施内)和 $r = -0.831\,1$(设施外)。设施内外曙光油桃种子 ABA 含量变化趋势一致,但设施内 ABA 第二次峰值出现的时间较设施外推迟 10 天,这显然与设施内果实生育期延长,成熟期相应推迟有关。

ABA 是一种植物内源生长抑制物质,与植物的停止生长、休眠、器官脱落、逆境生理等有关。但近年来许多研究表明,一定含量的 ABA 对胚生长、分化及贮藏物质的积累是必须的。ABA 还可刺激依赖 IAA 的细胞分裂,对分生组织也有刺激作用,这就暗示了 ABA 生理效应的多样性。据此分析,曙光油桃在果实发育初期 ABA 含量较高,有利于胚的生长、分化,盛花 25 天以后,果实,特别是果皮中 ABA 含量的低水平,有利于果实的生长发育;果实发育后期,种子内 ABA 含量的升高,可促使果实成熟与衰老,促进果实细胞解体,大大降低种子胶囊和果肉水势,也是种子逐渐走向成熟的标志。

五、外源赤霉素对设施条件下桃幼果淀粉代谢酶活性的影响(李宪利等,1996)

(一)赤霉素(GA₃)对淀粉酶活性的影响

图 5-25 表明了设施栽培条件下桃树花后不同阶段幼果中淀粉酶活性动态及外源 GA_3 的影响效应。桃自坐果后淀粉酶活性上升,至第 7~10 天达最高,之后活性降低,说明花期及盛花后这一时期幼果发育主要依赖贮藏营养。盛花期喷布 $4 \times 10^5 \mu g/kgGA_3$,显著提高 α-淀粉酶活性。处理后第 2 天 α-淀粉酶活性($9.540 \mu mol/gFW$)就是清水对照($4.320 \mu mol/gFW$)的 2.210 倍,第 4~7 天的酶活性继续上升,第 4、7 天分别是对照的 2.78 倍和 1.13 倍。但之后 α-淀粉酶活性下降,第 10 天仅为对照的 66.70%,其他时期二者差异不大。总淀粉酶活性变化趋势基本上与 α-淀粉酶的相同。外源 GA_3 亦使总淀粉酶活性提高。处理后第 2、4、7 天的酶活性分别是 5.10、13.50、25.30μmol/gFW,分别是对照的 2.5、1.5、1.9 倍;自第 10 天始,总淀粉酶活性下降,并低于对照,但差别不显著($P = 0.05$)。GA_3 使淀粉酶升高的时期正是大棚桃树坐果的关键时期,说明外源 GA_3 促进坐果及果实发育

的生化机制在较大程度上与提高淀粉酶活性相关联。淀粉酶活性的升高,可为幼果提供充足的能量与结构物质。

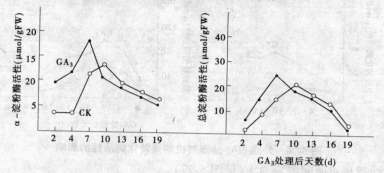

图 5-25 外源 GA_3 处理对桃幼果淀粉酶活性的影响

(二)GA_3 对转化酶活性的影响

设施条件下,桃幼果期转化酶活性变化动态与淀粉酶相似,均是花后活性上升,至第 7~10 天达高峰后下降。值得注意的是,其中的中性转化酶在幼果发育后期活性很低,几乎为零。但经外源 GA_3 处理后中性转化酶活性大大提高,处理后第 2 天就达对照的 2 倍以上,之后酶活性继续升高,至第 10 天达最高值(34.20 $\mu mol/gFW$),此后稍有下降并维持在较高水平。外源 GA_3 处理亦显著提高了酸性转化酶活性,整个试验期间,GA_3 处理的酸性转化酶活性始终高于清水对照(平均 1.50 倍)。转化酶活性的变化说明碳素贮藏物蔗糖的代谢对坐果及幼果发育也有重要作用,而外源 GA_3 处理加强了蔗糖的代谢效率,其中的中性转化酶在坐果及幼果发育中起的作用也许比酸性转化酶更为重要(见图 5-26)。

(三)GA_3 对幼果糖、淀粉含量的影响

自盛花后第 2 天始,桃幼果的淀粉含量下降,此趋势一直持续至盛花后第 13 天。此后淀粉含量一直保持相对稳定。试验过程中,GA_3 处理的淀粉含量始终高于对照,且随盛花后时间的推移,

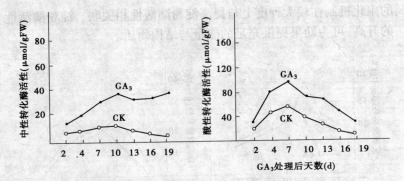

图 5-26　外源 GA₃ 处理对桃幼果转化酶活性的影响

处理与对照间差异愈大(见图 5-27)。

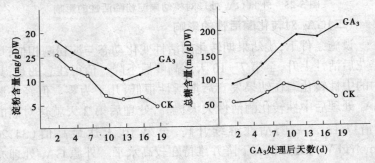

图 5-27　外源 GA₃ 处理对桃幼果淀粉、糖含量的影响

与淀粉含量的变化相反,桃幼果中总糖含量从盛花后开始增加,尤其经外源 GA₃ 处理后,总糖含量增高,增加幅度大,上升快,但清水对照总糖含量相对变化平缓。GA₃ 处理增加糖含量的结果表明,外源 GA₃ 可提高幼果的库强度,加强营养物质的代谢和调运。

第六章　果树设施栽培的关键技术

第一节　设施栽培品种的选择技术

选择适宜的优良品种,是确保果树设施栽培成功的前提和根本保证。果树设施栽培,是在人为控制果树生长发育的环境条件下,所进行的反季节、超时令果品生产,是一种高度集约化,资金和技术密集型的产业。因此,对品种选择有着特殊的要求。

一、根据设施栽培目的选择"两极"品种

果树设施栽培,就其目标而言,有促成栽培和延迟栽培两种方式。促成栽培的目标是使果实提早成熟上市,故必须选择极早熟和早熟品种;而延后栽培是为了使果实推迟到晚秋和冬季成熟上市,故必须选择极晚熟和晚熟品种。

以桃树促成栽培为例,其桃果成熟上市时间,原则上应在本地和南方地区的露地桃上市之前,才有明显的反季节优势。同一品种在不同气候条件下的成熟期有所不同(见表6-1),因而各地选择品种的范围也有差异。河北、山东、河南等地,可选用果实发育期在 80 天以内的品种;而沈阳以南地区,桃树较早地进入休眠期,则可选用果实发育期在 100 天以内的品种。

不同地区不同桃品种在设施栽培条件下的成熟进程见表6-2。

二、选择需冷量低的品种

不同树种、品种的需冷量各不相同,这就决定了不同树种、品种在设施栽培中的扣棚时间的早晚。品种的需冷量越低,通过自

然休眠的时间就越短,扣棚升温的时间也就可以相应提早,它的果实成熟期比露地栽培的果实成熟期提早的时间就越多。所以,在设施栽培中,要尽可能选择需冷量低的果树品种。

表 6-1　　　不同气候条件下春蕾桃成熟期(李秀杰,1998)

地区	纬度	气温(℃)		12 月至翌年 4 月		果实成熟期	
		年平均	1 月份平均	日照时数(h)	降雨日数(≥0.1mm)	露地	保护地
杭州	30°19′	16.2	3.5	680	63.8	5 月下旬	5 月 20 日
郑州	34°43′	14.3	−0.2	910.6	23.5	5 月底	4 月 20 日
济南	36°41′	14.3	−1.4	1 069.3	21.6	6 月初	4 月 15 日
石家庄	38°04′	12.9	−2.7	1 107.5	17.7	6 月中旬	4 月 10 日
兰州	36°03′	8.9	−7.3	1 081.1	15.4	6 月下旬	4 月初
沈阳	41°46′	7.8	−12.7	1 021.9	20.6	6 月下旬	4 月初
乌鲁木齐	43°54′	7.3	−15.2	945.0	36.2	6 月下旬	4 月初

表 6-2　　　设施栽培条件下(CR 值=800)不同果实发育期在不同地区的成熟期(估略)(李秀杰,1998)

果实发育天数(d)	杭州	郑州	济南	石家庄	兰州	沈阳	乌鲁木齐
60	5 月 20 日	4 月 20 日	4 月 15 日	4 月 10 日	4 月初	4 月初	4 月初
80		5 月中	5 月初	5 月初	5 月初	4 月初	4 月下
100		6 月中	6 月初	5 月下	5 月下	5 月初	5 月中

注　CR 值即为零冷量。

三、选择花粉量大、自花结实力强、早实丰产的品种

设施栽培没有昆虫传粉,棚内相对湿度较高,要尽可能选择复花芽多、花粉量大、自花授粉坐果率高、能连年丰产的品种,如杏最

好选用自花结实率高的 katy 杏、金太阳等欧洲品种群的品种。对于以雌性花品种为主栽品种的,必须配置授粉树。授粉树应选花量大,与主栽品种花期相同,果实成熟期基本一致的品种。

四、选择优质鲜食品种

由于设施栽培的果品主要用于鲜食,因此,要选择那些果实个大、色泽艳丽诱人、果型整齐、果面光洁、含糖量较高、糖酸比适度、耐贮运、商品性强、货架寿命长的优质品种。

五、选择树体紧凑、矮化,易花、早果的品种

栽培设施空间有限,加之光照状况较差,故需选择树体矮小、紧凑,当年形成花芽,第二年开花结果的品种。矮化砧木的应用与紧凑型品种的选育,是果树设施栽培品种选择的重要目标。

六、选择适应性强的品种

栽培设施内温度高、湿度大,加之采取了密植栽培方式对土壤条件要求高,因此,应选择对温、湿环境条件适应范围较宽,耐弱光,对土壤适应性强,对病害抵抗能力强,花芽抗寒性较强的品种。

第二节　果树破休眠技术

一、果树的休眠

果树,特别是落叶果树,在年周期发育中有一个休眠期。一般认为果树落叶后即进入休眠状态(dormancy),直到第二年春天萌芽开花,把这一段称为休眠期。实际上果树的休眠期并不是在落叶之后,而是在落叶前即进入休眠期。如葡萄 9 月上中旬即进入休眠期,10 月中旬落叶前已进入深度休眠期。

落叶果树的休眠期,地上部叶片脱落,枝条变色成熟,冬芽形成且老化,地下部的根系也暂时处于停顿状态,这是适应不良环境条件,主要是低温,所表现的一种特性。落叶果树的落叶是进入休眠的标志。落叶前叶片内已进行了一系列的变化,如叶绿素的分解,光合及呼吸作用的减弱,一部分氮、磷、钾成分转入枝条中,最后叶柄形成离层而脱落。

　　常绿果树,其树体各部位器官在适宜的生长条件下,周年可以进行正常的生理活动,没有集中的落叶期,也无明显的休眠期,只是某些器官如枝叶在一定时期内生长表现非常缓慢而已。它的正常落叶发生在春季新叶抽出前后,是由于叶片老化,失去正常生理机能的一种新老交替的生理现象。

　　果树在休眠期中,树体内部仍然进行着一系列的生理分化活动,如呼吸作用、蒸腾作用、根的吸收与合成、芽的进一步分化以及养分的转化等等,大体可以分为两个阶段:第一阶段是在落叶前后,这时树体内淀粉积累,组织成熟;第二阶段,淀粉水解转化为糖,细胞内脂肪和单宁物质增加,细胞液浓度和原生质粘性提高,原生质膜则形成拟脂层,透性减弱,同时呼吸及蒸腾作用减弱,但根系仍能吸收水分,以供冬季蒸腾的需要。此时温度逐渐降低,对通过这一阶段有利。因此,及时停止生长,秋季充足的光照和温度逐步下降等条件如不能满足,就会减低果树对低温的抵抗力和越冬能力。

　　果树进入休眠期的时期和休眠期的长短,因树种、品种以及地区和年份而有差异,且其休眠的深度也各有不同。温带果树的正常落叶是在日平均气温 15℃ 以下,日照短于 12 小时的情况下即开始准备。昼夜温差增大,也能促进落叶。各种果树落叶对气温敏感的程度不同,其中以枣最敏感,其次是桃、梨、苹果和葡萄。一般落叶果树的自然休眠期约在 12 月到翌年 1～2 月。通常以枣、柿、栗和葡萄开始休眠较早,于 10 月份前后即可开始;桃略迟;再次为梨、醋栗和苹果。柿、栗、葡萄开始休眠后即转入自然休眠期，而梨、桃、醋栗进入深度自然休眠期较晚。

果树自然休眠期的长短，与其原产地有关。这是果树在其原产地的生态条件下发展形成的生态类型，以及对冬季低温的适应能力。一般原产温带温暖地区的树种与温带大陆性气候寒冷地区的树种的休眠期就有差别。如扁桃自然休眠期要求低温时间短，通常在11月中下旬即结束休眠。醋栗、杏、桃、柿、栗、西洋桃、砂梨等较长，核桃、枣和葡萄最长，常在1月下旬至2月中下旬才可结束休眠。

一般原产温带冬暖地区的树种，其早春发芽的迟早与自然休眠期的长短有密切关系；而原产温带中北部寒地果树则与被迫休眠期的长短，即当地低温期的长短有关。

日照长度也是影响休眠的一个因素。休眠芽的形成取决于暗期的长短。在暗期中如给以低能光(红光)的间断照射，则暗期效果消失，休眠芽的形成推迟。例如，许多落叶果树在路灯附近落叶晚。

生长后期如雨水过多或施氮肥过晚，导致枝梢延迟生长，可使休眠期推迟；而秋后干旱缺水，常促使休眠期提早。苹果在南方由于夏秋高温，往往延长生长期，推迟落叶，加以冬季低温不足，常不能顺利通过休眠，次年萌芽便不整齐，花的质量也低。试验证明，苹果在生长后期如6小时的43～45℃的高温，可以减弱休眠的作用。北方桃品种在广东、福建南部栽培，由于冬季低温不足，常表现出发芽晚、花芽脱落、枝条节间不能伸长等现象。

同一树种在不同树龄的休眠期也有差异。一般幼年树比成年树的生活力强，活跃的分生组织比例大，通常生长占优势，故进入休眠期比成年树晚，而解除休眠期也较迟。果树不同器官和同一器官的不同组织，进入休眠期的早晚也不一致。如一般细小枝、衰弱枝，早形成的比主干、主枝休眠早；根颈部进入休眠最晚，但解除休眠早,故易受冻害;花芽比叶芽休眠早,萌发也早;顶花芽又比腋花芽萌发早。同一枝条的不同组织进入休眠期,以皮层和木质部较早,形成层最迟,所以到初冬如遇严寒,形成层部分易于受冻。但一旦进入休眠后,形成层则比木质部和皮层更耐寒,所以隆冬的冻害多发生在木质部。

休眠可分为自发休眠(spontaneous rest)和强制休眠(imposedrest)两类。前者是在适当的环境条件下其生长发育过程中的生理性休眠;而后者是因环境条件不适当而引起的一种生长停滞现象,当转入适当的环境条件时即可恢复生长。

就果树设施栽培而言,两种休眠方式都有很重要的意义。促早栽培就是要采取措施提前终结自发休眠;而延迟栽培往往又利用低温引起强制休眠而达到目的。

二、果树的低温需冷量

从理论上讲,果树设施栽培,特别是促早栽培,扣棚时间愈早,成熟上市愈提前,效益越高。但设施栽培中扣棚时间是有限制的,并不是可以无限制地提前和随意而定的。因落叶果树都有自然休眠的习性,如果低温积累量不足,果树需冷量不够,没有通过自然休眠,即使扣棚保温,给其生长发育适宜的环境条件,果树也不会萌芽开花;有时尽管萌发,但往往不整齐,时间滞长,坐果率低。生产中普遍存在扣棚时间不当,尤其是过早扣棚而致设施栽培失败的问题。另外,有些设施生产中,像核果类果树中的普通桃、油桃、樱桃等,经过保温处理,出现了花芽、叶芽萌发"倒序"现象,即叶芽先于花芽萌发,这种情况使叶芽优先竞夺贮备养分,导致坐果率降低。更为严重的是,随着时间的推移,新梢旺长,严重影响幼果发育与膨大,造成幼果脱落严重,减少棚栽产量。这种情况的出现,也与果树的低温需求量不足有关,应引起重视。

温带落叶果树不论其花芽分化的迟早,在其性细胞形成之前,除枣等极少数树种外,都需要经过一段低温时期。否则,花器的后继发育就不正常,表现为花期推迟,开花不整齐,甚至引起花芽的脱落。过去,有人认为这是落叶果树花芽发育过程中的一个与低温相关的特定阶段,孢原组织必须有冬季低温的影响才能形成,把低温看做是通过发育阶段的需要。但是,落叶果树于秋季二次开花结实的事实充分说明,低温不是花芽进一步发育所直接必需的,而只是芽内细胞和组织为解除休眠所必需的。现在,在热带爪哇地区,利用在收获第一次苹果后去叶的方法,已使当年分化的花芽结二茬果,并在生产中得到推广。葡萄在一年内两次结果或多次结果的事例则更多。这些都说明,落叶果树花芽的发育(包括性细胞的形成)不一定需要经过低温的影响。实际上,即使是叶芽,在翌年重新开始生长之前,也同样需要经过一个低温阶段。

可见,随着落叶休眠的来临,花芽发育的中止是一种进入休眠状态的标志。低温不过是解除芽休眠的一个必要条件。现已发现,一些树种在低温过程中芽内赤霉素和细胞分裂素的活性有所增加,或者还伴有生长抑制物质活性的下降。正是这种激素间平衡的微细变化,导致了芽休眠的解除。越冬花芽只有在解除休眠后,才能顺利进入雌雄性细胞分化的阶段。

通常,落叶果树在年前 11 月至翌年 1 月间通过自然休眠,要求 0.6~4.4℃的低温。各种果树解除休眠所要求的低温时数称作低温要求量或需冷量(chilling requirement)。

不同树种、品种果树通过自然休眠的低温需求量各异,由此决定了不同树种、品种在进行设施栽培中的扣棚时间。低温需求量是确定扣棚时间的首要依据。只有果树需冷量得到满足,并通过自然休眠后再扣棚,才有可能使保护地栽培获得成功,才能使果树在设施条件下正常生长发育。但低温需求量不是设施果树扣棚的惟一依据,适宜的扣棚时间还要综合考虑果品计划上市的时间、扣棚后棚室环境调节的难易与投入,树种、品种对某些因素的特殊要求等。

　　对果树通过自然休眠完成低温需求量的低温有效临界值(有效低温阈值)现仍有争议。有人认为10℃以下(含10℃)的温度对完成自然休眠都有效;有人认为0℃以下的低温有效;但大多数人同意这样的观点,即果树完成自然休眠的最有效温度是7.2℃左右,而10℃以上或0℃以下的温度对低温需求的积累基本上无效。

　　为了准确地预测自然休眠的结束和确切了解果树的需冷量,Erez和Levee(1971)曾使用"低温加权单位"的概念,以区分不同温度对芽的不同效应。Richardson等(1974)在此基础上提出了低温单位模式(the chillunit model),今天已被广泛应用。根据他们的测定,2.5~9.1℃是有效低温,1.5~2.4℃和9.2~12.4℃是半有效低温,低于1.4℃或在12.5~15.9℃间的温度是无效低温。从16℃开始,温度产生负效应,原有的低温效应会被部分解除;到18℃时则完全被解除(见表6-3和图6-1)。但这一计算模式在温暖地区并不能有效地预测自然休眠的结束。

表6-3　　　　　　　　　温度与低温单位的转换

温度(℃)	低温单位
<1.4	0
1.5~2.4	0.5
2.5~9.1	1.0
9.2~12.4	0.5
12.5~15.9	0
16.0~18.0	-0.5
>18	-1.0

　　当曲线向右面(大约到45°F,即5.5℃)推进时是获得低温单位,由此向上,曲线转向左面,植株开始失去低温单位。获得一个低温单位,约需45°F(5.5℃)以下1h。

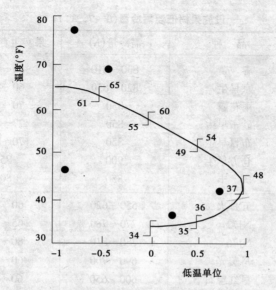

图 6-1   计算果树低温单位的数学模式（Richardson）

果树一般在 0～7.2℃ 条件下,200～1 500小时可通过休眠（见表 6-4）,不同品种低温需冷量也不完全一致（见表 6-5）。如果冬季有暖、冷间歇交替的情况出现,则会增加需冷量（Overcash 等,1955）。

表 6-4   **果树解除休眠所需的低温**（Childer,1976）

树　　种	<7.2℃ 温度的时数(h)	树　　种	<7.2℃ 温度的时数(h)
苹果	1 200～1 500	欧洲李	800～1 200
梨	1 200～1 500	中国李	700～1 000
核桃	700～1 200	杏	700～1 000
桃	500～1 200	扁桃	200～500
甜樱桃	1 100～1 300	无花果	200
酸樱桃	1 200	美洲种葡萄	1 000～1 200

表 6-5　　　　　　　　设施果树低温需冷量(0～7.2℃)

树　种	品　种	需冷量(h)	果实生育期(d)
普通桃	春　蕾	800～810	55～60
	京早生	820～850	60～62
	雨花露	830	70～73
	砂子早生	850	77～80
	布目早生	850	70～75
	仓方早生	900	85
	庆　丰	850	80
油　桃	五月火	550～620	60～62
	NJ72	770～780	65～67
	NJ76	780～810	80～85
	早美光	690～700	60～65
	早红宝石	600～650	60～65
	瑞光 3 号	850～875	85～90
葡　萄	巨　峰	1 000～1 600	85～95
	先　锋	1 100～1 650	90～95
	早生高墨	850～1 100	65～70
草　莓	全明星	140～200	35～40
	丰　香	170～250	40～42
	春　香	140～210	33～40
	美 13	270～310	40～50
	红　丰	200～240	40～42

　　落叶果树的低温需求量作为一种生物发育性状,受多基因控制,并表现为累加效应和记忆效应。当秋天果树临近休眠或进入休眠后,只要有低于 10℃ 的温度,哪怕每天只有几小时或几十分钟,作为其低温积累值的一部分,都会被准确地记忆并按物候期的进程而累加。

三、打破休眠的方法

近些年来,随着果树设施栽培技术研究的深入,打破休眠技术取得了一定的进展,目前常用的方法有低温处理、高温处理、摘叶和化学药剂处理。

(一)低温处理

低温处理在草莓设施栽培中已被广泛应用,即在花芽分化后将秧苗挖起,捆成捆,放于 0~3℃ 的冷库中,保持 80% 的湿度,处理时间的长短可根据品种打破休眠需要的低温量确定。吉村(1961)用几种果树的 1 年生苗从 12 月 11 日到 1 月 20 日之间依次移入 -1~0℃ 和 -7℃ 的低温室内处理 5~40 天,各处理 1 月 20 日结束,移至 18~21℃ 加温温室内调查发芽所需要的日数和发芽率。结果表明, -1~0℃ 下,从 1 月 20 日倒算,桃处理 25~30 日,日本梨 25 日,葡萄 20~25 日,柿 5~10 日,多数芽早期萌发整齐,其后的生长量也极好。但 -7℃ 处理条件下,萌芽及以后生长均不理想。

S. P. Burg 用 Lessen 草莓在 7.2℃ 下经 30 天的处理,即可满足其对低温的要求量。不言而喻,品种之间存在一些差异是理所当然的。大多数研究者都在 45°F(5.5℃)~30°F(-1.1℃)的范围内进行冷藏。G. F. Waldo 设计的在 24°F(-4.4℃)冷藏的植株,可存活下来者所剩无几。然而,一般品种在 30°F(-1.1℃)至 36°F(2.2℃)范围内经 2 个月的贮藏之后仍然有相当高的存活率。

H. Jonkers 用品种 Deutschland 草莓进行冷藏试验,分为起始时间、温度和冷藏期间 3 个因子及所有组合,结果如表 6-6。若冷藏时期迟,则株平均的花穗数就减少,花穗的长度增加。温度对叶柄长度的影响以 5℃ 时为最大。冷藏时间一般以 8 周为限。如果超过这一时间界线,虽然叶柄、花穗和花柄等的长度仍然能有所增加,但是成花数将显著减少。

表 6-6   冷藏对草莓生长发育的影响

生长指标	冷藏开始期			冷藏温度(℃)			冷藏时间(周)				
	10月30日	10月15日	11月30日	8	5	2	0	2	4	6	8
叶柄长(cm)	8.1	8.0	7.4	7.5	8.5	7.4	6.5	6.6	8.1	8.6	9.2
花穗数	6.2	5.9	4.8	5.6	5.7	5.5	6.0	5.7	5.6	5.3	5.6
花穗长(cm)	12.2	12.7	14.0	12.7	13.2	13.0	10.5	11.6	12.7	14.4	15.5
花柄长(cm)	4.7	5.1	5.2	4.7	5.5	4.7	3.3	3.8	4.7	6.0	7.0

从上述的研究结果可以看出,草莓一般在 - 5℃ 以下,0℃ 左右,2 个月以内的冷藏即有希望获得成功。如果贮藏期过长,植株自身消耗过大,存活率就会降低。

生产实践中,为使保护地果树迅速通过自然休眠,以提前扣棚做超早促成生产,在葡萄、桃树、草莓等果树上采用"人工低温集中处理法"。即当深秋平均温度低于 10℃ 时,最好在 7~8℃ 开始扣棚保温,棚室薄膜外加盖草苫或草帘等。只是草苫等的揭放与正常保护时正好相反:夜间揭开草苫,开启棚室风口做低温处理;白天盖上草苫并关闭风口,以保持夜间低温。大多数果树按此种方法集中处理 20~30 天的时间,可顺利通过自然休眠,以后即可进行保护地栽培。

低温解除休眠的生理机理目前尚未被确切阐明。仅知在休眠期的开始阶段,芽鳞内积累了 ABA 等抑制物质,阻止重新开始生长。桃、李、梅等核果类果树还产生氰氢酸、苦杏仁苷和氰酸配糖体等抑制物质,对 ABA 起着增效作用。虽然 0℃ 以上低温很可能使某些酶反应改变内源激素之间的某种平衡关系,但迄今尚无证据表明,休眠后期 ABA 的下降与低温有关。尽管如此,在低温量不足的地区已知可以喷布某些化合物人为地打破果树的休眠,但这多数只是在低温已部分解除休眠的基础上发生的促进作用。

（二）高温处理

高温处理对打破葡萄芽的休眠有明显的效果。堀内等（1971）研究了温度对打破葡萄休眠的影响后指出，6℃下处理29天，打破休眠是极不安全的，但到36℃为止的温度处理中，越是高温越促进打破休眠。在温室栽培中达到30℃以上的温度几乎是很容易的。

（三）摘叶处理

摘叶对打破休眠也有一定的作用。我国台湾在生产期调节的栽培中利用摘叶的方法促使葡萄、桃、梨等休眠芽的萌发，可使葡萄1年3次开花，收获3次；使桃、梨1年2次开花，2次收获。

（四）化学药剂处理

利用化学药剂处理打破休眠的方法目前国内外都收到了效果。所用的药剂有石灰氮、益收生长素（Ethrel），2-氯乙醇以及赤霉素等植物生长调节剂。其中以石灰氮应用比较广。

石灰氮对打破葡萄、桃、李等果树休眠均有作用。研究表明，石灰氮是一种很好的落叶剂。据望日太、米山忠克（1994）的研究，石灰氮有打破葡萄休眠、促进发芽的效果，通过石灰氮处理后，大大提高了葡萄芽内和节内氮素的含量。他们认为，生长抑制物质脱落酸（ABA）是休眠的诱导体，石灰氮的作用在于消除了ABA对休眠的诱导作用。也有人研究了葡萄休眠和芽萌发的氮代谢作用后指出，氮素化合物具有促进芽萌发的作用。

除石灰氮外，其他化学药剂及植物生长调节剂如赤霉素、细胞激动素、益收生长素、2-氯乙醇等都有一定的打破休眠的作用，但作用不是很稳定，生产上应用不多。

为了打破休眠，可采用摘叶加药剂的方法。日本武井和人的研究指出，在白天30℃以上的高温下，先进行摘叶，然后进行药剂处理。处理的方法与结果见图6-2。由图可以看出，叶柄的有无对处理影响不大；而摘叶后对芽和叶柄痕涂抹氰氨态氮的萌芽率达 85%；不摘叶喷布的新梢萌芽率也能达到 80%；节间涂抹效果较差，萌芽率只有 60%。

(五)增加光照

这主要是针对草莓已经经历一定程度低温处理的植株，在移到温室内开始保温的同时加电光源照光进行长日照处理，可使其营养生长旺盛。近年来利用宝交早生进行照光处理和设施栽培已成为一种成熟的栽培技术措施。

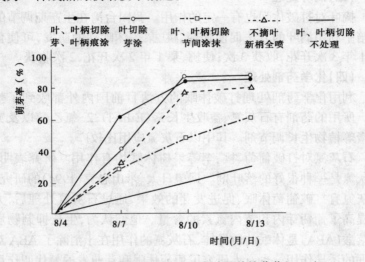

图 6-2　打破休眠的方法和赤岭品种的萌芽(1992)

第三节　果树树体调控技术

设施果树投资大，应在短期内取得经济效益，因此，应以矮化、密植、早果为目标。但是，由于设施条件下温度高、湿度大、光照弱、生长周期长，因而树势生长非常旺盛，枝梢容易徒长，造成树冠郁闭，导致内膛光照不良、枝条生长细弱、花芽分化不良等。因此，树体控制技术就成了果树设施栽培成败的关键技术。

一、果树设施栽培密度的控制

适宜的栽培密度是早期丰产的基础。合理密植可以充分地利用有限的空间,增加单位体积的果枝量,提高早期产量,尽快形成经济效益。

目前,国内外果树设施栽培的密度相差较大。在日本,乔木、果树、乔砧一般每公顷为 300 株,矮砧为 1 500 株左右;藤本为 2 250株/hm^2;草莓为 1 500株/hm^2(孟新法,1996)。意大利保护地油桃自根砧密度高达138 900株/hm^2(Belling,1985)。

中国农科院郑州果树研究所王志强(1999)对油桃进行了中密植(2.0m×1.5m),高密植(1.2m×1.0m),超高密植(1.0m×0.8m)3 种密度的设施栽培试验,结果表明,以 1.2m×1.0m 的高密度栽植较为适宜,如表6-7。

表 6-7　　　　　不同栽植密度对曙光油桃产量的影响

株行距 (m×m)	密 度 (株数/hm^2)	产量(kg/hm^2)			
		1997 年	1998 年	1999 年	3 年平均
1.5×2.0	3 333	6 866.0	10 798.9	25 464.1	14 376.3
1.0×1.2	8 333	26 415.6	25 665.6	34 748.6	28 943.3
0.8×1.0	12 500	34 750.0	26 625.0	25 000.0	28 791.7

王其伦等(1997)采用 3 个密度处理研究了莱阳矮樱桃设施栽培的密度反应,结果表明,1m×2m 处理,前期枝量大,覆盖率高,产量也高,但第 4 年基本郁闭,疏枝量大,管理困难;2m×3m 处理,覆盖率低,2~4 年生单位面积产量较低;1.5×2.5m 密度,2~3 年产量较低,4 年生时产量与 1m×2m 产量相近,而且便于管理,比较适宜(见表6-8)。

表 6-8　　　　　矮樱桃栽植密度对前期产量的影响

株行距 （m×m）	1 000m² 株数	1 000m² 产量（kg）		
		2 年生	3 年生	4 年生
1.0×2.0	500	67.5	669.0	1 269.0
1.5×2.5	267	37.5	477.0	1 257.0
2.0×3.0	167	22.5	337.5	936.0

根据国内外资料，当前生产上常用的密度为：

桃、油桃：多为(1.0m×1.5m)～(1.5m×2m)，每公顷3 333～
6 667株；

中国樱桃：多为（1.0m×2.0m）～（1.5m×2.5m），每公顷
2 667～50 00株；

甜樱桃：多为(2m×3m)～(2m×4m)，每公顷1 250～1 667
株；

李：多为(1m×2m)～(1.5m×2m)，每公顷3 333～5 000株；

杏：多为(1.5m×2m)～(1.5m×2.5m)，每公顷2 667～3 333
株；

葡萄：多为宽窄行，窄行 60cm，宽行 250cm，株距 60～80cm，
一般每公顷8 250～11 100 株。

二、设施果树整形方式

高密度设施栽培果树的整形原则应该是矮干、窄冠和少主枝。
根据这个原则，目前设施果树所采取的主要树形有圆柱形、自然开
心形、"丫"字形及丛状形等。

（一）圆柱形

整形过程如下：接芽萌发后，不摘心，使其保持中央领导干自
然生长。侧枝按自然状态在主干上错落排列，一般不摘心。当中
央主干长至理想高度（即根据设施高度，靠边 1～3 行主干高度应

控制在距棚膜 30～60cm,中间几行主干距棚膜高度不应小于 70～100cm,以便空气流通)时摘心,整个树冠呈圆柱形。这种树形的特点是无主枝,结果枝直接着生在主干上。

王志强等(1999)对设施油桃圆柱形整枝和自然开心形整枝两种整形方式进行了对比,结果表现,与自然开心形相比,圆柱形整枝有利于形成较大面积的叶幕和较大体积的树冠,而且冠内透光率高,产量高,品质好,成熟期提前(见表 6-9～表 6-14,图 6-3)。

表 6-9　　　　　　　油桃两种树形的冠中透光度　　　　　　　(%)

树形	地上高度(cm)					
	30	50	80	100	120	150
圆柱形	14.6	20.3	22.8	28.0	61.5	81.0
开心形	5.2	9.0	64.0	84.7		

注　测定时间为 1996 年 8 月 5 日上午 9～10 时。

表 6-10　　　　　　曙光油桃定植当年两种树形的生长量

树　形	树干直径 (cm)	树冠体积 (m³)	新梢总长度 (cm)	总叶面积 (m²)	花芽数 (个/株)
开心形	2.6n.s	0.88b	1 862n.s	3.47b	446n.s
圆柱形	2.3n.s	1.17a	1 703n.s	4.55a	463n.s

注　树干直径为地上 20cm 处的干粗。

表 6-11　　　　　　一年生曙光油桃两种树形的树冠结构

树　形	一次枝 (主干) 高度 (cm)	二次枝			三次枝			四次枝		
		粗度 (cm)	数量 (个)	平均 长度 (cm)	粗度 (cm)	数量 (个)	平均 长度 (cm)	粗度 (cm)	数量 (个)	平均 长度 (cm)
开心形	40.6	3	58.1	1.84	23	40.1	0.59	32	24.3	0.34
圆柱形	138.6	27	48.8	0.61	11	15.3	0.26			

注　枝条粗度均为距基部 5cm 处的直径。

表 6-12　　　　　曙光油桃保护地及露地栽培物候期(月/日)

年　份	处　　　理	罩膜日期	萌芽期	盛花期	成熟期
1997	露　　地		3/6	4/2	6/8
	保护地(圆柱形)	1/10	1/20	2/13	5/2
	保护地(开心形)	1/10	1/23	2/15	5/6
1997	露　　地		3/4	3/28	6/5
	保护地(圆柱形)	1/12	1/21	2/16	5/7
	保护地(开心形)	1/12	1/25	2/9	5/10

表 6-13　　　　两种整形方式对曙光油桃坐果率及产量的影响

年份	树形	坐果率 A (%)	坐果率 B (%)	株产 (kg)	产量 (kg/hm^2)	单位体积树冠产量 (kg/m^3)	单位截面积树干产量 (kg/cm^2)
1997	圆柱形	40.6n.s	19.8a	3.45a	21 045a	2.95n.s	0.56a
	开心形	39.4n.s	10.2b	2.10b	12 810b	2.39n.s	0.26b
1998	圆柱形	41.0n.s	21.6a	3.80a	23 180a	2.97n.s	0.36a
	开心形	42.3n.s	14.3b	2.46b	15 006b	2.56n.s	0.26b

注　坐果率 A、坐果率 B 分别为盛花后 15 天和 30 天调查的结果。

表 6-14　　　　　　　油桃两种树形果实的外观及品质

年份	树形	单果重 (g)	着色度 (%)	可溶性固形物(%)	总糖 (%)	总酸 (%)	维生素 C (mg/100g)
1997	圆柱形	102	90～100	8.2	7.21	0.24	4.80
	开心形	98	60～90	7.4	5.86	0.29	3.00
1998	圆柱形	104	90～100	10.8	7.60	0.20	4.66
	开心形	102	60～90	8.6	6.08	0.21	4.43

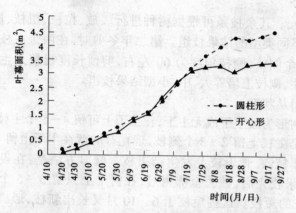

图 6-3 曙光油桃定植当年两种整形方式的叶幕形成动态

(二)自然开心形

其特点是:干高 30~50cm,在主干顶端均匀分布 3 个主枝,各主枝以 45°角延伸。每主枝上分别留 2 个侧枝,其开张角度为 60°~70°。在主侧枝上培养大、中、小型结果枝组。

常规的整形方法是,嫁接苗定干后的第一年冬剪时,选留在主干上错落生长的 3 个主枝,剪留长度一般为 40cm 左右。定植的第二年冬剪时,在 3 个主枝的顶端,每主枝上留 2 个方向合适的侧枝,侧枝开张角度 70°左右,剪留长度视生长势而定。

在管理好的条件下也可进行快速整形。当春季的嫁接苗长至 60cm 时摘心;当第一次副梢长至 40cm 时,对副梢摘心;8 月上旬进行主、副梢的第三次摘心。对不作为主、侧枝的进行拉枝、扭枝、别枝。这样整形时间可缩短一年。在施肥条件好的情况下可在当年形成花芽。

(三)"丫"字形

该树形是只留两个主枝的开心形。这是日本目前的设施栽培采用的主要树形。定植当年于 60cm 处定干。定植第一年冬剪时选留方向相反并伸向行间的两个主枝,角度为 40°左右,剪留长度

40～50cm。其余枝条可根据树种进行缓放、拉枝、扭枝、短截等,培养成不同类型的结果枝组。第二年冬剪时,在两个主枝上各选留 2～3 个侧枝,侧枝角度为 60°左右,剪留长度视枝条生长势而定。在主、侧枝上培养大、中、小型结果枝组。

(四)丛状形

该树形为矮主干或无主干,在主干上可留 4～5 个主枝。原整形方法是主枝上留 2～3 个侧枝,现在有的就在主干上留 3～5 个主要骨干枝,在骨干枝上发生结果枝。修剪方法是:在设施条件下,5 月采收完后,截去全部树冠,在树干上只留 3～5 个长度为 5～10cm 的短枝。这些短枝于 6～10 月又长出新枝,形成新的树冠,新发出的枝当年可形成花芽。截顶后第一年形成的分枝较少,以后逐年增加。据意大利 Bellini 等(1985)在保护地草地油桃园 6 年的观察,采用上述整枝方法,6 年中树体生长和发育状况如表 6-15。

表 6-15　　丛状式开心形树体基本情况(1928～1983 平均)

整形方式	丛状式开心形
树　　高(cm)	149
单株分枝数(个)	9.6
单株新梢数(个)	54.7
分枝长度(cm)	70.8
单株花芽数(个)	672
丰产指数	0.60

三、设施果树的修剪技术

(一)冬季修剪

重点以维持树形为主。对于生长过高、冠径伸长过长的枝条要进行回缩,以达到控制树冠维持应有的大小为准。对于枝量过大、枝条过于密集的,要进行疏枝。对于发育中庸的发育枝和结果枝,可根据枝条长短进行不同程度的短截。

(二)生长季节的修剪

应以控制枝条旺盛生长,加强通风透光,促进花芽分化为修剪的主要目的。采用的方法是:①拉枝,以加大枝条的角度,抑制枝条旺长;②扭枝,对直立枝或旺枝,在下半部达到木质化时,用手在距基部5cm处向下扭弯,使其木质部和皮部受伤,但以不折断为限,将扭伤的枝别于基部;③摘心,对当年尚未停止生长的新梢摘去生长点或嫩尖,迫使新梢暂时停长,以增加养分的积累,减少顶端生长素的浓度,增加细胞分裂素的供应,以利于下部枝叶养分的积累,促进花芽分化;④疏剪,对于发枝过多、树冠郁闭的部位,应疏除过密的枝条,以利于通风透光,节约养分,促进花芽分化;⑤环剥,对骨干枝、结果枝组进行环剥,以抑制营养生长,促进成花。

四、采果后除去树冠修剪

根据桃、油桃生长量大、次生枝成花力强和温室栽培延长了树体全年生育期的特点,Bellini等(1979,1985,1986)经过近10年的系统研究,创立并肯定了桃、油桃设施促早栽培的一种专用修剪系统——PCR(Postharvest Canopy Removal)修剪系统,即采果后,除去全部树冠,利用再生枝条构成翌年的结果枝组。这一系统较好地解决了设施高密度栽培条件下的控冠问题,既有利于早期丰产,又无碍于后期管理。Bellini等采用设施高密度($9\,260$ 株/hm^2)栽培结合PCR修剪系统,定植第2年产量即达 $43.5t/hm^2$,历经7年,仍生长结果良好。目前,这一修剪系统已逐渐被一些国家研究采用,并称之为"Bellini系统"。河南省林科所和中国农科院郑州果树所也将此技术应用于油桃设施栽培中,取得了显著的效果(樊巍,1998;王志强,1999)。而且,这种修剪方式对李、杏等当年生新梢成花能力强的果树也十分有效。

五、设施果树的控冠技术

(一)限根控冠

俗话说:"根深叶茂"。可见,根系生长状况对树冠大小有直接的影响。限制根系的生长,也就必然能控制树冠的扩大。限根控冠主要有以下措施。

1. 容器限根

使用普通大花盆、塑料编织袋、木箱等容器栽植苗木,基质肥沃、透气性好。栽植时,将盆连同果树埋入土中即可。这种限根方式效果最显著,树体生长矮小但健壮,花芽数量增加,果实品质也有改善。据孟新法等(1995)对桃、杏、李盆栽苗的观察,盆栽1年生的树,高度可控制在1m左右,杏和桃可100%形成花芽,李也有50%以上的单株形成花芽,控冠和促花的效果非常明显。

2. 起垄栽培

起垄栽培是保护地果树生产中最简便实用的方法。起垄后,土壤透光性增加,有利于提高地温,根系所处的水、肥、气、热条件稳定、适宜,吸收根大量发生,根系垂直分布较水平分布范围大,总的生长体积减少,起到限制根系生长的作用,从而使地上部矮化紧凑,花芽分化提早,提高了早期产量。同时,也有利于果园管理和更新。具体做法是:在建园时将表层土、中层土及充分腐熟的有机肥(约占总体积的30%)混匀,堆积起垄。垄高40~50cm(不低于30cm),宽度50~80cm,将果树栽植在垄上。

3. 垫根栽植

在栽植穴底部垫瓦片或其他隔离物,以限制根系的垂直扩展,进而控制地上部高度。常用的方法是底层铺设草料。即于定植沟(穴)底铺20~30cm的秸秆、杂草等材料,压实,厚5~7cm,其中撒入少量的氮肥,然后回填土,浇水沉实后栽树。也可在底层铺设无纺布、旧农膜。

4.根系修剪

通过根系修剪调节根系生长发育,进而调控地上部生长发育状况,比直接对地上部采取措施,效果更为直接有效。根系修剪可对树体产生一系列良性反应:使树体营养生长减弱,树体矮化,短枝比例增加,花芽分化多;树体中氮素营养水平下降,碳素营养水平提高,C/N 值增大,有利于成花。果树设施栽培中,可较多地利用根系修剪技术,以利于控旺促花,安全越夏。

根系修剪的时间以花期和新梢旺长期为宜,旺树可修剪 2 次,中庸偏旺树可修剪 1 次,弱树不修剪。根系修剪后的效应时间一般持续 30~45 天,之后即恢复根系建造。

根系修剪的方法主要有两大类。

(1)物理修剪法。利用人工或机械等物理手段将根(尤其是垂直根、粗大根)切断损伤,以达到修剪的目的。可用手工法把根系挖出,并用剪刀或其他工具将根切断;也可用特制的机械装置将根系在一定范围内切断。

(2)化学修剪法。利用一些化学药品将根致死或抑制其生长,以实现修剪的目的。常用的化学药物主要是铜离子制剂,如碳酸铜、硫酸铜、环烷酸铜等。这些化学制剂既可用于抑制侧根,也可用于除去直根。

不论哪种根系修剪法,在具体应用时,都应根据树体年龄、生长发育状况、生产的目的等因素综合考虑、灵活掌握,切勿使用过限,导致伤害大、副作用多,达不到应有的效果。

(二)化学控冠

植物生长延缓剂可减少果树的营养生长,促进生殖生长,起到控冠的目的。据报道,多效唑(PP_{333})、B_9、整形素、矮化素等植物生长延缓剂都有控冠的作用。但使用最多,效果最好,最为安全、方便的当数多效唑。

多效唑（PP$_{333}$）在多种果树上，不论是喷布还是土施，均对新梢生长有明显的抑制作用，并促进花芽形成，提高坐果率与产量。但由于树种、品种和施用方法、时期、浓度不同，其效果也有所差异。其在桃上施用效果最为明显。施用多效唑的果树，其新梢生长量可减少20%～50%，产量可提高20%以上，并可提早成熟，对果实大小和品质无任何影响。多效唑对葡萄、樱桃、苹果、梨等树种都有明显的抑制生长、促进结果的作用。使用时期，一般土壤施用以秋季10月末为宜；叶面喷施以春季5月中旬进行效果较好。施用浓度，一般为每株3～4.5g，即1 500～2 000μg/g。方金豹等（1990）在樱桃上的研究表明，在土施多效唑的情况下，从施用到产生明显的抑制作用往往需要一定的时间，即所谓"呆滞期"。另外，要使多效唑对生长点起明显的抑制作用，必须在生长点及其基部达到一定的浓度才行。土施多效唑时，根系只能吸收其接触的那一部分多效唑，这就导致土施多效唑在浓度的积累和发挥作用的时间上比喷施的效果要差而且慢。而根施多效唑的效果持续时间长，往往第二年仍有抑制生长的作用，像在苹果、梨等果树上，第二年的抑制作用比第一年还要明显。在施用浓度上，喷施因吸收快而集中，故浓度可低些，一般为1 500～2 000μg/g；土施吸收慢，且与根系接触的量少，因而施用浓度可高些，一般为3 000～4 000μg/g。

（三）修剪控冠

修剪，特别是夏季修剪是果树设施栽培中重要的控势手段。拉枝、扭梢、摘心、环剥都可以有效地缓和树势，控制树冠生长。特别是PCR修剪，更能达到控冠的目的。

（四）限水控冠

人为干旱胁迫也可有效地控制树体生长。George（1992）等使设施内桃先缺水至萎蔫点（-3.2MPa），然后浇水，共经过8个循环的干旱胁迫，结果使树体生长量大幅度减小，控制了营养生长，促进了花芽形成,产量比对照增加40%,果重增加37%。

(五)选用矮化砧木

设施栽培时应尽量采用矮化砧木,以达到控制树冠的目的。如毛樱桃和欧李作为桃树的矮化砧,矮化效果很好。据张凤敏(1999)试验,用毛樱桃作砧木嫁接桃树,可使树体矮小30%以上,同时还具有显著的早果性、早熟性、抗逆性,并能提高果实品质。

(六)以果控冠

果树一旦开花结果,其营养生长就会受到抑制。所以利用各种促花、促果措施,促使果树提早结果,也是实现树体矮化的重要途径。

第四节 果树生育调控技术

一、花芽分化促控技术

果树的花芽分化受到多种内在因子的制约,同时又被各种外部条件所左右,那么我们就有可能利用改变各器官间生长发育的平衡关系或调节有关外部条件来调控果树的花芽分化。目前,调控果树花芽分化的方法主要有"内控"、"外控"和"化控"3种。但一切措施一定要掌握在花芽分化临界期内进行或在临界期内仍能保持其效应,才能取得预期的效果。

(一)花芽分化的"内控"措施

根据果树成花的碳氮比学说(Gourley,1941)、细胞液浓度学说(科洛米耶茨,1961)等学说,在果树花芽分化临界期内和进入临界期以前控氮、控水、增磷有助于花芽分化。

研究表明,氮素过多,营养生长旺盛,抑制花芽的分化或使花芽分化延迟。福田、近藤(1957)对桃幼树进行沙培的试验表明,氮素区是随着施用浓度($0\sim160\mu g/g$)的增大而花芽数量减少;磷素区是随着施用浓度(0~160μg/g)的增大而花芽数量增多。平井等(1961)在盆栽大久保桃中也看到了同样的结果,认为氮素过多使花芽分化延迟,分化数量也减少。为了促进花芽的分化,在花芽分化期间要控制施用过量的氮肥,尤其是对幼旺树,氮肥的施用应尽量在花芽分化前。但对一些老树和弱树,即使在花芽分化期施用氮肥也是必要的。

(二)花芽分化的"外控"措施

"外控"措施多应用于幼旺树。如拉枝、弯枝、圈枝等,可以开强角度,缓和顶端优势,使枝条内蒸腾液流速度减慢,同时枝内含氮量降低,碳水化合物自留量增多,顶芽中 IAA 和 GA 水平降低,而乙烯含量增加。这些变化的结果,使枝条生长趋于缓和,有利于成花。

环剥、环切中断了光合产物向下运输,增加了切口以上部位碳水化合物的积累,并使其生长受阻,枝梢内碳氮比提高,乙烯、ABA和 CTK 增加,而 IAA 和 GA 减少。所以,适期环剥、环切能促进花芽分化。樊巍(1998)对 2 年生设施杏进行的环剥试验结果是一个很好的证明(见表 6-16、表 6-17)。

表 6-16   环剥处理对 2 年生仰韶杏成枝情况的影响

处理	处理大枝平均萌枝数 (个)	长枝 (个)	中枝 (个)	短枝及花束状枝 (个)
环剥	31.47a	5.17a	7.62a	18.680a
对照	20.08b	4.43a	5.63b	10.025b

注   表中数据为 20 个大枝的平均值;环剥宽度为 2~3mm。

(三)花芽分化的"化控"措施

使用能延缓或抑制果树新梢生长、加大枝条分枝角度的植物生长调节剂,一般都能促进果树花芽的分化,而赤霉素类物质则对

表 6-17　　　　　　　环剥对仰韶杏幼树促花和坐果的影响

处理	处理枝数 (个)	开花枝数 (个)	开花枝率 (%)	开花数 (朵)	结果数 (个)	坐果率 (%)
环剥	43	39a	90.7a	1 261a	58a	4.6a
对照	43	30b	70.0b	670b	10b	1.5b

花芽分化起抑制作用。目前,常见的促花调节剂有 PP_{333}、B_9、矮壮素、乙烯利、整形素和 TTBA 等,以 PP_{333} 的应用最为广泛、有效。它们的促花机理主要是抑制树体内 GA 的生物合成,影响生长素水平或阻碍它们在茎中的传导,使枝梢生长延缓或受到抑制。樊巍(1998)应用 PP_{333} 处理 2 年生杏树,收到了很好的抑制树冠生长、促进成花的作用(见表 6-18、表 6-19)。

表 6-18　　　　　　PP_{333} 对仰韶杏幼树生长的影响

处　理		干断面积 (cm^2)	冠径 (cm)	枝条长度 (cm)	节间长度 (cm)	百叶重 (g)	单叶面积 (cm^2)	叶绿素含量 (mg/g)
土施	0.1g	13.74a	127.4a	1 041a	1.93a	104.8a	29.43a	1.506a
	0.3g	11.32b	118.6b	91.7b	1.81b	123.3b	34.03b	1.647b
	0.5g	10.08b	110.3c	84.6c	1.62c	123.6b	37.41c	1.712b
喷施		12.37ac	131.7ad	98.3ad	1.87ad	120.7bc	31.20ad	1.580c
对照		15.21ad	147.2e	110.4ae	2.17ae	93.2ad	27.32ae	1.437ad

二、保花保果技术

(一)提高树体营养水平

树体的营养状态能充分满足果实、新梢生长对有机营养的需求,特别是贮藏营养和当年的同化养分的及时供应,是提高坐果率的首要前提。

表 6-19　　　　　　PP$_{333}$对仰韶杏幼树结果的影响

处　理		单位枝长花数 （朵/cm）	坐果率 （%）	平均单果重 （g）	平均单株产量 （kg）
土 施	0.1g	1.75a	3.2a	83.4a	1.21a
	0.3g	1.94b	2.3b	89.2b	1.54b
	0.5g	2.33b	2.0c	91.3b	1.63b
喷　施		1.77a	2.7d	85.6ac	1.07ac

（二）扣棚时间适宜，切忽超早生产

果树在自然休眠期间，仍进行着一系列的生理生化的变化和组织形态的分化发育过程，其中花器官仍进一步充实发育和分化。超早扣棚加温，果树没有通过自然休眠，经保温后，花芽勉强开放，但花不整齐，尤其是花粉生活率大大降低。所以，只有在果树完成自然休眠后，才能扣棚进行保护生产。

（三）人工辅助授粉

由于当年设施内果树的花粉生活力低，即使人工授粉，坐果率也不会提高，所以，在果树设施栽培中提倡"花粉贮备制度"，进行人工辅助授粉。其实施方法如下。

1. 花粉采集

采集露天自然条件下的花粉。采集方法同苹果等花粉，一般在铃铛花时采集花朵，带回室内，去掉花瓣、花丝，只留下花药；或两花心相对磨擦，使花药掉落。把花药平摊于干净的纸上，放在通风干燥的地方阴干，1~2天后花粉散出；或在太阳下面把花药摊于纸上，其上放支撑物，再在支撑物上覆上报纸等，进行晾晒，加速散粉。切勿将花药裸晒于太阳下面，以防失活。

2. 花粉低温贮藏

当年采集的花粉要到冬天或翌年春天才能使用，必须妥善保

存,以防生活力下降。目前广泛使用的是低温保存法。经过低温保存的花粉,其生活率一般保持在70%以上,完全可以满足人工辅助授粉的需要。人工低温保存花粉应注意以下几个问题。

(1)低温温度。极端低温对花粉没有不良影响,如苹果花粉在-19℃中经2年仍保持新鲜状态,贮藏在-20℃的条件下经9年仍具发芽力。大多数果树的花粉在0~-20℃的低温下,以及空气相对湿度在10%~30%时,能较长期地保持生活力。所以,建议设施果树用于人工辅助授粉的花粉保存温度为0~-20℃,以-20℃为最佳。

(2)保存湿度。湿度高时花粉经贮藏后生活力降低。花粉贮藏时应保持空气相对湿度在20%~30%,防止湿度过高。一般做法是:将收好的花粉贮放于干燥的玻璃瓶中密封或放在信封、纸袋中,外面包裹塑料膜以防潮、防湿,然后将它们放在低温条件下保存(见表6-20)。

表 6-20 几种设施果树花粉的贮藏性

果树种类	贮藏条件	贮藏时间	最后发芽率(%)
桃	-20℃	9 年	82
李	-18℃	441 天	38.2
杏	-22℃	550 天	26.5
葡萄	-12℃	4 年	21

(3)保存花粉的使用。使用时,先做发芽试验,鉴定其现有生活力,然后再行使用。

3. 人工辅助授粉

可采用人工点粉、撒粉或喷粉等方法。为了节省花粉和保证授粉的准确可靠,设施栽培中一般采用人工点粉。樊巍(1998)采用人工授粉的方法明显地提高了设施栽培杏的坐果率(见

表 6-21)。

表 6-21　　　　盛花期对仰韶杏人工授粉后的坐果情况

品　　　种	处理朵数 （朵）	坐果数 （朵）	坐果率 （%）	采果数 （个）	采果率 （%）
原阳大接杏	200	74	37.0	52	26.0
串枝红杏	170	51	30.0	33	19.4
对　　照	200	17	8.5	10	4.0

(四)设施内放蜂

设施内放蜂是辅助授粉的一种主要方式。樊巍(1998)采用花期每 666.7m² 大棚放 500～600 只蜂的办法,使设施油桃坐果率由对照的 17.8% 提高到 34.7%。

(五)喷施微肥和激素

硼、锌、铜等微量元素,生长素、青霉素 NAA、2,4,5－T、2,4,5－TP、2,4－D、2,4－DP、B_9、PP_{333}、BA、DPV 等生长调节剂对不同树种和不同品种都有防止落果、提高坐果率的作用。

三、设施果树的果实品质改良技术

(一)控氮、增磷、增钾

据村田隆一(1981)的研究,成熟果实中氮素含量愈多,则糖度愈低,两者呈反相关,相关系数为 －0.97。但他同时又指出,在桃果实生长的第Ⅰ期中,氮含量与果实品质呈正相关,凡含氮量高的果实,成熟后含糖量也高。磷也有类似趋势。故欲提高桃果实的品质,宜在其生育前期追氮,而到果实生长的第Ⅲ期,特别是采收前 15～20 天应控制氮肥的使用。

氮素过量同样会使李、杏等果实成熟期推迟,品质下降,有时在果实上还会出现成熟不均的症状。

关于钾素与桃果实品质间的关系，Lilleland(1962)曾做了大量工作，发现叶钾值在 0.2%～1.5% 范围内时，随钾肥的施用和叶钾值的提高，果实明显增大。李也有类似的情况(图 6-4)。他还指出果实增大主要是在成熟前 20 天发生的。李港丽等(1988)曾提出我国桃树叶钾值的适量范围在 1.5%～2.7%。联系钾在促进糖分运转和干物质积累等方面的生理功能，可以肯定钾在提高桃果实品质方面的作用是相当重要的。有人还指出，缺钾使桃色泽变差，风味降低，果实不耐贮藏。

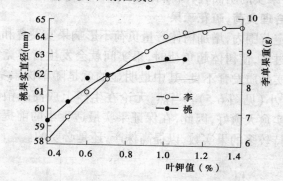

图 6-4　叶片含钾量与桃、李果实大小的关系(Lilleland,1962)

与果实品质密切相关的其他矿质元素还有钙和硼。据 Childers(1981)的报道，低钙使桃产量降低，收获时果实中可溶性固形物的含量较低，风味较差，而果肉质地较硬，成熟期被推迟。缺硼时，桃果实会出现栓化褐色病斑、流胶和种子萎缩等现象。李和杏缺硼也会产生类似症状，如果肉组织栓化，出现凹坑，易分泌胶质，果皮变得粗糙或发生裂纹等。

(二)改善光照条件

1.铺挂反光膜

这是利用反光效应以增强树冠内部光照、增进果实着色和提高品质的一种措施。据徐州市果园试验，在树冠下铺设银膜和在行间挂银膜,可增加冠内光照 26%～33%,距膜愈近,增光愈强。据河南省林业科学研究所在设施油桃上的试验,可使内膛全红果增加 32%,可溶性固形物提高 21%。

铺膜前必须先处理冠内交叉枝、直立徒长枝和近地面的枝条,并使树冠间保持 1～2m 间距。

2. 摘叶、转果

在采前 4～6 周,将果实附近遮光的叶片人工摘除,使阳光直射,同时将果实的阴面轻轻转向阳面,以扩大着色面。

(三)合理负荷,疏花疏果

在一定范围内,增加树体产量负荷不影响果实发育和品质,但一旦坐果过多,使树体超负荷时,果实间就会发生营养竞争,导致落果和果实品质发育不良,其中最明显的就是随单株果实数的增加,果个变小(见图 6-5)。当然,无论在生产上或商品销售上,也并不是果实愈大愈好,因此,在保证果实最适大小的前提下,单株上适当保持较多的果实数,以提高株产,还是必要的。

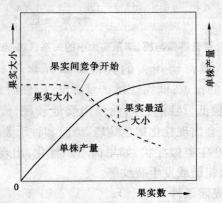

图 6-5 树体产量负荷(果实数)与果实大小及株产间的关系

(Janick,1972)

近年来,人们发现苹果、桃、樱桃等果树地上部与其主干横截面积之间具有直线正相关关系,并用以估算任何一种果树的潜在结实力。按这种相互关系,以主干横截面积(cm^2)为单位所估算得出的产量效率(yield efficiency),目前多用来作为果树疏果定果时树体适宜负荷量的重要参考指标。为测算方便,也有用主干周长换算以代替主干横截面积的。如在日本,曾有人提出桃主干周长与单株留果数的关系(见表6-22),作为提高桃果实品质的一项重要栽培技术加以贯彻实施。

表 6-22　　　　　　　桃树主干周长与留果量的关系

主干周长(cm)	20	30	40	50	60	70
单株留果量(个)	100	240	400	600	1 050	1 440

树体合理负荷量理论上也可按叶果比进行推算,即每个果实的正常发育需要多少叶片数来提供有机营养。据黑上(1948)试验,离核水蜜桃品种单纯就桃的果实增大来说需 15～25 片叶。而Childers(1978)认为,长成一个合乎市场规格大小的桃果实需要30～35 片叶。这可能已考虑了保证根系和新梢正常生长的叶片在内。为方便起见,国内生产上多用枝果比来衡量和控制留果量。据吴邦良等(1986)在无锡调查,大型果白花桃的单株,当全树枝果比为 1.06、1.33 和 2.09 时,其平均单果重分别为 85.9、113.8g 和114.9g。

从增大果实、提高品质的角度看,疏蕾的效果优于疏幼果(见图6-6)。特别是对花多、果小和坐果率高的品种更应该提倡疏蕾。但在春季花期气候不稳定的地区,或对无花粉、易裂核的桃品种,宜分期进行疏花疏果。

除桃外,李、杏等核果类树种坐果过多时,也易产生小果,以及着色不良、糖度低、酸度高等弊端,而降低果实品质;有时还会诱发

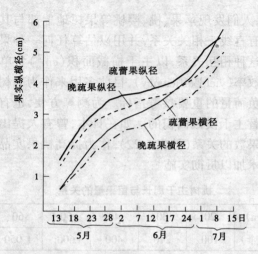

图 6-6　疏除时期对桃果实生长的影响（品种：大久保）

（吴邦良等，1995）

大小年结实的现象。但李、杏花期早，疏果宜在坐果稳定后进行，特别是生理落果严重的品种，疏果更应适当推迟。对李、杏相宜的叶果比标准，中、小型果为 15～20，大型果为 20～30，并可依此作为疏果量的依据之一（见表 6-23）。此外，也可按距离留果，每个短果枝上留 1～2 果，间隔 6～8cm，大果型品种的留果间距可扩大到 8～10cm。

表 6-23　　不同叶果比对李果实品质的影响（品种：圣罗莎）

叶果比	单果重(g)	总糖(%)	干物质含量(mg)
4	43.9	6.84	15.5
8	49.9	7.08	14.5
16	65.7	8.06	15.9
32	61.5	8.14	16.7

甜樱桃果实比李、杏更小,为生产优质浆果,据对黄玉品种的调查,叶果比需达2～3。也可在每个花束状果枝上留2～3个花蕾或3～4个浆果,而将其余的花果疏除。但人工疏花疏果相当花费劳力。

(四)套袋

套袋可以改善果品品质,这已在苹果、梨、桃、葡萄等多种果树上得到证明。如日本用不同色泽和不同透光度的纸类对桃进行套袋,其对生理落果和果实品质的影响如表6-24。

表6-24 不同纸类套袋对桃生理落果和果实品质的影响
(品种:白桃)

袋的种类	透光率(%)		生理落果率(%)	平均单果重(g)	外观品质	Brix糖度(%)	苹果酸含量(%)
	使用前	使用后					
黄白色	18.6	15.0	7.9	219	稍不良	12.5	0.22
乳白色	13.5	12.6	12.8	228	稍不良	12.5	0.23
橙　色	11.3	11.8	10.2	226	良	12.3	0.23
淡茶色	7.2	8.5	15.4	224	中	12.0	0.19
黑　色	0.1	0.1	50.0	156	中	10.8	0.34
新闻纸＋紫苏油	7.1	4.8	35.2	230	中	12.2	0.20

注　资料来源于冈山农试,1972。

(五)喷施激素和微肥、稀土

研究表明,B_9、CEPA、$2,4-DP$,PP_{333}、$2,4,5-TP$ 和 MCPB 等激素,镧系等稀土化合物,钼、钙等微肥,对不同果树、不同品种都有改善品质的作用。

第五节　滴灌技术

随着设施果树的发展,原来一些生产管理方式已不适应设施栽培的需要,特别是灌溉技术,传统的地面大水漫灌方法,已经不适应大棚或日光温室栽培的需要。一方面是地面大水漫灌对地温影响较大,漫灌后,地温下降 3~5℃,造成晚秋地温下降快、冬春地温回升慢的现象,严重影响了果实的成熟期,影响了设施栽培优势的发挥;另一方面是地面大水漫灌造成棚内空气湿度过大,漫灌后相对湿度一般在 90% 以上,夜晚甚至达到 100%,而果树适宜的空气湿度为 50%~70%,特别是在盛花期,要求湿度不能超过 50%,最低不低于 30%,否则对花粉萌发和受精不利。过高的湿度不仅抑制了果树的正常生长,降低了坐果率,而且还导致了病害的大量发生,严重地影响了果品的产量和品质。同时果树是一种需水量比较大的作物,而且设施果树根系浅,吸水能力弱,对土壤湿度要求较高。因此,必须探索一种适用于果树设施栽培特点的行之有效的灌溉方式。河南省林业科学研究所等单位将滴灌技术应用于桃、樱桃、葡萄、草莓等果树设施栽培中,取得了显著的效果(樊巍,1998)。

一、设施果树滴灌的技术原理与布置

(一)滴灌的技术原理

该技术的原理是以微细孔(0.05~1mm)在低压状态下(5~10m 水头)以水滴形式渗出,出水流量为 2.0~3.8L/h,水力特性为

$$Q = k \cdot h^x$$

式中:Q 表示灌水器的流量,L/h;h 表示工作水头,m;x 表示流态系数,即反映灌水器的流量对压力变化的敏感程度,因滴灌是在渗

水状态下,即层流状态,故 $x \approx 1$。

滴头和干支管是固定厂家已生产好的成品,安装简便。为减少水头损失,提高灌水均匀度,避免毛管淤积堵塞,故在规划时要合理布置管路,选择合适的管径。可采用滤网式过滤器和内镶式滴头,根据塑料大棚、日光温室的特点布置管路。

(二)设施果树滴灌工程的设计与布置

设施滴灌工程系统由水源工程、温室首部枢纽工程、供水管网和灌水装置 4 部分组成。

(1)水源工程。灌溉用水主要采用地下水,一般每眼井出水量为 30t/h,可供 3.33hm²(50 亩)塑料大棚、日光温室使用。根据实际情况,采用以水塔形式加压,通过地埋管将水输送到预定地点。此方式运用方便,利用水塔压力自动加压,可使机井供水用途增多;通过阀门控制还可供人畜用水、其他用水等,便于管理,但造价相对较高,投资集中。也可采用压力泵、压力罐加压供水的方式。

(2)首部枢纽工程。是整个滴灌系统的运行、检测和调控中枢,包括施肥器、过滤器、水表、压力表和闸阀。通过施肥器可直接对作物施用液肥,便于管理。过滤器可除去原水中的较大颗粒以免堵塞滴头。水表、压力表是控制水量和工作压力的仪器。闸阀可用于调控水量和进行检修。

(3)供水管网。主要由支、毛管组成,担负输水和配水任务,将支、毛管在棚内顺果树、草莓行间铺设于地面。日光温室采用单侧式供水,塑料大棚采用双侧式供水。

室内输水管道(支管)管径 32mm,滴头间距 500mm,滴水量每小时 18L(额定水头 8m,每小时滴水量 3L);过滤器为 1 寸滤网式过滤器。温室内施肥器选用安徽省界首市塑料制品厂生产的文丘里式(YFU—20B 型)施肥器,具有安装方便、价格低廉等特点。

(4)灌水装置。主要是滴头和滴水带。根据实际情况,采用了内镶式滴头。此种滴头由北京绿源公司生产,直接安装于毛管上。

二、设施果树滴灌的运用与滴灌定额

温室和塑料大棚果树的栽植方式一般采用高垄栽植,其目的是提高地温。滴灌管布置在垄面果树行上(草莓为行间)。为了有利于调控温棚内湿度和提高地温,将设施果树的栽植特点与灌溉结合起来,创造了地膜覆盖、膜下滴灌技术,通过滴灌来供应水分、地膜来调控湿度,使两种栽培技术的优点得到更充分的发挥。

不同的果树及果树不同的生育期对土壤水分和空气湿度的要求不尽相同,因而灌溉定额也就不同。通过3年的摸索,我们基本了解了桃(包括樱桃)、葡萄、草莓等果树设施栽培的滴灌定额(主要是覆膜期间),果实采收后的滴灌定额和露地基本相同。现列于表6-25供参考。

三、应用效果分析

通过3年的设施果树滴灌试验对比,实施滴灌技术确实达到了节水、节能、节省人力、节省土地、改善小气候、减少病虫害、提早成熟、提高产量和品质的目的。

(一)节水、节能

滴灌工程系统没有沿程渗漏和蒸发损失,滴灌属于局部灌溉,灌水时一般只湿润作物根部附近的土壤,灌水量很小,不易发生地表径流和深层渗漏,从而提高了水的利用系数。以草莓为例,滴灌比漫灌节水80%,全部生长过程每公顷滴灌累计用水 $1380m^3$,比漫灌每公顷节水 $5550m^3$,滴灌比地面漫灌节水明显。对于提取地下水灌溉而言,意味着减少了能耗,草莓全部生长过程每公顷节省电能 $1387.5kW\cdot h$。

(二)节省人力、便于管理

使用滴灌,可将化肥(液体)通过滴灌管理直接滴到果树根部附近,同时不需人工改水,减少了劳动力和劳动强度。另外,由于

表 6-25 几种设施果树的滴灌定额

品种	生育期	定额 (t/667m²)	滴灌时间 (h:min)	间隔期 (d)	次数
桃 油桃 樱桃	覆盖前期	6.0	4	10	2
	花前 10 天	3.0	1:5		1
	开花期至落花后 10 天	0			
	花后至硬核	7.2	3	10~15	2
	硬核至采果前 15 天	7.2	3		1
	采后	14.5	6	10	1
葡萄	覆盖至萌芽	7.2	3		2
	萌芽至花前 10 天	10.0	4		1
	花期至落花 10 天	0			
	落花 10 天至浆果着色	10.0	4	10	3
	浆果着色至成熟	7.2	3	10	2
草莓	幼苗期(定植)	7.2	3		1
	定植至成活	3.6	1:3	1	6
	成活至花前 10 天	2.4	1	7	2
	开花期	2.4	1	10	2
	幼果期	3.6	1:3		1
	膨大期	1.8	0:45	5	3
	采收期	1.8	0:45	5	4~6

地表没有积水,不误田间管理。通过分析计算,采用滴灌的设施果树每公顷累计可节省工日 360 个。

(三)提高土地利用率,保护土壤结构

使用滴灌消灭了土渠,提高了土地利用率,经实际测算,可节省耕地 5% 以上。由于滴灌不破坏土壤结构,不会引起土壤板结,相对增加了土壤透气性,有利于果树生长。经测定,大水漫灌油桃大棚生长季节末的土壤容重比栽植前增加了 11.7%,而滴灌大棚土壤容重经过一个生长季节后仅增加 7.8%,说明滴灌有利于保护土壤结构(见表 6-26)。

表 6-26　　　　滴灌和漫灌对油桃大棚土壤容重的影响

（单位：g /cm³）

处　理	土　壤	生长季节前容重	生长季节末容重	增加率（%）
漫灌	砂壤土	1.36	1.54	11.7
滴灌	砂壤土	1.41	1.53	7.8

（四）降低空气湿度,提高坐果率,减少病害

滴灌可以改变日光温室和塑料大棚的小气候。在草莓生产中,使用膜下滴灌技术,可以明显降低大棚和温室空气湿度。据我们观测,塑料大棚膜下滴灌可使夜间空气相对湿度由 95%～100%降低到 70%～75%,使白天的空气湿度由 70%～80%降低 30%～40%(见表 6-27),完全可以满足果树生长发育的需要。特别是在花期,要求空气温度 30%～50%,过高或过低都影响授粉受精,降低产量。而膜下滴灌技术的采用可以有效地解决这一问题。

表 6-27　　　膜下滴灌大棚和大水漫灌大棚空气湿度变化情况　　　（%）

时间处理	1 月 4 日		3 月 4 日	
	12 时	24 时	12 时	24 时
滴灌	30	70	40	75
漫灌	70	95	80	100

表 6-28 是滴灌对草莓质量的影响。从表中可以看出,大棚滴灌草莓优级果(正常＋较正常果)可以达到 69.1%,而漫灌大棚仅能达到 51.5%。

湿度的降低也降低了设施果树病害的发病率。据调查,漫灌大棚草莓灰霉病发病率达 65%,白粉病达 45%;而滴灌大棚灰霉病 发病率在 5%以下,白粉病基本得到控制,从而减少了畸形果和

表 6-28　　　　滴灌与漫灌对草莓受精和畸型果的影响　　　　（%）

处理	滴　灌				漫　灌			
果形	正常	较正常	畸形	不受精	正常	较正常	畸形	不受精
占比例	27.4	41.7	19.1	11.8	20.3	31.2	24.7	23.8

注　表中"正常"指完全受精;"较正常"指一部分未受精,二者果实均属于优级果。

烂果。采用滴灌的大棚樱桃,因果腐病造成的樱桃落果率降低65%以上。因此,在滴灌大棚中可以大幅度地减少农药用量和用工。据计算,每公顷大棚草莓可减少用工 22.5 个、减少用药333.75 元。

（五）提高地温,确保果品提前上市增加收益

设施果树采用滴灌,用水量小,对地温影响不大,和漫灌大棚比较,可使晚秋和早春土壤温度增加 4℃ 左右,从而可使果树提前开花坐果、提前成熟、提早上市。和漫灌相比较,滴灌草莓可提早上市 12 天左右,这样每公斤草莓价格可提高 2 元以上。

（六）提高产量、改善品质

由于滴灌可以改善日光温室和塑料大棚的小气候,使之朝着有利于果树生长的方向发展,因此,可以提高产量、改善品质,提高商品果率。据实测,滴灌大棚"全明星"草莓平均单果重提高9.1%,产量提高 28.0%,果实可溶性固形物含量提高 14.3%,甜酸比增大,硬度也略有提高(见表 6-29)。

表 6-29　　　　两种灌溉方式对大棚草莓产量、品质的影响

处理	产量 （万 kg/hm²）	平均单果重 （g）	可溶性固形 物含量（%）	有机酸含量 （g/100g）	果实硬度 （g/cm³）
滴灌	2.4	27.6	11.2	0.66	470
漫灌	1.875	25.3	9.8	0.62	430
提高比例（%）	28.0	9.1	14.3		

下篇 各 论

第七章 草莓的设施栽培

草莓是一种营养丰富、经济价值较高的浆果。其果实成熟早，露地栽培一般在4～5月份成熟上市，对市场鲜果的供应起着重要的作用。但草莓浆果不耐贮运，而且供应期短，不能满足消费者的需要。在设施条件下对草莓进行半促成、促成、超促成和抑制栽培，可使其成熟期由10月份一直延续到第二年6月份，基本上能实现周年供应。因此，近年来草莓的设施栽培发展十分迅速。

第一节 品种选择

一、品种选择的原则和依据

在设施栽培中，品种的选择相当重要。由于品种不同，休眠期长短不同，在不同气候条件下适应能力不同，致使结果有早、有晚，产量高低也各不相同，因此，生产中应根据当地自然条件、栽培形式及栽培目的认真选择设施栽培品种。在品种选择上，总结起来应考虑以下几点：

（一）栽培形式

在设施栽培中，采用早熟促成栽培时，应选择休眠浅的品种，如春香、丰香、静香等；半促成栽培一般选择休眠较深的品种，如全明星、哈尼等；超促成和抑制栽培，目的是为10月份草莓上市，宜选择抗热优良品种。

（二）地区适应性

不同品种在不同地区表现不一样，应选择在本地区表现最佳的品种。南方地区,冬季时间短,温度也较高,夏季高温高湿,应选择暖地品种;在北方则应选择休眠期长的耐寒品种。

(三)栽培目的

以鲜食为主时,应着重考虑果实的风味、果形;以就近销售为主时,应把品质放在第一位考虑;以远途消费大市场为主时,应在考虑口味的同时,考虑果实的硬度,因为硬度大的品种有利于长途运输;加工品种要考虑色泽、酸度、糖度等问题。

(四)品种搭配

草莓虽然自花结实能力强,但搭配1~2个授粉品种,可提高产量。栽培面积较大时,品种上可早、中、晚搭配,既能排开上市,又能合理地调整人力、物力。

二、优良品种

(一)春香

春香由日本引入。果实较大,一级序果平均单果重18g,最大果重可达30g;圆锥形,颜色深红,有光泽;果肉橙红色,肉质致密,酸甜适口,香味浓,硬度中等,品质上。5月中下旬成熟。植株生长直立,分枝力中等。叶片椭圆形,中等大小,颜色深绿。单株花序2~4个。产量可达2.25万 kg/hm² 以上。为早熟品种。5℃以下低温处理0~40小时可打破休眠。

(二)丰香

丰香由日本引入。果实较大,第一序果平均重19g左右,最大果重可达45g;圆锥形,粉红色,有光泽;果肉橙红色,肉质致密,硬度中等,酸甜适口,香味浓,品质优良。植株性状与春香相似,但叶色比春香浓绿。5℃以下低温处理0~40小时可打破休眠,成熟期与春香相似。

(三)静香

静香由日本引入。果实较大,第一序果平均重18g左右,最大果重 25g 以上;长圆锥形,果形整齐,果面颜色鲜红,有光泽;果肉橙红色,质地细、硬度较大,酸甜适口,有香味,品质上。植株生长势强,较直立。单株花序多,一般 5 个以上。丰产性好,每公顷产量可达 2.25 万 kg 以上。5℃以下低温处理 20～50 小时可打破休眠。成熟期为 4 月下旬,为早熟品种。

(四)全明星

全明星由美国引入。果实大,第一序果平均重 28.8g,最大果重 63.5g;长圆锥形,果面鲜红色,有光泽;果肉淡红色,肉质致密,硬度特大,酸甜适口,品质佳。植株生长旺。叶片大,深绿色。单株花序 2～4 个。较丰产,一般产量可达 2.25 万 kg/hm² 以上。成熟期稍晚。5℃以下低温处理 600 小时可打破休眠。适于半促成栽培。

(五)哈尼

哈尼由美国引入。果实大,第一序果平均重 23.3g,最大果重 45.3g;短圆锥形,果面深红色,有光泽;果肉橙红色,肉质细,稍硬,酸甜适中,品质佳。植株生长势较强。叶片中等偏大,深绿偏灰。单株花序 2～4 个。丰产性较好,一般产量可达 3 万 kg/hm² 以上。为中熟品种,适于半促成栽培。

(六)宝交早生

宝交早生由日本引入。果实中大,第一序果平均重 17.2g,最大果重 30g;圆锥形,果面深红色,有光泽;果肉橙红色,质地柔软,汁液多,酸甜适口,香味浓,品质极佳,但不耐贮运。植株生长势强,容易繁殖;叶片大,叶色浓绿;单株花序 3～4 个。产量中等,每公顷产量 1.8 万 kg 以上。5℃以下低温处理 400 小时可打破休眠。适于促成和半促成栽培。

(七)女峰

女峰由日本引入。果实中大,一级序果平均重 17g,最大果重 24g;圆锥形,整齐;酸甜适度,香味浓,品质极上。果皮韧性强,果较硬,耐贮运。植株直立,生长势强;叶片大,浓绿色;休眠期短,5℃以下低温处理60~100小时可打破休眠。前期产量高,一般每公顷产量2.25万kg。适宜促成栽培。

(八)星都一号

星都一号由北京农林科学院林业果树所育成。果实大,一级序果平均果重25g,最大果重42g;圆锥形,红色偏深,有光泽;果肉深红色,酸甜适中,香味浓,耐贮运。植株生长势强;叶椭圆形、绿色,叶片较厚;单株花序6~8个。较丰产,每公顷产量2.25万~2.63万kg。适于半促成栽培。

(九)星都二号

星都二号由北京农林科学院林业果树研究所育成。果实大,一级序果平均果重27g,最大果重59g;圆锥形,红色略深,有光泽;果肉深红色,酸甜适中,香味较浓;果实硬度高,耐贮运。植株生长势强;叶椭圆形、绿色,叶片厚中等。单株花序5~7个。较丰产,每公顷产量2.25万~2.7万kg。适于半促成栽培。

(十)硕丰

硕丰由浙江农业科学院园艺所育成。果实大,平均果重15~20g,最大果重50g;短圆锥形,果形整齐;果面橙红色、鲜艳;果肉红色,肉质细韧,硬度大,酸甜适口,味浓,品质上;耐贮性好。植株生长势强,矮而粗壮;叶片厚,深绿色;单株平均花序3个。产量中等,最高产量1.93万kg/hm²。

(十一)硕蜜

硕蜜由浙江农业科学院园艺所育成。果实大,平均果重15~20g,最大果重50g;短圆锥形,果面深红色;果肉红色,肉质细韧,浓甜微酸,品质优良;耐贮性好。植株生长势强,矮而粗壮;叶色深绿。每株平均花序3个。产量中等,平均产量1.02万kg/hm²,最高产量2.04万kg/hm²。

第二节 生物学特性

一、对环境条件的要求

(一)温度

草莓对温度的适应性较强。休眠期草莓的根系可忍耐-10℃的低温,在-12℃条件下就有全株被冻死的可能。根系最适宜的生长温度为15~20℃,植株生长最适宜的温度为20~25℃,30℃以上生长受抑制,长时间高温易使植株衰老以至死亡。花芽分化的适宜温度为5~25℃,但花芽分化与光照有密切关系。低温,日平均气温15℃,短日照8~10小时有利于花芽分化。花期温度20~25℃,有利于花粉发芽,13.8~20.6℃有利于花药开裂。果实膨大前期白天25~28℃,夜间8~10℃;后期白天22~25℃,夜间5~8℃。5℃以下草莓进入休眠。

(二)水分

草莓根系浅,吸水能力弱,对水分的要求较高。苗期缺水,影响茎叶的正常生长;结果期缺水、果实个小,从而降低产量和质量。但湿度过大,易造成果实霉烂。现蕾至开花期土壤水分应充足,以田间持水量70%为宜,果实膨大期应保持在80%左右。草莓抗涝性差,长期积水会造成植株死亡,如遇连绵降雨,应注意及时排水。

(三)光照

草莓是喜光植物,但又较耐荫。在轻度遮荫的条件下其结果良好,故可同其他果树进行间作。草莓光饱和点为$(2\sim3)\times10^4$lx。果实发育期光的补偿为500~1 000lx。

(四)土壤

草莓根系浅,表层土壤对根系生长影响极大。草莓适宜栽植在保水能力强、肥沃、透气性好的土壤上。pH值5.5~6.5最适宜。沙性大、地下水位高的土壤均不适合草莓设施栽培。

二、生长结果特性

(一)根系

草莓的根系属茎源根系,由短缩茎上发生的初生根和初生根上发生的侧生根组成。草莓根系形成层不发达,次生生长不明显,因此根的加粗生长很小。其根系在土壤中分布浅,一般分布在20cm的土层中,少数根深达40cm土层以下。由于草莓根系分布浅,叶片蒸腾量大,因此,浅土层水分对根系生长影响很大。若生长季节缺水,则根系生长不良。另外,草莓根系也不耐涝,水分过多、排水不良会造成土壤缺氧,抑制根系的呼吸作用,不利于根系生长,甚至会使根系窒息而死。

土壤温度是影响草莓根系生长的重要因素之一。其根系生长的适宜温度为18~23℃,限界低温为13~15℃,13℃以下根系基本不伸长。此外,土温过高、过低,既不利于草莓的根系伸长,也不利于其对水分和养分的吸收(见表7-1)。

表 7-1　　　　根系生长、吸水、吸肥与土壤温度的关系

生理反应	限界低温(℃)	适宜温度(℃)	限界高温(℃)
根的伸长	13~15	18~23	25
水分的吸收	9~12	18~21	25
肥料的吸收	12~15	18~21	25

从表7-1可以看出,草莓施肥浇水后,要想促进其对水分和养分的吸收,土壤温度应保持在18~21℃。

草莓根系一年内有2~3次生长高峰,在温度较高的地区只出现2次高峰。其根系的生长高峰与地上部分的生长高峰正相反。地上部分生长旺盛时,地下根系生长则减弱。通过观察草莓地上部生长的形态可判断根系的生长状况。

(二)茎

草莓的茎分新茎、根状茎和匍匐茎。

1.新茎

草莓当年萌发的茎称新茎。新茎上密生叶片,节间短。叶腋处有腋芽。腋芽有早熟性,温度高时一般萌发成匍匐茎,温度较低时萌发成新茎的分枝,有的不萌发而成为隐芽。

2.根状茎

草莓多年生的短缩茎称为根状茎。根状茎是由新茎转化而来,具有节和年轮。2年生根状茎,常在新茎的基部萌发大量的不定根,3年生以上的根状茎分生组织不发达,极少发生不定根,后逐渐衰竭枯死。因此,根状茎越老,地上部分生长越差。根状茎是草莓营养物质的重要贮藏器官,对草莓春季生长和开花结果有重要作用。

3.匍匐茎

匍匐茎是由新茎腋芽萌发形成的地上茎,是草莓繁殖的重要器官。每株上发生的匍匐茎单数节不能形成子苗,偶数节才能形成子苗。由母株上发生的匍匐茎苗称为子苗,也叫第一代子苗;第一代子苗上长出的子苗称第二代子苗,第二代子苗上抽生的匍匐茎苗叫第三代子苗,以此类推。

匍匐茎寿命较短。匍匐茎苗产生不定根扎入土中形成独立苗后,与母株的联系逐渐中断。正常情况下2~3周匍匐茎苗就能独立成活。

匍匐茎发生的多少与品种有关,宝交早生、春香等品种匍匐茎发生能力强。另外,匍匐茎的发生与日照时间和温度有密切关系。日照时数12~16小时,气温在14℃以上时,发生较多;日照时数低于8小时,温度在14℃以下时不发生或少发生匍匐茎。

不同栽培条件下,匍匐茎发生的多少也不一样。大棚晚熟栽培,由于苗本身已顺利通过生理休眠,所以匍匐茎发生多,生长快;

日光温室条件下的促成栽培大都没有完全通过生理休眠,加之结果量大,消耗养分多,匍匐茎发生就少。

在育苗时,一般不让母株结果,减少营养消耗,促进匍匐茎发生。没有通过休眠的苗不能做育苗母株。另外,生长调节剂对匍匐茎发生也有影响。赤霉素对部分品种匍匐茎发生有促进作用。一些匍匐茎发生少、繁殖困难的品种,赤霉素有一定的促进作用,但也只有在低温得到满足时才有效。一般施用浓度为 $30 \sim 50\mu g/g$。

(三)叶

草莓的叶为三出复叶,叶柄细长,一般为 $10 \sim 25cm$,叶柄上着生许多绒毛,叶柄基部有托叶,叶柄的中下部一般长有两个叶耳,叶片在新茎上连续发生。一年一株苗可发生 $20 \sim 30$ 片叶。叶片相继发生,也相继衰老。老叶同化能力下降。叶片在光照好的条件下厚而浓绿,有利于花芽分化。

(四)花芽分化

1. 花芽分化的时期

花芽分化的时间一般从 9 月中旬开始至 10 月中下旬为止。北方高纬度地区,由于秋季低温来得早,日照变短也早,花芽分化就早些。在南方低纬度地区,秋季低温来得晚,花芽分化也晚。同纬度地区海拔高的地方花芽分化早。植株生长健壮程度对花芽分化也有很大影响。生长健壮、叶片数多的单株花芽分化早,速度快,分化的花芽也多;苗生长弱的则相反,花芽分化晚而少。

2. 影响花芽分化的主要因素

(1)日照和温度。日照和温度与花芽分化的关系密切。花芽分化需要在短日照和比较低的温度下进行。花芽形成与温度、日照关系如图 7-1。在低温条件下,无论日照长短,均可成花;在高温条件下,无论日照长短均不能成花;在中温区短日照条件下才能形成花芽。

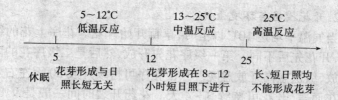

图 7-1　花芽形成与温度、日照的关系

　　(2)氮素。花芽分化期氮素过多,植株生长旺盛,不利于花芽分化,因此花芽分化期要严格控制氮肥施用,必要时进行断根控水处理,因为断根能引起植株体内氮素水平的降低,有利于抑制生长而促进花芽分化。但必须把握好时期,一般在 8 月下旬至 9 月初比较合适。

　　(3)摘叶和赤霉素。在长日照下,摘叶能引起花芽分化,这是因为成叶中含有抑制成花的物质。把长有 6 片叶的苗进行摘叶,结果 4 片叶形成花芽早,5 片叶的开花推迟,6 片叶以上花芽形成较晚。赤霉素对花芽分化有抑制作用。在短日照条件下,赤霉素处理浓度愈高,花芽分化愈少。

(五)花

　　1.花的形态与开花时期

　　大多数草莓属完全花。草莓的花由花柄、花托、萼片、花瓣、雌蕊群和雄蕊群几部分组成。花托是花柄顶端膨大部分,呈圆锥形并肉质化,其上着生萼片、花瓣、雄蕊和雌蕊。

　　草莓品种间花序差别较大,通常为二歧聚伞花序和多歧聚伞花序。典型的二歧聚伞花序,花轴顶端发育成花后停止生长,称为一级序花;在这朵花苞片间生出两等长的花柄,形成二级序花。余下依此类推,形成三级序花、四级序花。

　　草莓的开花期,露地在 4 月中旬至 5 月中旬;大棚在 3 月下旬至 4 月下旬;温室促成栽培一般在 11 月上旬始花,开花期可持续几个月。草莓的花瓣多为 5 枚,个别花的花瓣可达 7～8 枚。

2.开花授粉与环境条件

当气温平均达 10℃ 以上时,草莓开始开花。花序上花的级次不同,开花先后不同。第一级序花先开放,然后是二级序花的两朵花开放,级次愈高开放愈晚。一个花序可持续开放 20 天左右。就一朵花而言,开花可持续 3~4 天。花药开裂时间一般是 9:00~17:00,以 11:00~12:00 开裂最多。花药开裂的适宜温度为 13.8~20.6℃,湿度最高限界是相对湿度 94%。花粉在开花后 2~3 日内生命力最强。花粉发芽最适温度为 25~27℃。

草莓能自花结实。但如有蜜蜂授粉则坐果率提高,畸形果减少。在保护地条件下放蜂有利于提高产量。

(六)果实

1.果实的发育

草莓的果实是由花托膨大形成的,在植物学上叫聚合果,栽培上叫浆果。其果实表面附着许多经受精后子房膨大形成的瘦果,通常把它叫种子。草莓果实增长与种子多少有密切关系。没有种子的果实,或坐不住果,或果实不增长。同一果实中,着生种子的部位生长,不着生种子的部位则不生长。如果授粉受精不均匀,就会产生畸形果。许多研究证明,种子愈多,果实愈重,两者表现为直线相关。

草莓从开花到果实成熟需 20~60 天。早熟品种的果实发育天数少,晚熟品种的果实发育天数多。

果实发育受温度影响比较大。温度低,果实生长时间长,果个大。据调查:夜间 9℃、白天 9℃ 的条件,果实要生长 102.7 天,平均果重 27.5g;白天 30℃ 条件下,果实生长期 19.8 天,平均单果重 8.1g。草莓果实发育期的适宜温度为 18~25℃。

土壤水分对果实生长影响很大。保证土壤表层水分,对果实的增大是必不可少的。光照充足,光合作用旺盛,同化效率高,则碳水化合物向果实供应较多,促进果实生长。成熟期良好的光照条件可促进果实糖的含量和维生素的增加。

2.畸形果发生的原因与对策

在设施栽培中,畸形果直接影响设施栽培的产量和效益,应引起足够的重视。畸形果发生的原因如下:

(1)果面凹凸不平果。花期土壤干燥或开花前3~7日土壤肥料浓度过高;花期遇35℃以上1~2小时高温;花期喷水或农药;花芽分化期氮素多。

(2)着色不良果。株间密度大,光照不足。

(3)鸡冠果。主要是营养过剩造成的。此外,单株结果多、花粉稔性低和育苗期肥料过多,老化苗均可导致鸡冠果的产生。

(4)果面纵沟果。水分不足。

畸形果的发生实际从花芽分化时就已开始,花芽分化期氮素多,花器发育不良,营养生长过盛,消耗养分过多,影响花的发育。减少或消灭畸形果的最重要方法是:在花期温、湿度管理要严格;水分供应、光照都应根据植株生长的需要,合理供应与调整。

(七)休眠

随着秋季的来临,日照长度逐渐变短,温度逐渐降低,草莓开始进入休眠状态。草莓休眠的具体表现为:叶面积缩小,叶柄变短,并平行于地面,不再发生匍匐茎,植株呈矮化状态。

草莓休眠的特性在设施栽培中极为重要,不同的设施栽培条件,应选择适宜的品种。按休眠深浅来分:有深休眠和浅休眠。一般浅休眠品种适合温室和大棚促成栽培,深休眠品种适合半促成栽培。目前,休眠较浅的优良品种有春香、丰香、静香等,20~50小时低温处理即可打破休眠;深休眠品种有宝交早生,需450小时,全明星、哈尼需500~700小时。

在促成栽培中,常常采用喷赤霉素或增加温度和光照的方法来打破休眠,使其提前进入开花结果期;在延迟栽培中,常使苗处于低温的被迫休眠状态,推迟结果时间,调剂市场余缺。

三、物候期

(一)开始生长期

在自然条件下,随着春季气温的升高,或设施条件下保温以后,草莓根系先开始生长,随着越冬叶片开始光合作用,新叶相继出现。由于我国南北地区气候不同,茎叶开始生长的时期也不同。如黑龙江省在 4 月下旬,河南在 3 月上中旬,江苏在 2 月下旬。

(二)开花结果期

在茎叶开始生长以后,大约经过 1 个月的时间出现花茎。随着花茎的发育,顶花首先开放,即一级序花先开,其次是二级序花开放。由于草莓顶花序和侧生花序属不同级序,所以开花早晚有差别,因而使开花持续时间较长,出现开花、坐果和果实生长交错状态。从开花到坐果期,草莓根系迅速生长扩大;在果实迅速生长期,根系生长缓慢。果实采收后根群缩小,并开始发生少量匍匐茎。此期肥水要充足,植株管理要加强,以确保草莓的优质、高产。

(三)繁殖期

果实采收后,在夏季高温、长日照条件下,腋芽大量抽出匍匐茎,同时产生新茎分枝。新茎和匍匐茎苗基部发生不定根,形成大量分株苗,为草莓繁殖提供了条件。促进营养生长、加强对分株苗的管理是此期最重要的任务。由于夏季高温多雨,中耕除草、排涝和病虫害防治等也是此期管理的重点。

(四)花芽分化期

随着秋季的来临,气温的降低,日照变短,花芽开始分化。草莓花芽分化是个连续的过程。顶花芽分化后约一个月,腋芽也陆续分化。花芽分化的顺序是顺次形成萼片、花瓣、雄蕊和雌蕊。

(五)休眠期

草莓在低温、短日照条件下,于 10 月下旬开始进入休眠期,至11 月中旬进入深休眠期。在设施栽培中,只要创造条件,满足其对低温的要求,打破自然休眠,通过保温或加温,草莓即可提早生长、开花和结果,达到提早采收的目的。

第三节　苗木准备与栽植

一、苗木准备

(一)设施栽培对苗木的要求

进行设施栽培,苗很关键。首先,要根据栽培形式选择品种。日光温室栽培应选择休眠浅的品种,如春香、丰香等;北方大棚栽培、南方大棚晚熟栽培,应选择休眠较深些的品种,如宝交早生、全明星等。其次,应选择壮苗。壮苗的标准是:苗无病虫害;有较多新根,根茎粗度在 1cm 以上;至少有 4 片展开的叶;中心芽饱满;叶柄短粗,叶色浓绿;植株鲜重 30g 左右。

(二)育苗

1. 繁殖方法

草莓常用的繁殖方法有以下 3 种:

(1)匍匐茎分株法。草莓在每年的生长期内会发生大量的匍匐茎,利用匍匐茎上着生的子株繁殖幼苗的方法,即为匍匐茎分株育苗法。匍匐茎上的子株一般从 7 月底到 8 月初就可长出 4～5 个发育良好的叶片,并发生 4～6 条以上的须根,这时就可以采苗栽植了。该法是目前生产上最主要的繁殖方法。

(2)新茎分株法。新茎分株繁殖又称分墩法。在春季,草莓每个植株可发出数个新茎分枝。7 月中旬至 8 月上旬,当每个新茎分枝上有 4～5 片发育良好的叶子,而且具有较多的新根时即可移栽。方法是:将秧苗整墩翻起,剪掉部分地下衰老变黑的根茎,使每株新茎苗带有一定数量的白色新根,用于生产园定植。

(3)组织培养法。组织培养是快速繁殖草莓的有效方法。一个新茎或匍匐茎的生长点(茎尖)一年可繁殖上万棵甚至几十万棵苗。用微小的茎尖(0.3mm)还可培养出无病毒秧苗,是目前推广的一项新技术。草莓组织培养的方法是:将植株或匍匐茎茎尖上的生长点,经消毒后放入盛有培养基的三角瓶内,置于培养架上,经组织分化后长出芽锥,继而发出茎叶和新根,形成幼株;把幼株移入盛有营养土的小盆中,在无菌温室培养一段时间,当幼苗长出三四个复叶时移到繁殖圃(这时的苗叫原种苗);通过加强管理促进匍匐茎的发生,培养出的匍匐茎苗即原种苗;原种苗经逐级繁殖,即可培养出大批生产用苗。

2. 常规育苗技术

(1)选择良种母株。根据设施栽培对苗木的要求,首先要选择生长健壮的苗作为育苗母株,并于秋季或春季定植在育苗圃中。

(2)整地、作畦与栽植。育苗圃应选择地面平坦、土质疏松、有机质丰富、排灌方便、光照良好的地块。整地时要求每公顷地施腐熟的有机肥 75 000kg,并掺入氮、磷、钾三元复合肥 300～450kg。结合施基肥,深翻土地,使地面平整,土壤熟化。经整地后作畦育苗。作畦的标准是畦宽为 2m,长度根据地形情况定,一般控制在30～50m 之间,过长不利于浇水。栽植时在畦中央栽植 1 行,株距50cm,栽植深度应掌握苗心与地平面相齐,以达到上不埋心、下不露根为度。在栽植时应使根系舒展,不要团在一起,以利于根部生长发育。栽植后浇一次透水,而后视土壤干湿度决定灌水时间和次数。

(3)苗期管理。主要做好以下几方面的工作。

一是土壤水分管理。定植成活后,适当练苗。在生育期间进行多次中耕除草,使土壤保持疏松,待发生匍匐茎后可不再中耕,但应及时除去杂草,防止草荒。6 月以前土壤易干旱,应根据情况决定灌水的时间和次数。雨季到来后,要注意排水防涝。苗木生长到 6～7 月份进入匍匐茎盛发期,此时应加强肥水管理,要求追施氮、磷、钾三元复合肥,每公顷施用300kg。

二是去花蕾、去老叶。春季草莓现蕾后应及时去除。去除的时间越早越好,以免消耗养分,以利于早生和多生匍匐茎。在整个生长季,随着新叶和匍匐茎的发生,下面叶片不断衰老,应及时将老叶除去,以防止老叶消耗养分,也有利于通风透光。

三是引茎和压茎。匍匐茎伸出后应将其在畦面上均匀顺开,以防混交在一起或疏密不均。当匍匐茎长至一定长度,出现幼苗时,人工将匍匐茎伸直、摆正,并及时压茎,即在发苗处挖一小坑,用土压在幼苗基部,以利于发根,提高幼苗繁殖系数。压茎是一项经常性的工作,幼苗随时发生应随时压茎。后期发生的匍匐茎生长期短,生长弱,应加以控制。

四是应用赤霉素。在母株生长旺盛期和大量匍匐茎发生期,可喷50~100mg/g的赤霉素1~2次,以促进母株生长旺盛,提高秧苗产量和质量。

五是培养壮苗。为了培养健壮、整齐一致的秧苗及促进花芽分化,常采用断茎、断根和假植的方法。①断茎:当子苗长出4片以上的叶子后,可在其同母苗连接的匍匐茎间切断,使其成为一株独立生长的苗,利于幼苗的独立生长。②断根:在花芽分化前10~14天可进行断根。由于一时的断根,抑制地上部的营养生长,可使其体内氮素下降,有利于花芽分化。③假植:假植就是把育苗圃中繁殖的幼苗,在栽植到丰产田之前,先经过一段栽植培育的过程。在育苗圃中后期密度过大,苗与苗之间互相拥挤,生长细弱。通过假植,可对苗木按需要的生长空间进行合理布置,使其健康生长。假植时间一般在7月份。假植时将秧苗假植在早已准备好的假植苗圃内。株行距为15cm×15cm,栽后浇水、遮荫。成活后视干旱程度决定浇水时间和次数。在假植圃中再生的匍匐茎应及时摘除。

(4)秧苗出圃。秧苗出圃时要选好出圃时期,科学起苗并分级,然后包装运输。

出圃时期:应为当地草莓定植的最佳时期。当大部分匍匐茎苗长到5~6片复叶时即达到出圃的标准。出圃时间不宜过早或过晚。出圃过早,子苗生长发育不良,苗子质量差,影响产量,降低栽植的成活率;出圃过晚,影响花芽分化,降低草莓产量。如出圃后直接定植于生产园或温室大棚,在华北地区可于8月中旬前后出圃;如果用低温冷藏的方法打破其休眠,出圃时期可推迟到9月上中旬。经过一定时间(20~30天)的低温处理,出圃后直接定植于保护地,并于第二天开始保温,使其直接生长,但要防止徒长。

起苗:起苗深度应不低于15cm,以免切断根系。起苗前如土壤干燥,应提前2~3天浇一次小水。起苗前要切断匍匐茎。定植点近的最好带土起苗移栽。苗子起出后如不能及时栽植,应用水将根泡着,以免根被吹干。

分级:苗子起出后应进行整理,除去老叶和匍匐茎。凡叶片达到5片以上,根系达到6~8条以上的秧苗可作为生产定植用苗。凡不够此标准的可集中假植一段时间,精心培育成为合格苗。

包装运输:需要远途运输的苗子,经过整理后,按一定数目(50或100)捆成一捆,装入浸过水的蒲包或果筐、麻袋中,使袋内保持湿润。运到后立即摊开,不使内部发热,并用清水浸润,不使其被风吹干。

3.特殊的育苗技术

常规育苗一般只能满足促成和半促成栽培,但不能满足超促成和抑制栽培用苗的需要,因此,应利用控制环境的育苗设施,使花芽提早分化,或抑制已分化花芽的植株生长,来满足超促成栽培和抑制栽培对苗子的需要。

(1)低温黑暗处理育苗。为了提早花芽分化的时间,达到10月下旬采收上市的目的,必须确保在6月上旬能够获得足够数量并具有3~4片真叶的壮苗。为此,首先要提早育苗,但育苗开始越早,对保温设施要求越高,育苗的成本也随着提高。最好从1月份开始。其次还要把温度控制在30℃左右,并在定植后20天喷施赤霉素,促使匍匐茎发生和小苗数量的增加。实践证明,赤霉素以浓度100μg/g的促进作用较好。当秧苗达到3~4片叶子时,即可移栽至营养钵内。在移栽后的一周内应遮荫,并每天在叶面上喷水。要及时摘除老叶和匍匐茎以及出现的花蕾,以免影响叶片的展开和植株的发育。在7~8月份的高温季节要进行遮荫,控制钵内土温在30℃左右。遮光率一般控制在50%~60%。

一般在8月上旬至中旬,即在钵内育苗50~60天,便可入库进行低温和黑暗处理。一般要经过一夜低温预冷,第二天清晨气温尚低时放入冷库。低温处理的温度以13~15℃为宜。若温度过低,则花芽分化晚;过高,植株营养消耗大。库内湿度应保持在90%以上。在处理期间,可根据湿度状况决定灌水或喷水。

(2)夜冷短日照处理育苗。其育苗的目的同低温黑暗处理相同,主要是促进花芽提早分化,培养超促成栽培用苗。要求在8月上旬前能培养出生长健壮、发育整齐,具有4~5片以上叶片的秧苗。可利用专门的夜冷短日照处理设施进行处理。

(3)长期冷藏育苗。该法是将前一年已分化好花芽的草莓置于低温下贮藏,暂时抑制其生长,以供抑制栽培使用的育苗方法。

育苗:多采用无假植育苗法,即主要选择8月下旬至9月上旬期间发生的子苗,于9月中旬追肥,10月中旬切断匍匐茎后再行培育壮苗。

长期植株冷藏的秧苗,定植后在新叶生长和花芽发育初期,主要靠自身贮藏的养分。因此,应选择茎粗,根系粗壮而多,重量在30g以上的秧苗,同时花芽分化不易过深,过深在冷藏时易发生冻害。

入库和冷藏:起苗时间在严寒地区一般在12月份,温暖地区在2月上旬进行。起苗时去除老残叶片,抖去根土,装箱进行冷藏。为防止根部干燥,装箱工作可在室内进行,同时注意防止堆集的种苗温度上升过高。在抖落土壤的同时,可进行一次水洗,但不可带水装箱。预先在包装箱内衬上一层聚乙烯塑料薄膜或醋酸乙烯塑料薄膜,密封保存。装箱时根朝下,株间的紧密程度可依情况而定,但要保留一定的空间。入库后的最初几天库温控制在 $-3 \sim -4 \mathbb{C}$,然后逐渐升至 $-1 \sim -2 \mathbb{C}$ 的范围内长期保存。

出库和定植:秧苗出库时要求平均气温为 $22.4 \mathbb{C}$,地温为 $25.4 \mathbb{C}$。露地栽培秧苗出库时间为 8 月下旬至 9 月上旬,温室栽培于 9 月中下旬出库和定植。出库后可在背阴处经 $2 \sim 3$ 小时的驯化,3 小时左右的流水浸根,目的是使其逐渐适应外部气温,并于定植前充分吸收水分。定植时剪去腐烂的根和叶子。

二、栽植技术

(一)选择设施园地

草莓喜光、喜水、喜肥,但不耐涝。因此,设施园地应选在光照充足、排灌方便、地面平坦的位置上,要求土壤疏松,保肥保水性能好,地下水位较低,以砂壤土和轻壤土最好。切忌将园地选择在风口、雹带及光照不充足的阴坡和半阴坡的地方。如果是坡地,应选在背风向阳、光照良好的南坡。

(二)整地、施肥和做畦

在草莓种植前必须把地面平整好,施足底肥。底肥以腐熟的鸡粪最好,一般每公顷 $60 \sim 70 \mathrm{m}^3$。还应施入速效肥,以磷酸二铵较好,每公顷施入 $300 \mathrm{kg}$。有条件的地方可施一些棉籽饼。施肥应结合翻地进行。整好地后打垄做畦。畦一般整成南北走向的高畦,畦顶面宽 $40 \mathrm{cm}$,底宽 $60 \mathrm{cm}$,畦高 $20 \sim 25 \mathrm{cm}$,畦与畦中心距离 $90 \sim 100 \mathrm{cm}$。

(三)定植

1. 定植时期

在华北地区可分为花芽分化前的 8 月上中旬和花芽分化后的

10月上旬两个定植时期。花芽分化前定植既不能过早,也不能过晚。过早,则因气温高,成活率低,苗长得也弱;过晚,则到花芽分化期生长时间短,秧苗不壮,花芽分化会受到影响。超促成栽培和抑制栽培则必须在8月下旬前定植完。

2.定植方法

定植时要求弓背向外,这样将来长出的花序都顺在畦背的外侧,便于管理,同时减少病虫发生。定植深度要求上不埋心、下不露根。过深会影响新叶发生,并导致植株死亡;过浅,部分根系暴露,水分蒸发量大,且吸水困难,也会影响成活。苗木定植前,土壤应保持湿润,最好先用小水将整个畦面洇湿。栽时应尽量避开中午太阳曝晒,一般下午3点以后栽植成活有保障。定植后要用手将植株周围的土压实,并立即浇水。浇水后及时将由于浇水造成的淤苗和露根苗加以整理。

3.定植密度

每公顷以栽植12万～15万株为宜。若土壤肥力高,温室性能好,苗定植量应少些;否则,密度应大些。壮苗每穴1株,弱苗可每穴2株。

第四节　栽培方式与环境调控技术

一、栽培方式

设施栽培的栽培方式可分为促成栽培、半促成栽培、超促成栽培和抑制栽培。

(一)促成栽培

促成栽培是指在自然条件下草莓完成花芽分化后,在进入休眠之前,人为给以高温和长日照处理,抑制其休眠,使其继续生长发育,达到提早开花结果、提早上市的一种栽培方式。

促成栽培应在草莓进入休眠前的 10 月进行保温。所用品种必须是休眠浅的早熟品种,如春香、丰香、静香等。

促成栽培是在冬季最寒冷的季节进行的,需建造保温性能较好的温室,甚至需加温,因此,投资较大、难度较高、技术性较强。但其可使草莓 12 月份上市,价值高,经济效益大。促成栽培必须采取抑制休眠的措施,这是因为尽管促成栽培是在草莓进入休眠之前进行的,但诱发休眠的因素是客观存在的。抑制休眠的措施同解除休眠的措施一样,必须在保温开始后给以高温、长日照和赤霉素等处理。

(二)半促成栽培

半促成栽培是指草莓在秋季完成花芽分化后,进入休眠状态,然后在其自然休眠完成进入觉醒状态时,通过给予高温、光照等措施,使其比露地草莓提前生长、采收的一种保护地栽培方式。

半促成栽培是在草莓进入休眠觉醒期开始保温的,因此,品种的选择比较广泛,所采用的保护设施,开始保温的时期也比较灵活。如采用保温性能好的设施和休眠浅、早熟的品种,保温开始时期可早;反之,保温开始时期必须晚些。另外,如果半促成栽培在开始保温时,草莓仍处于休眠状态,则必须采取高温、长日照和赤霉素等措施解除其休眠。

(三)超促成栽培

超促成栽培是指利用控制环境的育苗装置,对苗木进行低温、短日照处理,人为地诱导花芽分化,使成熟期更早于促成栽培的一种栽培方式。

超促成栽培的关键是育苗,育苗期要提早到 1～2 月份开始。常采用低温黑暗处理育苗和夜冷短日照处理育苗。在品种选择上,虽然各种品种均适于超促成栽培,但为了早成熟、早上市,仍以果实发育期短的早熟品种为宜。在设施类型上,宜采用保温性能好的日光温室。

(四)抑制栽培

抑制栽培是指将已经分化好花芽的草莓苗,通过长期低温冷藏,使其生长发育暂时受到抑制,并在预定采收期的适宜时间定植,从而达到早期收获的一种栽培方式。

抑制栽培对设施类型的要求和对品种的选择与超促成栽培基本相同。关键是植株的长期低温冷藏。

在现有的条件和栽培技术下,抑制栽培的成熟期只能提前到与超促成栽培相同的时期。要想把成熟期提早到8~9月份,关键是克服夏季的高温、多雨天气的障碍。

二、环境调控技术

(一)休眠的抑制

在促成栽培中,由于低温和短日照易诱导草莓休眠,因此,抑制其休眠则是首先要解决的问题。抑制休眠的条件是高温和长日照。抑制休眠的时期必须合适。因为高温、长日照给予得过早,会影响花芽分化,给予得过晚,草莓已进入深休眠时期,抑制比较困难。

1.温度

高温是抑制休眠的重要因素,在促成栽培中,既要考虑休眠的抑制,又要不影响花芽的继续分化,尤其是要保证腋花芽的分化顺利进行。据研究,白天26~27℃,夜间12~13℃,对抑制休眠和促进腋花芽的分化都是有利的。

2.光照

(1)光照的长短。据研究,在实践应用中,从10月下旬开始每天给予16小时的光照,既能抑制休眠,又能使花芽分化良好。光照中断和间歇照明能起到16小时光照的同等作用。

(2)光质。红色光有利于叶的伸展,但抑制花芽的分化,而近红外光则有相反的作用。在实际栽培中,以红色光和近红外光的混合光（白热灯所发的光)作为光照处理的光源是十分有效的。

3.赤霉素

赤霉素施用的浓度因休眠深浅而不同，一般适宜的浓度在 5～10μg/g 范围内。对休眠浅的品种，赤霉素的浓度宜低些；对休眠深的品种，则浓度宜高些。用赤霉素处理效果比较明显，一般第三天即可用肉眼看到，当出现叶柄伸长、叶面积扩大后即应停止。

(二)休眠的打破

在半促成栽培中，保温开始时期，草莓正处于休眠时期，因此，打破休眠是半促成栽培首先要解决的问题。在基本满足草莓休眠对低温要求的前提下，高温、长日照和赤霉素对打破休眠和促进生长有明显的作用。

1.温度

打破休眠的温度宜为 13℃ 以上。据木村报道，打破休眠的有效温度范围可分为 13～18℃、18～27℃、27℃ 以上 3 级。它们打破休眠的效果比率为 1:2:3。30～35℃ 的高温，不仅有促进打破休眠的效果，而且能防止植株矮化。

2.日照

目前，对打破休眠的日照长度的界限还不十分清楚。但 13.5 小时的白炽灯光照和 11 小时左右的自然日照都具有打破休眠的效果。另外，光照中断和间歇照明具有与 16 小时光照同样的效果。

3.赤霉素

赤霉素也有打破休眠的作用。在保温后 10 周内喷 1～2 次，即可起作用。其浓度范围一般为 5～10μg/g。对休眠浅的品种，浓度宜低些，如春香、丰香、静香等一般用 5μg/g；对休眠深的品种，浓度宜高些，如宝交早生、全明星、哈尼等一般用 10μg/g。

由以上可见，不论是促成栽培还是半促成栽培，在保温后，给予高温、长日照和赤霉素处理是一项必须首要实施的措施。

(三)温度和湿度管理

1.温度管理

在保温初期,为了加速根、叶的生长,尽快增加叶数和叶面积,应尽快将温度升上来。白天温度应达到30℃左右,一般不超过35℃;夜间最低气温应在8℃以上,保持在10℃左右。此期地温以17～23℃为宜,湿度保持为85%。

开花期温度要控制好,因为花器对温度很敏感,30℃以上高温,花粉授粉受精不良;35℃以上高温会出现花药变褐、花萼枯死现象。夜温降到0℃以下,雌蕊也易受害。此期,白天应控制在20～25℃,当预计气温会达到25℃时,应及早进行换气降温。夜温保持在8℃左右,但不能低于3℃。

到了果实膨大期,为了获得品质优良的果实,温度应稍低些,一般白天20～24℃,夜间5～7℃,要尽可能按此温度进行管理。夜温高于8℃,果实着色快,但果实增个慢,易长成小果,所以,最好能把夜温保持在8℃以下。

在果实成熟期,白天气温控制在20～25℃,夜间8～10℃。夜温若高于10℃,果实成熟期提前,但果个会变小,因此,注意白天放风,维持8℃左右的夜温,提高光合作用的能力,才能获得大的和品质优良的果实。

2.湿度管理

保温初期,湿度应控制在85%左右。在开花期,应严格控制湿度,保持在30%～50%,否则对花粉萌发和授粉受精不利。果实膨大期和果实成熟期,湿度应维持在60%～70%之间。

第五节 栽培管理技术

一、肥水管理

设施栽培在果实膨大、生长和成熟期都需要充足的水分和养分,肥水管理非常关键,尤其是前期的旺盛生长已消耗了大量的养分,如果施肥不及时,会使叶子同化能力减弱,植株生长衰退,造成植株早衰,影响产量和质量。需要喷施 0.5% 的氮、磷、钾复合肥,每公顷用水量 1 200kg。喷施的次数可根据植株生长势而定,一般在生长季节喷 2~3 次即可。

保温初期,温度提升快,植株需水量也大,故土壤很易缺水,但由于在设施内,土壤表面显得很湿润,往往给人一种不缺水的假象,而实际上植株层已缺水,因此及时浇水非常必要。

一般在采收第一次果前后不需要灌水,只有到后期土壤才表现出缺水的现象。灌水时应注意不要使水浸泡果实,以免腐烂。

二、植株管理

保温后的植株管理对于保证草莓正常生长和开始结果极为重要。

(一)去除老叶和地膜覆盖

保温后要将老叶子剪去,只留下 2~3 片新叶,并在铺地膜前灌足水和中耕除草,修整畦面。

地膜覆盖是一项重要工作。它既能提高地温,促进肥料分解,又能减少土壤水分蒸发量,降低室内温度,同时还可防除杂草,保持果面清洁,提高果品质量,还可降低地下害虫对果实的危害程度。铺膜后,在草莓植株上方割一小口,小心地将小苗提到地膜上面,不要把苗连根提起。

（二）摘除匍匐茎和侧芽

保温后，由于温度高，湿度大，再加上肥料充足，会使腋芽形成分株或匍匐茎，因此，应把草莓茎下部多余的腋芽摘除。摘芽时除顶芽外，留最上部 2 个腋芽，下部腋芽全部摘除。在密植情况下，也可只留 1 个腋芽，稀时也可留 3 个腋芽。摘芽宜早不宜迟，过迟达不到集中利用养分的目的，一般在出蕾前进行。同时，及时摘除匍匐茎和老叶、枯叶，以利果实质量和产量的提高。

（三）疏花和疏果

开花结果后，要计划留果，以提高果实品质。如果花序数过多，应疏除弱花、晚开花和畸形花，坐果后疏除受精不良的畸形果、裂果和过早变白的小果。在疏花、疏果时，应注意首先除去同一花序中的高级次的序花，留发育正常、充实的花。大果型每花序少留，小果型多留；顶花序多留，其余花序少留。经过疏花、疏果，可使留下的浆果有充分的营养供应，保证产量和品质的提高。

第六节　病虫害防治技术

一、主要病害

（一）灰霉病

灰霉病是草莓设施栽培中最严重的病害之一。早期可感染叶柄、叶片、花蕾、果柄，但以果实发病为主，在浆果成熟期症状最明显。叶上发病时，产生褐色水渍状病斑，有时病部微具轮纹，温度较高时，叶背出现白色绒毛状菌丝。叶柄、果柄受浸染后变褐，病斑常环绕叶柄、果柄，最后萎蔫干枯。果实发病时出现油渍状淡褐色小斑点，随之斑点扩大，全果变软，上生灰色霉状物。

灰霉病病原菌为灰霉菌，在 20℃ 左右及高温条件下形成孢子，飞散蔓延。30℃ 以上的高温和 2℃ 以下的低温不形成孢子，不发病。病菌在受害组织中越冬,靠风、雨水传播。在设施栽培中,依品种不同,发病的程度各不相同。春香、丰香、静香、宝交早生等品种,以静香发病最严重。

防治方法:此病一旦染上很难彻底根除,因此,要采取积极的预防措施。草莓应种在开阔通风、光照条件好的地块上,还应合理密植。在越冬前和越冬后要各进行 1 次掰病叶工作,把老叶、枯叶彻底清除干净,集中烧毁,然后用 70% 甲基托布津 500 倍液对植株及根附近的地面喷洒 2～3 次,可有效地预防该病的发生。蕾期前用 50% 的速克灵 800 倍液或 50% 的多菌灵 500 倍液喷布防治;在幼叶开始生长时和蕾期喷 0.05% 的硼酸,效果均比较理想。

(二)白粉病

该病主要危害叶片,也可侵染果柄及果实。发病初期,叶背局部出现白色霉状物,以后迅速扩展到全株,随病情加重,叶向上卷曲,呈汤匙状。花蕾、花感病后,花瓣变为粉红色,花蕾不能开放。果实感病后,果面覆盖白粉状物,果实着色差;早期果实受害后,停止发育,后枯死。

该病菌在干燥及高湿条件下均易传播。但病菌孢子在有水滴存在的条件下则不能发芽。孢子在晴天午后大量飞散传播,降雨可抑制孢子的飞散。病菌能在植株上整年寄生,越冬过夏。病菌侵染适温 15～20℃,5℃ 以下和 35℃ 以上均不发病。

防治方法:推广抗病品种;进行合理密植,及时摘除老叶,加强通风透光。发病初期用 75% 百菌清可湿性粉剂 500～700 倍液喷洒,隔 10 天再补喷 1 次,效果明显;或在发病初期喷布 25% 粉锈宁可湿性粉剂 3 000～5 000 倍液。另外,要及时摘除早期病叶、病果。

(三)黄萎病

该病发病始期,叶片生长缓慢,发病植株从心叶展开始,3 片小叶有 1 片或 2 片变黄、变小,呈舟形;或叶表面粗糙、无光泽,叶缘变褐向内,凋萎甚至枯死。被害植株的根也逐渐变成黑褐色。

黄萎病是由尖镰孢菌属病原菌侵染为害所致。病原菌以原垣孢子在土壤中的病株残体上存留,成为以后的侵染源。病原菌适宜的发育温度为 25～30℃。当草莓移栽时,原垣孢子发芽,菌丝侵入根组织中进行繁殖,形成小型分生孢子,在导管中移动、增殖,堵塞导管,使草莓茎、叶出现发病症状。一般排水不良、土壤通透性差,氮肥施用过多或有线虫为害的地块有利于该病的发生。连作则更加剧发病的进程和严重程度。

防治方法:避免连作,并实行严格的土壤消毒。利用太阳能进行土壤消毒处理。消毒前深翻土壤,扣棚封闭 5～7 天,使土壤温度升至 45℃ 以上。用氯化苯消毒,每公顷 150kg 左右。深翻20cm,经 7～10 天即可。

(四)褐斑病

该病主要为害叶片,在叶面上形成褐色,外缘比较暗的圆形或不规则的斑。衰老的叶片容易感病。病害发生盛期正是花芽分化期,所以可影响下一年的产量。在老草莓园或密度过大、杂草多的地块易发病。

防治方法:推广抗病品种;进行合理密植,及时摘除老叶,加强通风透光。发病初期用 75% 百菌清可湿性粉剂 500～700 倍液喷洒,隔 10 天再补喷 1 次,防治效果明显。

(五)白斑病

白斑病俗称蛇眼病,是一种真菌病害,在我国多数草莓栽培地区时有发生。其主要症状是受害叶片表面出现圆形斑点,中间灰白色,边缘紫褐色,呈蛇眼状。此病从春到秋均有发生,常在多湿时或植株衰弱时发生。

防治方法:同褐斑病。

(六)芽枯病

芽枯病也称草莓立枯病,主要危害花蕾、芽及新生幼叶。感病后花蕾及新生芽出现青枯,而后逐渐变褐而枯死。芽枯部位常有霉状物产生,且多有蛛网状白色或淡黄色丝络形成。展开叶较小,叶柄和托叶带红色,然后从茎叶基部开始变褐。

此病由立枯丝核菌侵染所致。发病适温 22~25℃,多湿、多肥条件下发病较重。保护地栽培中,棚内高温、高湿更易发病,种植密度过大、老叶过多、栽植过深、侧芽过多的情况下最易感病。

防治方法:栽植时密度合理,不宜过深;灌水不宜过多,特别是不能淹苗。及早拔除病株,通风换气。喷多抗霉素 1 000 倍液 3~5 次,或用克菌丹 800 倍液喷 5 次左右,每次喷药间隔期 7 天左右。

(七)果实白化病

设施栽培中,经常会出现有的浆果是白色或淡黄白色,或者果面有一部分明显白化且界限非常清楚,这就是草莓的白化病。果实通常大小正常,只是没有颜色,没味,果实发软,外观差,并很快腐烂。果肉呈白色、粉红色和杂色;果面上的种子常被轻度红色环绕,红色以外为白色。这种病发生较为普遍。

白化病不是病菌引起的,而是由环境因素和生理失调造成的。植株生长过旺,氮肥过多,果实发育期夜温过低,湿度过大,光照不足均可造成。生产上应加强管理,合理调整温、湿度,以减轻病害的发生。

(八)病毒病

草莓的病毒病有几种,是由几种草莓病毒单独或重复感染而引起的病症的总称。发病轻的只是长势略衰,重的植株呈现矮化,萎缩变小。特别严重时植株呈现极端矮小化,叶子扭曲,匍匐茎长刺,停止生长,叶柄变成暗红色以至枯死。当植株发生矮化、生长势衰弱、产量连年降低,又找不出其他病症时,就可断定是病毒感染。

防治方法:发现病株,拔掉烧毁,以防传染。培育无病毒壮苗。

病毒一般是由蚜虫、红蜘蛛、线虫等传播的,因此,要随时注意消灭这些害虫。

二、主要虫害

(一)蚜虫

危害草莓的蚜虫有多种,常见的有桃蚜、棉蚜。蚜虫在草莓上全年都有发生。温室草莓扣棚后由于温度较高,蚜虫发生较多。蚜虫多在幼叶、叶柄、叶的背面吸食汁液,蜜露污染叶片和果实,并使叶弯曲变形,有的还是病毒的传播者,其传毒造成的危害大于它本身为害所造成的损失。蚜虫以成蚜在草莓植株和老叶下面越冬。在温室内则常年活动、繁殖。

防治方法:蚜虫以药剂防治为主。温室栽培的草莓,在开花以前喷 2 000~3 000 倍敌杀死,或 50%辟蚜雾 2 000 倍液,或 40%氧化乐果 1 500~2 000 倍液均有良好的效果。现蕾后如有蚜虫发生,应采用棚内薰蒸法防治。因花期喷药可诱发畸形果,故一般不用药。用 50%灭蚜烟剂薰治,既可避免果实受农药污染,又能起到良好的防治效果。

(二)红蜘蛛

目前生产上为害草莓的红蜘蛛有多种,以二点叶螨居多。由于红蜘蛛个体小,不易被发现,且多在叶背食汁液危害,常被人们忽视。受害叶片的叶面呈黄白色,叶片皱缩。严重时整个叶片枯黄死掉,使植株生长受到严重抑制。红蜘蛛一年发生数代,繁殖力极强。以成虫潜伏在土缝或杂草根部越冬,并在越冬寄主上繁殖。

防治方法:红蜘蛛主要靠药剂防治,尼索朗 2 000 倍液,或灭扫利 3 000 倍液,或杀螨利果 2 000 倍液均有良好的防治效果。叶螨类多在下部叶背越冬,所以,早春应及时摘掉下部枯萎老叶。防治时,一般可将加温开始之后作为重点防治的时期。

（三）草莓芽线虫

寄生在草莓芽上的线虫主要是草莓线虫和草莓芽线虫。一般都称为草莓芽线虫。其体长 0.6～0.9mm，体宽 0.2mm 左右。植株受害轻时，新叶歪曲、畸形，叶色变浓，光泽增加；严重时植株萎蔫，芽和叶片变成黄色或红色，可见所谓"草莓红芽"的症状。受线虫危害的植株，芽的数量明显增多，为害花芽时，花蕾、萼片、花瓣变成畸形，严重时花芽退化、消失，明显减产。

防治方法：实行轮作，深翻倒茬；发现病株及时拔除；花芽分化开始前用敌百虫 500～600 倍液，每隔 7 天喷 1 次，喷 3～4 次，芽部一定要喷到。栽前用热水处理草莓苗，先放在 35℃的热水里处理 10 分钟，后放在 45℃左右药水中浸泡 10 分钟，冷却后栽植。另外，也可采用土壤消毒法进行防治。

（四）草莓卷叶蛾

幼虫为害叶子，常见受害叶子上卷，绿色幼虫潜在中间吐丝结网，继续为害。在保护地栽培中，幼虫可在植株上越冬，发芽后就会造成危害。

防治方法：开花前喷 1 次 40% 乐果乳剂 800～1 000 倍液；采收后喷 1 次 50% 马拉硫磷 1 000～1 500 倍液。

（五）草莓花象鼻虫

草莓花象鼻虫的幼虫和成虫都能危害草莓。该虫以成虫越冬，早春发芽后咬食叶片、花萼，并能进入花蕾吃掉花粉。成虫产卵于花蕾上，而后咬断花茎，造成花蕾落地。幼虫在凋落的花蕾里发育。

防治方法：蕾期和浆果收获后，各喷 1 次 1 000～2 000 倍50% 的马拉硫磷液。

（六）蛴螬

蛴螬是金龟子的幼虫，食性很杂，是田间主要害虫。其在草莓收获期和花芽分化期咬食根、茎，使植株枯死，严重时造成缺苗断垄。蛴螬喜欢在有机质多的土壤中活动,成虫经常把卵产在厩肥上。幼虫乳白色,密被棕褐色细毛,头部为黄褐色。

防治方法:早晨人工捕捉成虫。栽植前用水胺硫磷、辛硫磷等农药处理土壤和堆肥。在开花前使用 80%敌敌畏乳剂兑水 1 500 倍液喷布,或在为害期用 40%乐果乳剂 1 000 倍液喷布。

(七)蛞蝓

蛞蝓为陆生软体动物,近年来在温室中发生较为普遍。常在阴暗、多湿的地方生活,在草莓上咬食幼芽、嫩叶、果实等。该虫生长快,繁殖也快,一般 10 天左右可从卵长到体长 1cm 以上。保护地草莓一般在果实成熟前后受害严重,果实被咬食后常造成孔洞,并在爬过的地方附着粘液,失去商品价值,严重时,被害果达 90%以上。

防治方法:地面喷施 20%速灭杀丁 5 000 倍液或 2.5%的敌杀死 3 000 倍液。蛞蝓白天多在地膜下,或表层土壤,或地块下栖憩,人工捕杀也非常重要。喷药时应主要喷地面或膜下,地面喷施用药量可多些。

第七节　采收、包装与保鲜

一、采收

草莓是极不耐贮存和运输的果品,成熟后必须及时采收。鲜食草莓一般掌握在八成熟时采收,这时果面着色约 75%。果肉软,不耐贮运的品种,如宝交早生可适当早采,果肉较硬的品种,如全明星可适当晚采。外销的果实可适当早采,当地销的果实可适当晚采。

采收草莓方法要得当,采收时连同果柄一起摘下,用拇指甲和食指甲把果柄掐断或用小剪刀剪断。摘果时不应硬拉,因硬拉常拉下果序和碰伤果皮,影响草莓的产量和品质。对果实要轻拿轻放,采收量大时要用塑料果盘,然后再集中装于小盒。

采收时间可早、晚进行。上午采收,要在晨露稍干后进行,中午炎热来临前结束。因为早晨果实表面附着露水,中午果实温度太高,都易造成果实腐烂。果实摘下后要立即放在阴凉通风处,使之迅速散热降温。为了提高工作效率,可边采收、边分级、包装,将畸形果、烂果、干浆果、虫果挑出,另行处理,以免影响果实质量。但烂果一定不要丢弃田间,以免重复感染。尽量将已成熟果 1 次采尽,延迟采收会因果实过熟而烂在地里。

二、分级包装

目前,我国大部分草莓种植区,销售果实混级堆放,地摊摆卖,既不卫生,又不便于购者携带。草莓果实实行分级包装,可极大地提高它的商品性,增加经济收益。

保护地草莓,采收期一般在 11 月上旬到第二年 5 月上中旬。此时正是鲜果上市淡季,属高档果品,因此,应以小包装为主。目前市场上采用的主要是塑料盒包装。规格应根据草莓果个大小或等级而定。

分级的标准是:特级果重 25g 以上,一级果重 20g 以上,二级果重 15～19g,三级果重 10～14g,其余为等外果。

草莓的包装,可根据成熟期及市场情况采用不同的包装形式。一般春节前后成熟的品种,由于价格高,均用小塑料盒包装,每盒150～250g;3～4 月份以后成熟的品种,可用硬纸果箱或小塑料盒包装。

用大箱装运草莓,在运输过程中势必相互挤压,造成果实破烂,大量果汁流失。这不但给销售带来困难,也大大降低了商品的营养价值。所以,必须先用小包装箱,再用大包装箱,但大包装箱以不超过 2.5kg 为宜。

三、保鲜

草莓果实采收后极易腐烂,腐烂的主要原因是灰霉病所致。灰霉病的病原菌多是从田间带来的。一些果实在采收前从受侵染的叶部、土壤及幼物咬伤处感染。即使是微小的病斑,采收后在5℃下7天内便可变成可见的腐烂病斑,产生大量菌丝,透入健康组织,造成果实腐烂。为了使草莓果实在采后贮存和运输中保护其新鲜度和品质,必须采用适宜的保鲜方法。

1. 采前处理

果实成熟前15天喷1次500倍50%的多菌灵,可以减少采收后的果实腐烂。

2. 采后处理

草莓采收后,应尽快降低果实的温度,否则易造成果实腐烂。降温方法最好采取快速预冷,使其在1小时内降到1℃,然后在5℃下贮藏,最佳条件为0℃,相对温度90%～98%。

3. 低温贮藏

(1 ± 1)℃的低温可抑制灰霉病的发生。在(1 ± 1)℃的低温下贮存7天,可保持草莓的新鲜度不变。

4. 气调贮藏

气调贮藏最佳的贮藏条件是1%的氧气或10%～20%的二氧化碳。氧气浓度再低或者二氧化碳浓度再高都会造成果实异味。

5. 速冻保鲜

速冻就是用-25℃以下低温,使果实在短暂的时间内急速冷冻,从而达到冷藏保鲜的目的。品种不同对速冻适应性不同。因此,必须先用适合加工速冻的品种作为速冻原料。一般来说,果肉硬度大的品种比较适合速冻保鲜,如全明星、硕丰等;相反,果肉疏松的品种都不宜用来速冻冷藏。

6. 药剂处理

用 0.1%～0.15% 植酸 + 0.05% 山梨酸 + 0.1% 过氧乙酸的混合液处理草莓果实,在常温下能保鲜 1 周,在低温冷藏条件下能保鲜 15 天,好果率达 90%～95%。

7. 辐照处理

用 500GY 的 γ 射线对草莓果实进行辐射处理,然后置于 8～10℃ 下贮存,从第 2 天起,未经照射的果实开始发霉,到 15 天时全部霉烂,而辐射处理的果实从第 12 天起才有个别变软,表面有溃斑。

第八章　葡萄的设施栽培

葡萄是一种味道鲜美且营养价值较高的水果,名列世界四大水果之首。它富含糖类、多种矿物质、多种维生素和十几种氨基酸,具有较高的医疗价值。加之葡萄属浆果,皮薄肉厚,柔软多汁,味道甘甜适口,深受人们的喜爱。

葡萄是世界上栽培面积最大的水果。仅我国 80 年代就已突破 4.6 万 hm^2。葡萄是一个含水量高的水果,不耐贮运,销售及上市又相对集中,这就限制了它的进一步发展。为了满足人民生活的需要,调节葡萄鲜果的市场供应,延长葡萄的供应时间,人们很早就开始了葡萄的设施栽培。早在 19 世纪末 20 世纪初,欧洲一些国家已经利用温室及大棚栽培葡萄。据资料介绍,20 世纪中期荷兰设施栽培葡萄面积已达 $860hm^2$,到 20 世纪 80 年代,就突破了 1 万 hm^2。另外,比利时、西班牙、意大利也发展了相当规模的葡萄温室。相比之下,我国在葡萄设施栽培方面起步较晚,直到 1979 年,才在我国黑龙江齐齐哈尔园艺站栽培成功。进入 80 年代以后,辽宁、吉林、山东等地先后开始发展葡萄设施栽培,获得了成功的经验,取得了很好的经济效益。近年来,山东、河南、河北等地葡萄设施栽培发展非常快。据不完全统计,现全国葡萄设施栽培面积已有 $399.6hm^2$。并形成了辽宁营口、河北唐山两个最大的商品生产基地。

第一节　品种选择

一、品种选择的原则和依据

对设施栽培葡萄品种的选择,要遵循以下原则:

(1)最好选欧亚种。欧亚种葡萄品质极佳,穗形美观,色泽鲜艳,肉质较硬,酸甜适中。且易于管理,高产稳产,适合于设施栽培。在市场上欧亚种葡萄很受欢迎。

(2)选早熟品种。早熟品种的果实发育期短,一般为120天左右。在设施条件下,可提早上市。当前,设施栽培还是以提早成熟为主。正常情况下,设施内葡萄可比露地提早50~70天上市。这样,就可保证种植者获得较高的收益。

另外,还要依据品种的低温需冷量、耐荫性、耐湿性等性状进行选择。

二、优良品种

1.87-1 葡萄

该品种为欧亚种。植株生长中庸,萌芽力高,主干上的隐芽也能萌发。结果能力强,结果枝占总芽眼数的86%。该品种坐果率高,果穗紧凑,不裂果,丰产快,3年生树,平均单株产量3~4kg。果穗呈阔圆锥形,平均穗重531g,最大穗重2 000g以上。平均果粒重5.1g,长卵圆形。果面呈玫瑰紫色略带红晕,果皮薄,果肉脆而多汁,不脱粒。耐运输。果皮与果肉、果肉与种子都易分离。果肉有较浓的玫瑰香味,可溶性固形物14.2%,口味甜,品质上等。露地5月上旬萌芽,7月下旬果实成熟。

2.乍娜

该品种为欧亚种,70年代引入我国。植株生长势中等,芽眼萌发率高。进入结果期早,果枝结实力强,隐芽和副芽结实力均强,副梢结实力中等。丰产、稳产、不裂果。果穗圆锥形,具双歧肩,果穗中大,平均重500g左右,最大果穗可超过1 000g,果粒着生紧密,较整齐。果皮红紫色,近圆形,平均粒重4g左右。果皮厚,果粉中等,软肉多汁,酸甜适中,香味淡。可溶性固形物含量为15%,品质中上等。每果含种子1~3粒。果肉与种子易分离。露地果实 8 月上旬成熟。

3. 早玫瑰

该品种为欧亚种，由玫瑰香与莎巴珍珠杂交育成。树势生长中庸偏弱，枝条节间短，副梢萌发力强，结果枝占芽眼总量的 43.4%，副梢结实力弱，产量中等。果穗中大，平均重 290g，最大穗重 365g，圆锥形，果粒着生紧密、整齐。果粒中大，平均重 3～4g，短圆锥形，红紫色，果皮薄，肉质软，有浓郁的玫瑰香味。可溶性固形物含量 15%，品质上等。露地果实 7 月中下旬成熟。

4. 早玛瑙

该品种为欧亚种，由玫瑰香和京早晶杂交育成。植株生长势中等，芽眼萌发率较高。结果枝占总芽眼的 50%。果穗多着生在 3～4 节上，平均穗重 400g，圆锥形，果粒着生紧密，个较大，平均重 4g 多。果粉中等，果皮较薄，易剥离。核小肉厚，质脆肉甜。可溶性固形物含量 16%，品质上等。北方露地 4 月上旬萌芽，8 月初果实成熟。

5. 紫玉

紫玉又叫早生高墨，欧亚杂交种。植株长势中庸。芽眼萌发率高，副梢结实力强，结果枝占总芽眼的 75%，幼树较丰产。果穗大、圆锥形，平均果穗重 510g，最大穗重 870g。果粒极大，平均重 13g，最大粒重 17g，椭圆形。果皮紫黑色，中等厚。肉质细、汁液多、风味甜。可溶性固形物含量 17%，品质上等。在露地 5 月上旬萌芽，8 月中旬果实完全成熟。整个发育期约 120 天。

6. 凤凰 51

该品种为欧亚种，由白玫瑰与绯红杂交育成。植株长势中等。芽眼萌发率较高。结果枝占总芽数的 60%。果穗大，平均重 347.4g，最大穗重 1 200g、果粒着生紧密，近圆形，果面有浅纵状沟棱，平均粒重 7g，最大粒重 14.3g。果实为玫瑰红或紫红色，果皮中等厚，果粉薄。肉质脆、汁多，有浓玫瑰香味。可溶性固形物含量 15%,甜酸可口,品质上等。露地果实 7 月下旬成熟。

7.康太

该品种为欧美杂交种。树势较强,芽眼萌发率高,早实丰产。结果枝占总芽眼数的 82.5%。果穗圆锥形,果粒着生紧密,平均穗重 340g,最大穗重 810g。平均果粒重 8g,最大粒重 15g。果粒近球形、整齐、黑紫色,果皮厚而韧,果粉厚,果皮与肉不易剥离。果质松软、多汁,充分成熟时,有草莓香味。可溶性固形物含量 13%左右,品质中等,露地果实 8 月上旬成熟。

8.京亚

该品种为欧美杂交种。植株生长旺盛,芽眼萌发率高,副梢萌发力强。结果枝占总芽数的 65.5%,果穗大,圆锥形,果粒椭圆形,着生中等紧密,平均穗重 450g,最大穗重 1 000g。平均果粒重 12g,最大果粒重 18g。果皮紫黑色,肉质软且多汁,酸甜适中,有香味。可溶性固形物含量 14.5%。露地果实 8 月中旬成熟。

9.里查马特

该品种为欧亚种。植株生长旺盛,萌芽率高。副梢萌发力强,结实率高。结果枝率 46.3%,果穗极大,圆锥形,果粒着生松散。平均果穗重 1 180g,最大果穗重 3 500g。果粒长圆柱形、极大,平均果粒重 13g,最大粒重 22g。充分成熟时,果皮紫红色,外观艳丽,果皮薄,肉质细脆,清香甘甜,果汁多,有微果香味,品质极佳。可溶性固形物含量 17%左右,果皮不易剥离。在露地情况下,果实 8 月中旬成熟。

10.胜宝

又称坂田胜宝,属欧美杂交种。该品种树势强健,萌芽率高,结果率高,结果早,极丰产,3 年生树每公顷产量 22 500kg。果穗大而整齐,圆锥形,平均穗重 480g,最大穗重 1 060g。果粒近球形,着生紧密而整齐。果粒大,平均果粒重 8.1g,最大果粒重 15g。果皮黑紫色,果粉厚,果皮厚而韧,肉软多汁,口味酸甜适中,有草莓香味,品质中等。可溶性固形物含量为15%。露地果实8月初成熟。

11．京秀

该品种属欧亚种。果穗圆锥形,平均果穗重450g,最大果穗重1 000g。果粒着生紧密,平均单粒重6.3g,最大单粒重9g。果皮玫瑰红或红色,肉质脆,味甜多汁。不落果,不裂果,较丰产,耐运输。郑州地区6月底成熟,为极早熟品种。

12．京优

该品种属欧美杂种。平均果穗重580g,最大果穗重850g。果粒着生紧密,果皮红紫色,肉厚而脆,多汁。含糖量16%～19%。有草莓香味。平均单粒重10g,最大单粒重12.5g。

第二节　生物学特性

一、生长结果习性

葡萄的根系非常发达,由骨干根和幼根组成。其根系特征与苗木繁殖方法有关。一般来说,实生嫁接苗有一直根,其上发育各级侧根;而扦插繁殖苗,主要由节间形成层形成的一到多层不定根组成。葡萄根系多分布在20～60cm的土层内,所以,比较耐旱。它在一年内可出现两个生长高峰,早春土温达到10℃左右时根系开始活动,12～13℃新根开始生长,一般北方露地6月中下旬进入生长高峰期;进入7、8月份,由于温度太高,根系暂时停长或生长缓慢,到早秋季节,进入第二次生长高峰,一直到11月份。根的最适生长环境为:土壤温度在15～22℃,田间最大持水量在60%～70%。

早春平均气温稳定在10℃以上时,葡萄的芽开始萌发,随后逐渐伸长,形成新梢。新梢生长最旺盛的时期在5月中旬至6月中旬。随着新梢的生长,在叶腋中形成两种芽,即夏芽和冬芽。夏芽当年就能萌发,形成副梢;冬芽一般当年不萌发,过冬后到第二年春季才萌发,但在某些特殊情况下,冬芽也能被迫在当年萌发。在良好的营养条件下,当年萌发的冬芽新梢也能结果。生产中应用这一特性,使之一年多次结果。冬芽是由一个主芽和几个副芽组成的,主芽比副芽发达,所以,常常只有主芽萌发,副芽只是在主芽受伤害时才萌发。但有些品种,特别是欧美杂种,常常有1~2个副芽与主芽同时萌发的情况,而且副芽新梢也能结实。春季葡萄萌芽时,有些芽不萌发,在多年生枝上形成隐芽,这些隐芽在修剪等技术的重刺激下,有时也能萌发。可利用其进行老蔓更新。

葡萄叶柄较长,有趋光性,因而,可使每片叶子较好地接受阳光。葡萄进行光合作用的最适温度是 28~30℃,超过 30℃,光合作用变迟缓,到 45℃时光合作用停止。当温度低于 6℃时,光合作用也很难进行。一片叶子从芽中抽出到成叶不再生长,一般需要 20~30 天。

葡萄的花序是复总状花序或圆锥花序。它的卷须与花序是同源的,随着树体的营养不同可以相互转化。花序的形成与营养条件有密切关系。营养条件好,花序多,上面的花蕾多;营养条件差,花序发育不完全,花蕾少,有的还带卷须。葡萄花有 3 种类型:完全花(两性花)、雄性花和雌性花。大多数品种是完全(两性)花,有雌蕊和雄蕊,能自花授粉。少数品种为雌性花,雄蕊向下弯曲,花粉不能发芽,必须进行异花授粉。另外,还有一些品种,可以单性结实,即不通过授粉,子房就可膨大而长成果实。

葡萄花序受精结实后形成果穗,果穗上着生果粒。葡萄的果实为浆果,含有大量水分。葡萄果实的生长分几个时期:开花后受精,果实开始生长,盛花后 3 天左右,是果实快速生长时期,叫果实生长第一期;其后,果实生长缓慢,是果实生长第二期,此时正是种子硬化时期,所以,又称为硬核期;再后,果实又开始快速生长,直到完全成熟,是果实生长的第三期。果实生长的一、二、三期的长短,因品种而异。一般早熟品种第二期短,晚熟品种第二期长。有核葡萄的果实中有1~4粒种子。种子的发育影响果实的大小。种子有助长细胞增大的作用。有些无核品种果粒中没有种子。

葡萄花芽的分化是在开花期前后,主梢上靠近下部的冬芽先开始花芽分化。随着新梢的延长,新梢各节的冬芽一般是从下而上开始分化,但最基部的1~3节上冬芽开始分化稍迟。这与该处营养积累有关。冬芽内花原基突状体出现后,进一步形成各级分轴,至当年秋季冬芽开始休眠时,末级分轴顶端单个花的原基分化出花托原基。进入休眠后,花序形态上又有明显变化。一直到翌年春季展叶后,每个花蕾才开始依次分化出花萼、花冠、花蕊等。一般叶后1周形成萼片、2周形成花冠,出叶后2~3周雄蕊开始发育,再过1周花原始体出现,不久就形成雌蕊。早期花序原基分化,主要靠树体内上年贮存的营养物质。据田野(1984年)研究,葡萄花芽分化与品种有关,玫瑰露花芽分化期是5月13~20日,康湃尔是从5月10~27日。另外,新梢不同节位的芽开始分化期也不同,一般最早开始分化的是新梢基部2~3芽,其次是4~5芽。

二、对环境条件的要求

葡萄为喜温树种,其各个生长期对温度的要求不同。平均温度在10℃左右时开始萌发。新梢生长和花芽分化最适温度为25~30℃,开花适宜温度为20~28℃,气温低于10℃新梢不能正常生长,低于14℃将影响正常开花,浆果不能正常成熟。另外,品种间稍有差异。当温度高于20℃时,浆果迅速成熟,其成熟最适温度为28~32℃。果实成熟期间昼夜温差大于10℃时,果实品质良好。葡萄不同器官对低温的抵抗能力不同。发育成熟、组织充实的枝条,能耐-20℃以下的低温;休眠芽能耐-17℃的低温。欧洲品种的根系最不耐寒,在-5~-7℃时即发生冻害。

葡萄是喜光植物,对光照要求较高。光照充足,有利于生长发育、开花结果和花芽分化;光照不足时,果实着色不好,品质下降。北方地区光照充足,晴天多,日照时数长(全年日照在 2 700 小时以上),完全能满足葡萄对光照的要求。尤其是山地阳坡或开阔的山地,光照比较充足,果实品质好。在设施条件下,光照条件远差于露地,如管理不当,栽植密度大,留枝过多,极易造成郁闭,引起严重的光照不足。所以,应引起足够的重视,在修剪时,一定不要留枝太多,必要时可增设人工光源。

作为一个重要的生理因子,水分对葡萄植株的生长和产量、品质都有很大的影响。在葡萄生长初期,要大量合成有机物质,转化与积累养分,所以,对水分要求高;而开花时,土壤过湿或降雨会阻碍正常受精,引起大量落花落果,所以,这一时期要适当控水;浆果成熟期空气湿度过大,会引起葡萄病害孳生,引起裂果烂果,这一时期,对水分要求最低。葡萄虽是耐旱树种,但在干旱条件下会出现生长势减弱、果实含糖量低、酸度高和枝条生长发育不良,从而造成果实品质差和树体越冬困难。因此,要千方百计地满足葡萄对水分的要求。我国葡萄主要产区雨量多集中在夏秋之间,因此,降水的分布与露地葡萄生长要求不符,而保护地葡萄可不受这一季节性的限制。

葡萄对土壤的适应性很广,除重盐碱地外,在其他类型的土壤上都能生长。但葡萄最适宜的土壤是砂质壤土。虽然其根系的适应性强,但对不同土壤条件的反应比较敏感。如欧洲品种在含石灰质丰富的土壤上生长良好,根系发达,浆果含糖量高,风味浓。为了葡萄能正常生长结果,土层深度应在 80cm 以上。土层薄的山坡地应修筑梯田,加深土层。

三、物候期

露地葡萄的正常年发育周期可分为 6 个阶段:

1. 树液流动期

又名伤流期。这一时期从枝蔓伤口大量分泌透明液体时开始。早春当根系活动区的土壤温度达到 6～9℃ 时,树液开始流动,根的吸收作用逐渐增强,在根压的作用下,在没有愈合的伤口处发生伤流。伤流液的主要成分为水分,还含有少量由有机物和矿物质组成的干物质。虽然伤流对树体营养物质损失并不大,但还是应尽量减少发生。此期加强松土,及时追肥、灌水都可减轻伤流的发生。在树体萌芽后,伤流则自动减轻,直至停止。

2. 萌芽和新梢生长期

这一时期从萌芽开始,到开花期结束。早春气温回升,韧皮部细胞进入活动状态,当温度稳定在 10℃ 以上时,营养物质进入生长点,引起细胞分裂、芽眼膨大和萌发并长出嫩梢。种和品种间萌芽所需温度稍有差别。从萌芽到开花期新梢迅速生长,最快时每日可增长 4cm。枝条全年生长量的 60% 都是在这一时期完成的。这一时期的快速生长直接影响枝条本身的营养状况,而营养状况对花芽分化又有重要影响,进而影响来年的产量。因此,必须保证这个时期植株有良好的生长条件。

3. 开花期

当气温上升到 20℃ 左右时,欧洲品种即进入开花期。开花期最适宜的温度是 25～30℃。天气正常时,葡萄的花期多为 6～7天。气温越高,开花越早,花期越短。开花期间如遇低温或阴雨天气,不但花期延长,而且授粉受精受到影响。同一植株上不同部位的花,开放时间不一致,一般梢底部的花先开,穗基部的花比穗中上部的花先开。在一天中,花蕾从早上 6 时至下午 6 时开放,但多在 8～11 时开放。柱头在花蕾开放后 4～6 天仍保持受精能力。开花期正是新梢旺盛生长期,结果和生长争夺营养剧烈,外加上受精不完全、环境不良等,易造成落花落果。因此,对容易落花落果的品种,在开花前 3～5 天对结果枝进行摘心或喷 0.2% 硼砂液,有利于提高坐果率。

4. 浆果生长期

这一时期从子房开始膨大起，到浆果开始变软为止。我国北部葡萄产区浆果生长期从6月上旬开始，持续1～2个月时间。子房中胚珠受精完全者发育快，浆果长得大；受精不良或营养不良者，浆果不发育，甚至脱落。当子房长到4～7mm时，浆果叶绿素含量减少，同化作用减弱，淀粉含量降低，这是浆果的第一生长期。以后生长较慢。在进入第二生长期时，生长速度又加快，到第二生长期末，浆果已基本具备成熟时的大小和形状。浆果生长期的长短，取决于新梢生长期的长短，新梢停止生长越早，浆果生长就越快。较低的温度能使新梢生长减弱，从而加速浆果生长。浆果生长期间，也正是花序和冬芽突起的时期，故要加强肥水管理，适当施磷、钾肥。同时还应注意对新梢摘心、去副梢及缚蔓等。

5. 浆果成熟期

这一时期自浆果软化着色开始，到完全成熟为止。北方露地葡萄成熟期约在7月上旬至10月下旬，保护地葡萄成熟期在5～6月份。在生产中，根据产品用途不同，要求果实成熟的程度也不一样，如本地鲜食果实可完全成熟时采收，如运输外销，只要葡萄具有良好的风味，不一定完全成熟即可采收。浆果成熟期间叶片光合能力强，创造养分多，但由于浆果大量积累糖分，新梢停止生长而未木质化，花芽继续分化，根部也贮藏养分，故要注意增施磷、钾肥，保护好叶子。并注意排水，防止葡萄浆果腐烂。

6. 落叶休眠期

秋季随着气温下降，叶片停止了光合作用，叶柄产生离层，叶片变黄而脱落，整个树体生长期结束，进入自然休眠期。一般葡萄的自然休眠从9月上旬开始，至扣棚升温萌芽结束。自然休眠的结束，通常要经受7.2℃以上800小时左右的低温的积累。一般给予合适的条件，就可以解除休眠而开始生长发育。但葡萄的休眠对低温的要求似乎并不那么严格,因而比较容易解除休眠。这一特性在设施栽培的其他果树中都不常见。这也是葡萄比较适合设施栽培的一个重要条件。

在设施栽培情况下,由于扣棚时间、加温措施等不同,对葡萄物候期影响很大。表 8-1 是不同扣棚时间对采收期的影响。

表 8-1　　　　　不同扣棚时间对采收期的影响

设施类型	栽培品种	扣棚时间 (年·月·日)	采收时间 (年·月·日)
日光温室	凤凰 51	1996.12.1 对照 1997.1.8 对照	1996.6.10 1996.7.13 1997.6.10 1997.7.3
塑料大棚	凤凰 51 坂田胜宝	1996.1.21 对照 1997.1.11 对照	1996.6.2 1996.7.13 1997.6.26 1997.7.23

第三节　　苗木准备与栽植

一、苗木准备

苗木质量的好坏,不仅影响成活率和生长情况,而且对结果时期、产量高低、适应能力、抗逆性和生产寿命都有很大影响。因此,设施栽培的苗木都必须是品种纯正、生长健壮、根系发达的合格苗木。表 8-2 是辽宁省的葡萄苗木标准(SB)。

二、栽植技术

葡萄抗逆性强,适应性广,对土壤条件没有严格要求。最好选择土壤质地良好、土层厚、便于排灌的地方建园,并构建设施。还应避免周围有高大的建筑或其他附属物遮荫挡光。考虑到经济实用、投入较低等因素,并兼顾建筑牢固、保温性能好、能抗风雨,并便于调控等因素,可充分借助当地的自然、地理条件,进行不同设施结构的建造。

表 8-2 辽宁省葡萄苗木标准

部　　　位	一级苗	二级苗
根	侧根数 6 条以上 侧根数 20cm(4~5)	4 条以上 15cm(3~4)
茎蔓	长度 20cm 粗 0.7cm 以上	15cm 0.5cm 以上(根茎以上 5cm 处)
芽	芽眼 3~4 个以上	2~3 个以上

目前,葡萄设施生产常用的有 3 种模式:一是成龄园片扣棚生产。即在现有果园上,直接加盖设施。这种模式管理比较粗放,效益也不高。二是一年一栽制。即上年栽植,第二年浆果采收后立即拔掉。其好处:一是可加大栽植密度,提高产量;二是可解决葡萄设施生产中隔年结果的障碍,但苗木投入量大,成本相对较高。三是多年一栽制。即一次定植苗木,通过人为进行树体调控,使树体维持在一定的生产水平上,可连续生产多年。这种模式生产中应用最多。

设施葡萄栽培定植前,要确定栽植密度,即每公顷定植的株数。合理的栽植密度,是设施生产的前提,如果密度过小,单位面积产量低,发挥不了设施栽培的高效性;如密度太大,设施内容易郁闭,不能保证生产的延续性。因此,合理的栽植密度要根据品种特性、立地条件、效益目标及管理技术而定。目前,保护地葡萄的栽植密度还很不统一,争论较大,但有一点是肯定的,即棚室栽培密度要大于露地栽培密度。一年一栽制,可按(0.5~1.0)m×

(1.5~2.0)m的株行距,每公顷栽植5 250~13 500株;也有双行带状定植,双篱壁整枝的,株行距为0.5m×2.0m,每公顷栽植1万株。多年一栽制,应适当降低栽植密度,可按(0.8~1.0)m×(2.0~2.5)m的株行距设计。

葡萄设施栽培,因受设施的限制,不易进行大的生产操作,所以,苗木定植前,应加大土壤改良的一次性投入,尤其是对土壤粘板的地块或阴湿低洼的盐碱地。针对不同的土壤质地,应采用不同的改良方法。如粘土掺沙、沙土混泥、底层通透、草被压盐等。但土壤改良的中心环节是提高有机质含量。一般定植前,每公顷折合施入腐熟的有机肥5.25万~9.0万kg。

一切准备工作做好后,就可进行栽植。我国北方大部分地区,春季3月中旬至5月上旬进行定植。一年一栽制的生产模式,应在6月底前浆果全部采收后,拔掉棚内老株,彻底清园,结合深翻增施有机肥的同时,注意清除土壤中残留的各种根段,将预先栽植在营养袋中的健壮苗木移到棚内定植,定植时间不得迟于6月下旬。多年一栽制模式,定植的最好时间是在春天出芽前进行,在土温已经回升的3月上中旬为最佳。入冬前出圃的苗木,要在湿沙中假植过冬。假植时应注意防干缩、防冻、防过湿。

第四节 设施栽培方式与环境调控技术

一、设施栽培方式

葡萄设施栽培在我国开展较早。最先是由山东和辽宁一带的果农试种成功的。在较长的栽培过程中,果农们利用当地自然条件,采取了不同的栽培方式,在不同季节,采用不同的保护设施,人为地控制葡萄生长发育所需要的环境条件,使葡萄四季结果、多次收获,以满足市场的周年供应。实现这一目标,首先要考虑供应市场的时间。成熟收获供应市场的时间,决定于葡萄品种的特性、采用的设施类型和开始保温的时期。此外,根据葡萄具有多次结实及容易解除休眠的特性,葡萄鲜果收获期可以人为控制在任何需要的时期。在日光温室栽培方式下,玫瑰露品种在9~10月份开始保温,正常情况下11月份可以开花,第二年的2~3月份果实可成熟上市;而玫瑰香品种,在同样的保温措施下,成熟期则在翌年的5月下旬。利用玫瑰香的冬芽结实,9月份保温开花,春节前后正好上市;乍娜在1~2月份加温,6月初果实可成熟上市。简易日光温室的保温效果相对较差,2月份保温,玫瑰露、玫瑰香等品种3月份可进入花期,5~6月份果实成熟。现在生产中较常利用的塑料大棚,其保温性能几乎同于简易温室。但玫瑰香在同等保温条件下,成熟却要等到7~8月份,如果利用其冬芽开花结实,7~8月份开花坐果后,9月份天稍寒就进行保温,可在11~12月份收获果实。

设施栽培无论在哪个地区采取何种方式,都要根据实际情况灵活掌握保温时间,开始时间都必须采取有效措施打破葡萄的休眠,以保证正常开花结果。

二、环境因子调控技术

(一)温度

温度是植物生命活动的最基本的要素,尤其是设施栽培,温度起着决定性作用。调节好温度指标,是栽培成功的关键。设施内的热量来源有两个途径:一是太阳辐射能;二是人工补助加温。温度的变化规律,在一天之中是:白天接收大量的太阳辐射能,而热量散失较少,则温度上升较快,土壤也不断地蓄积热量而升温;夜间只有热量的散失,没有补充,温度不断下降。设施内温度受外界的日温及季节气温变化的影响剧烈,存在着明显的季节温差和较大的昼夜温差。据辽宁熊岳地区观测,12月下旬至1月下旬塑料大棚内气温最低,旬平均气温多在5℃以下,2月中旬至3月上旬气温逐渐回升。3月中下旬至4月下旬当外界气温尚低时,棚内最高气温可达到15~38℃,比露地高5~15℃。5~6月份棚内最高气温可达50℃以上,已大大超过葡萄所能忍受的高温。此时,露地旬平均气温已越过17℃,达到了葡萄生长发育的要求,可适时解除薄膜覆盖,或将四周薄膜卷起。9月上旬以后,露地白天最高气温低于30℃,最低气温15℃以下,当利用二次果进行延迟栽培时,需加薄膜覆盖保温。覆盖后到10月中旬,棚内最高气温30℃左右,最低气温15~16℃,且逐渐下降。10月下旬到11月上旬,最高气温20℃左右,夜间温度6~8℃,如遇西北风,常随寒潮降温和发生霜冻。11月下旬以后,棚内长期处于霜冻状态。棚内气温的日变化比外界剧烈。根据观测,葡萄的升温催芽时间还可提前到元旦前后。棚内的地温受外界的影响同样具有季节性和天气型的变化。每年有1~2个月的结冻期。2月底到3月初地温回升到10℃左右,以后逐渐升高。3月中旬20cm土壤温度可稳定在15℃。3月下旬至4月中旬增温显著,地温回升较快。保温效果与覆盖材料的保温性能、保护设施的保温比、土壤的热容量以及气象因素等有关。目前,应用较多的多层覆盖方法有双层固定覆盖、室内保温幕、小拱等。在早期升温条件下,要保证葡萄正常发育,单靠日光升温,有时存在一定风险。如升温前期夜间气温过低、地温上升缓慢、花期连阴雨天影响坐果、新梢基部1~4节难于成花等。要根据室内的具体情况适当补充加温,不仅能解决上述问题,还可使成熟期提前,这是不加温薄膜温室无可比拟的。设施栽培进入早春,低温已不必担心,这时要谨防高温危害。一般晴天在上午9时以后,就应根据棚内温度状况适当进行通风换气。通风口可设在棚面的上部和下部,上、下通风口要错开。可开通天窗,也可采用扒缝的方式放风降温。通风量要逐渐增大,不可使棚内气温忽高忽低变化剧烈,否则,会使葡萄叶片或嫩梢受到伤害。

(二)湿度

设施内的湿度条件,包括空气湿度和土壤湿度。由于设施栽培的果树处于封闭状态,空气相对湿度由土壤蒸发和作物蒸腾而产生。空气相对湿度因天气状况及加温、通风和灌水等措施而异。晴天,一般白天空气的相对湿度为50%～60%,夜间达到90%以上;阴天,白天可达70%～80%,夜间达到饱和状态。白天气温高,加上适当的通风,空气的相对湿度较低。土壤湿度由灌溉产生,并不断地向外蒸发或被植物吸收而蒸腾。土壤蒸发和作物蒸腾的水分一部分随空气流动而散失,一部分在薄膜表面凝结。凝结的水滴经薄膜表面流向大棚两边或温室前缘,造成中部干燥,而且随保护设施跨度的增大,干燥区扩大。葡萄不同生长发育阶段对空气湿度和土壤水分的要求不同。当土壤中水分过多时蒸发量加大,因而造成空气湿度过大,为病害的侵染创造了有利条件,导致葡萄发病。另外,过多的水分会使葡萄新梢旺长,影响坐果和果实的成熟。反之,湿度过低则可使新梢、果实等器官的生长停滞,同样造成危害。因此,必须对湿度适时进行调节,使之满足葡萄生长发育的要求。常规增加湿度的方法为:地面撒水、灌溉等。降低湿度的方法,可采用地面覆盖,抑制土壤水分的蒸发;控制灌水,提高室内温度,使饱和差上升,利用晴天加大通风量,减少棚内水汽量等措施。湿度特别大,又不能放风时,可采用人工放置吸水剂,如生石灰等,以降低空气湿度。

(三)关键时期温、湿度的调控技术

萌芽后,植株新梢进入初期生长时期。为了防止新梢疯长,以利花器分化;要实行低温管理,也就是萌芽后的棚室温度管理指标要从催芽末期的高水平降下来,白天控制在25～28℃,夜间保持15℃左右,地温15℃左右。由于此期也是易发生灰霉病的时期,要严格控制空气湿度,在控制灌水的同时,及时通风换气,使空气湿度保持在60%左右。为避免过涝和防止灰霉病发生,须覆盖地膜,待谢花、坐果后,再撒掉地膜。进入开花前,当花蕾尖散开时,根据当时土壤水分状况,必要时可适量灌一次小水,以保证开花的顺利进行。葡萄植株在开花授粉期间,对温、湿度要求很严格。虽因品种不同而不一样,但多数品种需在比较高的温度环境条件下授粉受精过程才能顺利进行。温度过低,湿度过大,花药不易开裂,授粉不良;温度过高,湿度过小,影响花粉发芽和受精。若温度超过35℃时,开花受到抑制。据日本人平田氏等研究证明,巨峰品种30℃时花粉发芽最好,发芽率达55%,低于25℃时,往往授粉不良,穗形变散。所以,为了提高花粉发芽率,保证授粉、受精过程顺利进行,此期的温度管理指标要适当高些,白天保持28℃左右,夜间保持16~18℃。进入开花期时,要停止灌水,保持空气湿度50%左右,注意经常通风换气,以保证此期对温、湿度的要求,否则会因灌水而降低地温、增加土壤湿度,使新梢生长旺盛,更会造成设施内空气湿度过大,对葡萄授粉受精不利,造成严重的落花落果。花期过后,幼果进入迅速膨大生长期,为了促进幼果膨大生长、促进成熟,适当提高这一时期的夜间温度有很大意义。花后15天内,气温可保持在20℃左右,以后控制在18~20℃,但不要超过20℃,昼温保持25~28℃,注意最高不能超过30℃。空气湿度不宜超过60%。葡萄各关键环节对温、湿度的要求,如表8-3。

表 8-3 设施葡萄不同生育期温、湿度要求

生育期	温度(℃)		空气湿度(%)
	昼 温	夜 温	
萌芽期	15~20	10~15	80
新梢生长期	20~25	15	80
开花期	20 左右	5~10	50~60
果粒膨大期	20~25	15~20	70
浆果成熟期	25	10~20	70~80

(四)光照

　　光照调节主要包括两方面的内容：一是改进保护设施的结构与管理技术，加强管理，增加自然透入率；二是人工补光。而人工补光成本较高，生产上应用得较少。因此，改进设施结构与管理技术就成为光照调节的主要内容。具体方法是：选用无滴薄膜、抗老化膜，经常清洗薄膜表面；选用强度较大的材料，适当简化建筑结构，以减少骨架遮光；利用反射光，既可增加光照强度，又可改善光照分布，是廉价的补光措施。特别是从升温开始到葡萄开花期间使用，效果更佳。最简单的方法是在建材和墙上涂白，用铝板、铝泊或银灰反光膜作反光镜，枝间挂反光条，地面铺设反光膜，反射率达 80%，不仅能提高保护地内的光照强度，还可提高气温，节省能源。日光温室反射板可垂直安置于北侧墙上，也可以倾斜设置。适时揭放保温材料，延长光照时数。揭开保温材料的时间，以揭后室内不降温为原则。

第五节　栽培管理技术

一、整形修剪

　　设施内栽培的葡萄，不需要埋土防寒，其整形方式原则上可以不受限制。

(一)单臂单层水平整枝

　　适用于日光温室和塑料大棚的篱架种植。苗木按 1m 株距定植，萌芽抽枝后，选留 1 个健壮新梢培养成主蔓，待新梢长 1.5～1.6m 时摘心，摘心后副梢萌发，将基部 50～60cm 处的副梢全部抹除，60cm 以上的副梢留 2～6 片叶摘心。冬季修剪时，将主蔓上的副梢全部剪掉，只留 1 条 1.5～1.6m 长的主蔓来年结果。第二年将主蔓从南向北水平绑在距地面高 50～60cm 的第一道铁丝上,新梢萌发后,将主蔓基部60cm以下的萌发芽眼尽早抹去,60cm以上的则隔1节留1个果枝,共留4～5个新梢结果,并均匀地将其绑在架面上。冬剪时,在每个果枝基部留2芽短截。第三年,在每个短结果母枝上留1～2个结果枝结果。冬剪时仍留相同数量的2节短结果母枝下年结果。这样,树形就培养成了。以后按第三年的方法继续培养。但在剪留短结果母枝时,应尽量选用近主蔓的健壮结果枝,以防结果部位上移。如下部结果枝较细,不得不留上部果枝作结果母枝时,则在留上部的结果母枝时,将下部较弱新梢剪留1芽作预备枝,让其形成一健壮新梢。待下一年冬剪时,把上部果枝全部剪除,将预备枝剪留两芽作结果母枝,供来年结果。

(二)双臂单层水平整枝

适用于日光温室近中柱南北行篱架种植。首先,苗木按2m的株距定植。苗木发芽后,仍选留1个健壮新梢,培育为一侧主蔓。待新梢长1.8～1.9m时摘心,摘心后副梢萌发,为提早成形,可利用副梢整形。即在新梢距地面约80cm处,选留1生长健壮的副梢培养成另一侧的主蔓,其余萌发副梢位于此副梢以下的全部抹去,此副梢以上者,除顶端1个留4～6叶摘心外,均留1～2叶摘心,以保证选留副梢的健壮生长。待选留副梢长到1m左右时摘心。2次副梢的摘心处理,除顶端1个长到30cm左右再摘心外,其余的一律留1叶摘心,以促进枝蔓加粗生长,并有利于促进枝蔓成熟和芽眼的花芽分化,为第二年结果奠定良好的基础。冬季修剪时,将副梢全部剪去,树形即基本完成。以后的培养同单臂单层水平整枝一样。培养这种树形也可在定植苗萌发后,选留2个健壮新梢分别培养成两侧的主蔓成形。这种树形的优点是:树形结构简单,整形修剪技术简单;树势均衡,枝蔓生长均匀,坐果率高;穗较紧密,果实品质与着色均好;管理方便,通风透光好。

(三)龙干整枝

适用于日光温室和塑料大棚的棚架种植。龙干整枝通常分独龙干和双龙干两种整枝形式。在设施栽培中,多采用独龙干整枝。采用这种整枝方式的树苗按株距0.5~0.75m定植。定植苗萌发后,选留1个粗壮新梢培养成主蔓,待新梢长到2~2.3m时摘心,除顶端1~2个副梢长到50cm左右摘心,其余叶腋副梢距地面70~80cm以下的全部抹除,以上的则根据粗度作不同处理,0.7cm以上的留4~5节摘心,细的留1~2叶摘心。2次副梢的处理按上法进行。冬季修剪时,将主蔓上的副梢全部剪去,每株只保留1个长2~2.3m的健壮主蔓结果。第二年,芽眼萌发后,将主蔓近地面70~80cm以下的萌发芽眼全部抹除,从80cm处开始,每个主蔓上部两侧分别每隔30cm左右留1个结果枝结果,每个结果枝留1个果穗。冬剪时,在每个果枝的基部剪留2芽作结果母枝,较弱的果枝剪留1芽。至此,树形基本完成。以后每年在短结果母枝上选留1个好的结果枝结果。在架面未布满时,可利用主蔓顶端结果枝作延长枝。延长枝剪留长度不宜过长,一般剪留6~7节,到满架为止。应用这种树形一定要注意培养好系列短结果枝组。这种整枝方式的优点是:技术简单,易于掌握,果枝在架面上分布均匀,有利于通风透光。

(四)小扇形整枝

适用于日光温室和塑料大棚的篱架种植。特别是对需简易埋土防寒的塑料大棚栽培更为有利。这种整形方式,种植株距多为1m,也有采用1.2m的。定植苗萌发后,选留2个健壮新梢培养成主蔓,待新梢长到1.3~1.5m时摘心,摘心后的副梢处理同前述。冬季修剪时,剪去全部副梢,只留2个长1.3~1.5m、粗1cm左右的主蔓结果。第二年,芽眼萌发后,将主蔓基部50cm以下的萌发芽眼全部抹去,50cm以上的主蔓两侧分别每隔30cm左右留1个结果枝结果,每个主蔓分别留4~5个结果枝。冬剪时,除主蔓顶端各留 1 个 5～7 节的延长枝扩大树冠外,其余的均留基部 2～3 芽短剪成结果枝。至此,树形基本完成。这种整枝形式的优点是:株形小,成形快,有利于早结果、早生长。

(五)冬剪

大棚、温室葡萄的冬季修剪,与一般露地葡萄的冬剪基本相同。但在具体修剪方法上,又略有差别。露地修剪讲究树形,留枝偏少(每平方米架面内留 6～8 个结果母枝),以中剪为主(每个结果母枝一般留 4～5 个芽)。大棚、温室葡萄的冬季修剪,应将结果母枝剪得短一些,留枝数要适当多一些,这样就比较容易把新梢长势调整得较整齐。大棚、温室葡萄冬剪的具体方法是:不过多地强调树形,要因树制宜,除主蔓延长枝根据扩大架面的需要适当长剪外,对其他的结果母枝一律采用短梢修剪,即每个结果母枝留 2～3 个芽,留枝数要适当增加一些,即每平方米架面留 10～12 个结果母枝。冬季修剪的时间应在葡萄叶片落完后进行。但由于各地气候条件不同,具体修剪的时间会有些差异。

(六)生长季修剪

葡萄的大量修剪是在生长季进行的,生长中根据实际情况采取一系列的技术手段,及时调整生长与结果、个体与整体的关系,对防止或减少病虫害的发生、生产出优质的水果,都有非常重要的意义。生产中常用的生长季修剪手段有抹芽、引缚、扭梢、去须等。

(1)抹芽定梢。在设施栽培中,抹芽定梢的目的是为了调节树势,控制新梢花前生长量。抹芽定梢的具体实施,要根据树势情况而定,树势弱的要早抹早定,树势强旺的要晚抹晚定。一般从萌芽至开花,可连续进行 2～3 次。当新梢能明确分开强弱时,进行第一次抹芽,并结合留梢密度抹去强梢和弱梢以及多余的发育枝、副芽枝和隐芽枝,使留下的新梢整齐一致。留梢密度,在棚架情况下,一般每平方米架面可保留 8～12 个;篱架情况下,新梢间隔距离 20cm 左右。当新梢长到约 20cm 时进行第二次抹芽,并按照留梢密度进行定梢,去强弱,留中庸。当新梢长到40cm左右时,结合整理架面,再次抹去个别过强的枝梢。并同时进行引缚,以使架面充分通风透光。

(2)引缚。在设施栽培条件下,引缚对调节树势,尤其是调节枝势具有很好的作用。另外,引缚还有理顺枝梢、整理架面、通风透光的作用。引缚时期,最好是在新梢长到40cm左右时进行,过早容易折断。对于已经留下的弱梢,可以不引缚,任其自然。对于强梢,可以先"捻"后"引",或将其呈弓形引缚于架面上,以削弱其枝势。常用的绑扣方法多用"8字扣"和"猪蹄扣"。

(3)去卷须。在引缚新梢的同时,对新梢上发出的卷须要及时摘除,以便减少营养消耗和便于工作。

(4)扭梢。设施栽培葡萄发芽往往不整齐,有的顶部芽萌发长到20cm时,下部芽才萌发。为了结果枝在开花前长短基本一致,当先萌动的芽新梢长到20cm左右时,将基部扭一下,使其缓慢生长。这样,晚萌发的新梢经过10～15天生长即可赶上。另外,在开花前对花序上部的新梢进行扭梢,可提高坐果率20%左右。

(5)新梢摘心。摘心是于花前将新梢的梢尖剪掉,以暂时缓和新梢与花穗对贮存营养的争夺,使贮存养分更多地流入花穗,以保证花芽分化、开花和坐果对营养的需要。摘心时期,一般在花前4～7天进行,而对于落花重的品种,以花前2～3天为宜。摘心程度,一般以花上留7～8片叶为好,并同时去掉花穗以下所有副梢上的叶片,以增加摘心效果。而对于营养枝摘心,只捏去新梢先端未展叶的柔软部分。

(6)副梢处理。果实生长期,也正是副梢萌发生长高峰,要及时处理,以减少养分分流。对于花前摘心的营养枝发出的副梢,只保留顶端1～2个副梢,每个副梢上留2～4片叶反复摘心,副梢上发出的二次副梢,只留顶端的1个副梢的2～3片叶,其余的副梢长出后应立即从基部抹去,使营养集中到叶片,以加强光合作用,促进花芽分化和新梢成熟。对于摘心后的结果枝发出的副梢,一般将花序下部的副梢去掉,上部疏去一部分,只留2～3个副梢。副梢上留2～3片叶摘心,副梢上发出的二次副梢、三次副梢只留1片叶反复摘心。到果实着色时停止对副梢进行摘心,这段时期共摘心4～6次。

二、水肥管理

(一)水分

在葡萄的整个生长发育过程中,水占有极其重要的地位。水作为土壤中各种养分的溶媒,葡萄从土壤中吸收的养分,都是由水来传送的。同时,它又参与树体内的各种生理活动,如有机物质的合成、分解与养分的运转以及调节体温等。葡萄年生长周期中,需水变化规律是:葡萄在发芽前的催芽期间,是其生育期中需水量最大的时期。催芽期间,若水分供给不足,容易发生催芽期拖长、发芽率下降,或者是发芽不整齐的问题。此时要充分灌水,一般以30mm水量,反复灌2～3次;葡萄萌芽后至开花期间,为了防止新梢徒长,利于花器分化,应严格控制灌水。但在1～2年更新一次的短周期栽培制中,由于根系分布的范围较浅,下层土壤水分散失较快,容易干燥,常会造成新梢长势衰弱,影响坐果。所以,在花前10天左右,如果土壤比较干旱,可酌情灌一次水,对开花坐果比较有利。开花期间不宜灌水,否则,会引起落花落果。浆果膨大期,果实迅速膨大,枝叶旺盛生长,叶片蒸腾量大,是果实生长发育阶段中需水量最大的一个时期,也是促进保护地葡萄提早成熟的一个关键时期。在此期适时灌水,对促进幼果迅速膨大生长、提高根的活力、促进养分的吸收、提高肥效,都是十分有利的。这时要小水勤灌,一般以15～20mm的水量,每隔7天灌一次。浆果着色至成熟期间,灌水次数要适当减少。为了保证果实在第二个生长高峰对水分的需要,可于10～15天灌一次小水,但为了促进果实糖分的积累,保持土壤湿润即可。果实采收后立即进行树体改造,结合施肥灌一次大水,有利于恢复树势,促进新梢发育,为来年打好基础。此后,应视天气情况适时灌水。在葡萄落叶冬剪后,要灌一次透水,然后,即可覆盖薄膜和草帘子。我们通过多年的潜心研究,得出了设施葡萄各个时期的滴灌定额,以便数量化控制设施内的湿度(见表8-4)。

表 8-4 大棚葡萄的滴灌定额

生育期	定额 (t/667m²)	滴灌时间 (h)	间隔期 (d)	次数
覆盖至萌芽	7.2	3		2
萌芽前 10 天	10.0	4		1
花期至落花前 10 天	0	0		0
落花后 10 天至浆果着色	10.0	4	10	3
浆果着色至成熟	7.2	3	10	2

(二)肥料

葡萄的生长发育需从土壤中吸取大量的营养物质,土壤能否在葡萄各个生长发育时期及时地提供所需要的营养物质,是树体健壮、丰产、优质的基础。葡萄园常用的肥料可分为有机肥料和无机肥料。有机肥料有人粪尿、鸡粪、猪粪、牛粪、马粪、羊粪、绿肥、草木灰及各种饼肥等。无机肥料是含氮、磷、钾及其他元素的化学肥料,如常用的尿素、碳酸氢氨、过磷酸钙、磷酸二氨、磷酸二氢钾、硼酸、硫酸镁、硫酸锰,以及各种复合肥和专用肥等。有机肥主要用作底肥或基肥,无机肥常作追肥使用。一年中,进行 3～4 次施肥,即花后果实膨大期、着色期、果实采收后和早秋。前几次以化肥为主,最后一次以有机肥为主。有机肥是一年中的基础性肥料,故称为基肥。化肥在葡萄生长发育过程中作为补充肥料,也叫追肥或补肥。基肥的施用时期以露地葡萄果实采收后的 9 月上旬施入为宜,而且越早越好。因早施地温高,有机物分解快,便于根系吸收利用,有利于树体积累营养,使枝条成熟得充实,花芽饱满。并且此时正值根系的第二个生长高峰,伤根容易愈合,并促发新根。如春施基肥,因地温较低,有机物分解缓慢,伤根不易愈合,影响新梢生长和花芽的补充分化。另外,春季易干旱,施肥沟又较深,土壤水分蒸发量大,对保墒极为不利。基肥的施用量,因肥料的种类、质量、土壤、品种、负载量等因素而不同。群众经验为:鸡粪或鸡粪拌马粪施用效果较好。一般每公顷施有机肥 15 万~30万 kg,可加入适量的过磷酸钙(1 500kg 左右)和硼肥(硼砂 45kg)。施肥时,先在葡萄定植沟两侧定植点 40~50cm 处挖深 46~60cm、宽 40cm 左右的沟,将粪与土壤混合后填入沟内,然后盖土,并灌水。追肥是在葡萄生长发育的不同阶段,对大量需要或缺少的元素进行补充。第一次在坐果后的果实迅速膨大期,以施氮肥为主,施磷钾肥为辅,每公顷施入氮、磷、钾比例为 2:1:1 的肥料600kg 左右,以促进枝叶生长和幼果膨大;第二次在浆果着色前,以施磷、钾肥为主,施氮肥为辅。每公顷施入氮、磷、钾比例为 1:2:2 的肥料 450kg 左右。追施方法是:先在葡萄定植沟两侧距定植点 40~50cm 处挖深 40~60cm、宽 40cm 左右的沟,将粪肥与土壤混合后填入沟内,然后盖土,并灌水。追肥时用沟施,也可撒施。沟施时,在定植点两侧 30~40cm 挖深 15~20cm、宽 20cm 的小沟,撒完肥料后立即盖土。为让肥料迅速发挥肥效,追肥后最好结合灌水。撒施是在灌水的同时,将肥料撒在沟内,肥料随水渗入土壤中。从幼果膨大至果实成熟期间,为满足葡萄新梢和果实生长发育的需要,除土壤施肥外,还应适当地进行叶面喷肥。在幼果膨大期间,每隔 10~15 天向叶面喷布 1 次 0.3% 的尿素或其他以氮素为主的叶面肥,果实着色后每 15 天左右喷布 1 次 0.3% ~0.5% 的磷酸二氢钾。果实采收后应结合灌水施入一定量的速效性氮肥,也可加入适量磷、钾肥。对土壤中易缺少的元素,应适时补充,可结合基肥一起施入,也可进行叶面喷施。

三、花果管理技术

设施生产必须采取多种方法提高坐果率,并促进果实早成熟上市。对生长势强的结果梢,在花前对花序上部进行扭梢,或留5～6片大叶摘心,可提高坐果率。花前对叶片、花序喷布1次0.2%～0.3%的硼酸或0.2%硼砂溶液,每隔5天左右喷1次,共连续喷布2～3次。盛花期用浓度为25～40mg/kg的赤霉素溶液浸醮花序或喷雾,不仅可以提高坐果率,而且可以促使果实提早15天左右成熟。疏穗、疏粒、合理负荷、及时定产,不仅可以提高品质,而且可以提高坐果率。

(1)疏穗。谢花后10～15天,根据坐果情况进行疏穗,生长势强的果枝可保留2个果穗,生长势弱的则不留,生长势中庸的留1个果穗。

(2)疏粒。落花后15～20天,进行选择性地疏粒,疏去过密果和单性果。像巨峰葡萄,每个果穗可保留60个果粒。

(3)促进浆果着色和成熟的摘叶与疏梢。浆果开始着色时,摘掉新梢基部老叶,疏除遮盖果穗的无效新梢,改善通风透光条件,促进浆果着色。

(4)环割。浆果着色前,在结果母枝基部或结果枝基部进行环割,可促进浆果着色、提前7～10天成熟。

(5)喷布乙烯利与钾肥。在硬核期喷布浓度为25mg/kg的乙烯利加0.3%磷酸二氢钾,可促使浆果提早7～10天成熟。

第六节　病虫害防治技术

在设施内栽培的葡萄,由于处于高温高湿的环境条件下,容易发生病虫危害。发生较多的有灰霉病、葡萄穗轴褐枯病、白腐病、蓟马等。露地生长阶段易发生霜霉病、黑痘病、葡萄虎蛾、二星叶蝉等。

一、病害

(一)霜霉病

该病在我国各葡萄产区均有发生,是葡萄的主要病害之一。幼苗感病后,叶片枯焦,新梢生长停滞,枝条不能成熟。成株发病,引起早期落叶,削弱树势,影响葡萄产量。嫩梢受害,初生水渍状、略凹陷的褐色病斑,天气潮湿,病斑上产生稀疏的霜霉状物,后期病组织干缩,新梢生长停滞、新梢枯死。卷须、叶柄、幼花序有时也能被害,其症状与新梢类似,于病部产生霜霉。幼果受害,病部褐色,产生白色霜状霉层,易脱落。果实着色后不再被侵染。葡萄霜霉病,一般多于7月初开始发生,7月中旬发病渐多,8~9月份为发病盛期。秋季低温、多雨,易引起病害发生。欧美杂交种抗病力较强,欧亚种次之,东亚种山葡萄最易感病。贝达葡萄抗病力最强,用贝达葡萄与欧亚种或欧美杂交种杂交,其后代抗病力均强。

主要防治方法如下:

(1)清除病害传染源。晚秋清扫落叶,剪除病梢,集中烧毁或深埋,减少越冬病源。

(2)加强栽培管理。及时中耕除草,排除果园积水,降低土壤湿度,合理修剪,及时整枝,使架面通风透光。增施磷、钾肥及有机肥,酸性土壤多施石灰,提高植株抗病能力。

(3)药剂防治。发病前喷布1:0.7:200的波尔多液或35%的碱式硫酸铜悬浮剂400倍液,每隔10~15天喷布一次,连续喷药2~3次,控制病害发生。发病初期,应喷布具有内吸治疗作用的杀菌剂,如40%疫霜灵可湿性粉剂200~300倍液,或58%代森锰锌可湿性粉剂400~600倍液、64%乐毒矾锰锌400~500倍液或疫霜灵与50%克菌丹可湿性粉剂500~800倍液混用。根据天气和发病情况,一般喷2~3次,每次间隔10天左右。

(二)白腐病

该病是葡萄的重要病害之一。在葡萄产区普遍发生。一般年份发病率为10%～20%，在多雨年份发生率可高达40%以上，对产量造成的损失极大。该病害主要危害果穗，也可危害叶片及新梢。果穗发病，首先在穗轴、小穗或果轴上，初生水渍状、不规则的浅褐色病斑。病斑不断扩大，逐渐向果粒蔓延，常使整个果穗或部分小穗腐烂脱落。果粒发病先自基部发生淡褐色水渍状病斑，进而全粒变褐腐烂，随后在果面产生初为灰白色、后为灰黑色的小斑点。新蔓发病多发生在扭伤部位。病斑初呈水渍状淡红褐色，边缘深褐色，逐渐扩展为长方形暗褐色的病斑，稍凹陷，表面密生黑色小粒点。后期病部皮层纵裂，或与木质部分离，严重时呈现乱麻状。叶片上病斑多于叶尖。叶缘发病形成近圆形淡褐色至红褐色病斑，向叶片中部扩展形成具有环纹的不规则形大斑，其上散生不太明显的白色小粒点。发病后期，病组织干枯，易破裂。7月上中旬发病，8月雨季为发病盛期，直到采收。随着果实成熟度的增加，发病率逐渐提高。多雨年份发病重，干旱年份发病轻。发病早晚、流行期长短，取决于雨季到来的早晚及长短。据观察，果园发病后，每降一次大雨或连续降雨后的一周左右，就出现一次发病高峰，特别是在遭受暴风雨后，葡萄植株出现大量伤口，最易被病菌侵入而引发病害。果园土壤粘重、排水不良、肥料不足、杂草丛生、通风透光不良等，都有利于病害发生。果穗距地面越近，发病越重，距地面60cm以上则发病较少。

主要防治方法如下：

(1)清除病源。生长季节随时剪除病蔓、病果和病叶，集中深埋或烧掉。秋末至早春，彻底刮除病皮，摘除病僵果，清扫果园，将病残体带出园外集中烧毁。

(2)加强栽培管理。及时摘心、绑蔓，使架面通风透光，同时，搞好中耕除草、果园排水，降低田间湿度。合理修剪，防止结果过量。提高结果部位,避免造成伤口,减少病菌侵染。避免偏施氮肥,增施磷、钾肥,提高植株抗病性。

(3)药剂防治。地面施药,铲除越冬病菌。发病严重的果园,在发病前用福美双 1 份、硫磺粉 1 份、碳酸钙 2 份种混合均匀后,于园内地面上每公顷撒药 15~30kg。也可向地面喷布灭菌丹 200 倍液,或波美 2 度石硫合剂加 0.5% 五氯酚钠混合液,或单喷 0.5%五氯酚钠。生长期喷药保护:发病初期每月喷一次 50%福美双可湿性粉剂 500~700 倍液或 12.5%速保得可湿性粉剂1 000 倍液或福美双与 70%代森锰锌 400 倍液或 65%代森锰锌可湿性粉剂1 000倍液的混合液或 70%甲基托布津或多菌灵可湿性粉剂 1 000倍液,药剂可选用任意一种或交替使用,共喷 3~5 次。

(三)穗轴褐枯病

在东北、华北和西北各省均有发生。该病主要引起葡萄幼穗变褐干枯、果粒萎缩脱落,是影响葡萄丰产的一种重要病害。幼穗受害时,先于分枝穗轴处发生淡褐色水渍状小斑点,迅速向四周扩展,使整个分枝穗轴变褐坏死,不久失水干枯,果粒随之萎缩脱落,湿度大时在病部表面生有黑色霉状物。保护地内因湿度较大,病害常发生在主穗轴上,逐渐向分枝穗轴及穗尖部扩展,当穗轴组织老化后则不能侵染。有时幼粒也能被害,产生近圆形深褐色至黑色的小斑点,病变仅限于果粒表皮,不深入果肉。随果粒不断膨大,病斑也稍有扩大,表面呈疮痂状,当果粒长到成熟大小时,病斑脱落,对果实生长发育无不良影响。葡萄穗轴褐枯病主要发生在葡萄开花前后。花序伸出至开花前后,若阴雨连绵、日照少、气温偏低,加之穗轴组织幼嫩,则有利于病菌侵染及传播。地势低洼、管理粗放、架面郁密、通风透光不良,则发病较重。壮树发病较轻,弱树发病较重。

防治方法如下:

(1)加强田间管理。改善果园通风透光条件;多施钾肥,提高植株抗病力。

（2）生长期用药防治。从幼穗抽出至幼果期，共喷药3～4次。可用50%多菌灵可湿性粉剂1 000倍液，或70%托布津可湿性粉剂800～1 000倍液，50%退菌特可湿性粉剂800～1 000倍液，50%速克灵可湿性粉剂1 000倍液，1.5%多抗霉素可湿性粉剂500倍液，10%宝丽安可湿性粉剂1 000～2 000倍液等。

（3）休眠期用药防治。于葡萄幼芽萌动前喷施波美3～5度石硫合剂或混加0.3%五氯酚钠或40%福美砷100倍液。铲除越冬病菌。

（四）黑痘病

该病是葡萄的重要病害之一。几乎分布于全国的所有葡萄栽培地区，在北方的多雨年份和南方的潮湿环境下，每年都有大量发生，危害严重。该病主要危害植株的幼嫩器官，如花穗、幼果、穗轴、叶片、叶柄、新梢和卷须等。叶片发病时，初为针头状红褐色或黑褐色小斑点，周围有黄色晕圈，扩大后呈圆形病斑，周围黑褐色，中央灰白色或褐色，严重时多个病斑连成不规则大块。叶片受害后发育不均衡、畸形，叶缘向内卷收、干枯。穗轴、果梗、新梢和卷须受害后，先形成淡褐色圆形小斑点，以后扩大呈椭圆稍内陷的病斑，周围紫黑色，中央灰白色，严重时多个病斑连成一片，干枯、变黑、枯死。花穗受害时，花变黑、枯死脱落。幼果受侵染后，最初形成散生的褐色小点，扩大后成为2～5mm圆形病斑。病斑一般只在果皮上发生和扩展。受害果实发育不良、品质差、味酸。6～7月份进入发病盛期。夏季天气干燥时发病轻，秋天雨多时病害可继续危害嫩叶和副梢。大量降雨、空气潮湿是病害流行的主要条件。尤其在露地生长期间，植株幼嫩组织如遇阴雨连绵，病害将发生严重。一般在设施内湿度过大、通风不良、树势较弱等情况下易发病，生长期施氮肥过多，造成组织成熟延迟时也容易发病。一般欧亚种较易染病，美洲种抗性最强。

防治方法如下：

（1）苗木消毒。对引进的苗木或种条应进行消毒处理。方法是：用10%的硫酸亚铁溶液加15%的硫酸铵溶液，或0.3%～0.5%五氯酚钠加3度石硫合剂混合液处理2～3分钟。

（2）清除病残体。在防寒前结合修剪，尽可能去除病叶、枯枝、卷须、果穗等，刮去老皮，清扫地面枯枝落叶、果粒、果皮等，集中深埋或烧毁。

（3）加强管理。加强夏季修剪，改善通风透光条件。及时除草，保持地面清洁。雨季及时排水。适当多施磷、钾肥。

（4）药剂防治。在越冬前和春季发芽前分别喷洒一次5度石硫合剂或3～5度石硫合剂加0.3%洗衣粉溶液。葡萄展叶后每隔10～15天喷1次200倍半量式波尔多液。病害高发季节，可喷70%代森锰锌可湿性粉剂1 000倍液，或70%甲基托布津可湿性粉剂800倍液，或50%多菌灵可湿性粉剂1 000倍液。

（五）灰霉病

该病主要发生在降雨多、空气湿度较大的地区。北方露地葡萄一般发病较轻，但在保护地内发生严重，已成为保护地葡萄生产的重要病害之一。葡萄灰霉病主要危害葡萄的花穗和果实，有时也危害叶片和新梢。花穗发病多在开花前。穗轴和果梗上的病斑最初为淡褐色、水渍状，继而变为暗褐色或黑褐色，病部软化、腐败。到葡萄开花后，病害蔓延到花冠和雄蕊等各个部位，表面产生浓密的灰色薄层，稍微震动，病菌的袍子便呈烟雾状飞散。此时花穗容易脱落。此病也常引起贮藏期浆果腐烂。园内葡萄植株过密、内部湿度过大、通风不良时，易发病。由于品种特性或灌溉时期不当以及突然大量降雨引起裂果时，易发病。偏施氮肥或偏碱性土壤条件下，易发病。保护地葡萄由于通风不良、湿度过大，易发病。一般在干湿条件变化剧烈的情况下易引起裂果的欧洲系统的薄皮葡萄品种易感病。

防治方法如下：

(1)清除菌源。秋后将病果、病叶及其他病残体集中深埋或烧毁。葡萄生长季节如发现病叶、病花穗等，应及时摘除深埋。

(2)加强管理。及时摘除副梢、卷须、不必要的花穗以及过密的叶片，以利通风，从而降低湿度。在夏剪时，应注意避免造成过多的伤口。对于易裂果的品种，应套袋。避免偏施氮肥，多施磷、钾肥。

(3)药剂防治。发病初期可喷洒 50％苯菌灵可湿性粉剂 2 000 倍液。开花后用 50％托布津可湿性粉剂 500 倍液，或 70％代森锰锌混合剂 1 000～1 500 倍液喷雾。

(4)贮藏期果实处理。果实采收应在晴天进行，在运输、贮藏过程中应注意降温和通风。贮藏前可用 1 000 倍的 50％扑海因处理果实。

二、虫害

(一)蓟马

蓟马是缨翅目蓟马科昆虫。据国内文献记载，危害葡萄的蓟马主要是烟蓟马和巴豆蓟马。蓟马主要危害花蕾、幼果和嫩梢。1、2 龄若虫和成虫均能以刺吸式口器取食，刺吸幼果和嫩叶表皮细胞的汁液。幼果被害后，果皮出现黑点或黑斑块，以后被害部位随着果粒的增大而扩大，并形成黄褐色木栓化斑。严重时变成裂果，成熟期易霉烂。嫩叶被害部位略呈水渍状黄点或黄斑，以后变成不规则穿孔或破碎。露地 5 月下旬在葡萄初花期开始发现有蓟马危害子房和小幼果。保护地内危害较早，最初在 3 月上旬发现有蓟马危害，3 月中旬到 4 月上旬为高峰期，以后转为露地。

防治方法：因为蓟马危害葡萄以果实为主，所以喷药时期应在开花前 1～2 天或初花期进行。巨峰品种，第一次喷药时期在 5 月末至 6 月初，如留二茬果时在 6 月下旬至 7 月初喷第二次药。药剂可用40%乐果乳油1 000倍液或20%速灭杀丁乳油2 000倍液等。

(二)虎蛾

该虫害属鳞翅目虎蛾科,主要分布在东北、华北和华中等地区。幼虫咬食嫩芽和叶片,常有群集暴食现象,严重时叶片被食光,也能咬断幼穗的小穗轴和果梗,影响葡萄的生长发育,导致产量降低。

防治方法:①早春结合葡萄出土上架、整地,在葡萄根部附近及架下挖除越冬蛹。②结合葡萄整枝,利用葡萄虎蛾幼虫白天静伏在叶背面的习性,进行人工捕杀。③在幼虫发生量较大的园内,可用药剂防治。于幼虫初发期喷布50%敌百虫800~1 000倍液或20%杀灭菊酯5 000倍液等。

(三)二星叶蝉

属同翅目叶蝉科。又称葡萄小叶蝉。近年来,北方葡萄产区危害逐渐加重。成虫、若虫均在叶背吸食葡萄汁液,被害叶先出现小白点,严重时斑点连片成白斑,全叶失绿或焦枯,引起早期落叶。影响枝条的成熟和花芽分化,虫粪污染果实。一般通风不良、杂草丛生的葡萄园发生较多。

防治方法:①秋冬季节清扫葡萄落叶、杂草,集中烧毁,减少越冬虫源。生长季节注意及时抹芽、摘副梢、整枝、铲除杂草,改善通风条件。②6月上中旬是第一代若虫发生期,要及时防治。化学防治可喷布40%乐果1 500倍液,或20%杀灭菊酯5 000倍液等常规杀虫剂。

病虫害防治不能只做被动防治,应贯彻"预防为主,综合防治"的方针。根据各个时期病虫害发生特点,定期喷药。我们根据北方设施葡萄普通病虫害发生特点,制定了一个防治简历(见表8-5)。

表 8-5 　　　　　　　　　　设施葡萄病虫害防治历

生育期	防治对象	防治方法
萌芽前期	各种病虫	3～5 度石硫合剂
花前	黑痘病	200 倍石灰半量式波尔多液
花后	黑痘病	200 倍石灰半量式波尔多液
花后 1 个月	霜霉病、白腐病、褐斑病	200 倍石灰半量式波尔多液
膨大期	白腐病	500～800 倍退菌特
采前 15 天	白腐病、霜霉病	25％瑞毒霉素 500～800 倍液

第七节　采收及包装

采收是葡萄设施生产的最后一道关键环节,它直接影响商品价值。设施栽培的葡萄主要用来鲜食,因此,采收时期不能过早,必须达到完全成熟时才能采收。如果鲜食葡萄外销要进行运输的,则不能等完全成熟时才采,只要糖酸比合适、具有良好的风味,就可以采收,这样比较耐贮运。采收时应选择晴天清早或傍晚进行。采收时一手托住果穗,一手用剪刀沿果梗基部剪下。为了便于包装,对果穗梗一般剪留 3cm。这样既便于拿放,也比较好看。剪下的果穗轻轻放入果筐内。注意在采收过程中要轻拿轻放,防止抹掉果粉,擦伤果皮。包装前对果穗再进行一次整理,去掉病果、虫果、日灼果、小粒、青粒、小副穗等。

设施条件下生产的水果属高档果品,应注意包装。美观而实用的包装容器能使果品在贮运中少受损伤,改善商品外观,提高市场竞争能力,并能提高果品的商品价值。近年来,国外远销的葡萄系用硬泡沫塑料压成的果筐包装。这种包装质轻、耐压、耐撞,箱内装有防腐剂。国内大多实行盒式小包装,用印刷精美的小纸盒或软质透明塑料盒包装,纸盒内衬无毒薄膜袋,葡萄装入袋内,扣好纸盒,再放入各种包装箱内封盖外运。为了防腐,在食品袋内或箱内装入保鲜药片。包装箱材料有木箱、硬纸箱、塑料箱、泡沫塑料、塑料袋等。设施栽培的葡萄本身就属高档水果,价格较高,如果在包装材料上花费过高,就会更加提高商品的价格,不符合我国人民现阶段的消费水平,故包装应做到合理。经济实惠葡萄的小包装方式应具有几个特点:①减少葡萄的碰伤和挤压;②透过包装容器可以看见包装物品;③具有一个可折合的盖,折装方便;④容量为1～2kg。包装时应使果穗、果箱相互填实挤紧,以免运输途中摇晃,果粒脱落。

第九章　桃、油桃的设施栽培

桃和油桃是落叶果树中成熟最早的树种之一,它颜色鲜艳,味美可口,营养丰富,是人们非常喜爱的果品。但鲜桃不耐贮运,成熟期集中,货架寿命短,销售紧张。因此,开展桃设施促早栽培,对调节桃淡季供应,丰富人民生活,提高经济效益有着重要的意义。同时,桃、油桃树体相对较小,易于栽培管理,童期短,结果早,产量高,因此,桃和油桃被认为是最具有设施栽培价值的树种之一。早在 20 世纪 80 年代初,意大利、日本、澳大利亚、美国等国家已开始进行桃和油桃设施栽培的系统研究,取得了较大的进展。近几年,我国的辽宁、山东、河南、河北等省的一些科研单位、个体户、专业户也开展了桃和油桃设施栽培的研究工作。特别是河南省林业科学研究所与中国农科院郑州果树所等单位合作,开展了桃、油桃模式化设施栽培综合技术的研究,在品种选择、最佳整形方式、树势调控、环境调控技术等方面取得了重大突破。

第一节　品种选择

一、油桃品种群

1.曙光

该品种为极早熟、黄肉、甜油桃。果实近圆形,平均单果重 95～100g,最大果重达 150g。果顶平,缝合线浅而明显。外表底色浅黄,全面着鲜艳红色,有光泽,艳丽美观。果肉黄色,肉质软溶,风味浓甜,香气浓郁,品质极佳。可溶性固形物含量约 10%。粘核。其果实发育期为 60～65 天。需冷量 700 小时,在郑州地区露地栽培时,果实于 6 月初成熟。因其上色早,故可在 5 月底采收,提早上市。树势中庸偏弱,对多效唑反应敏感。结果早,各类果枝结果很好。蔷薇型花,花粉量多,自花结实,丰产性强。

2. 艳光

该品种为早熟、白肉、甜油桃。果实椭圆形,平均单果重 120g,最大果重可达 150g 以上。果皮底色发白,80% 着玫瑰红色,外观美丽。果肉溶质,风味浓甜,有芳香,可溶性固形物占 14%,品质优良。粘核。果实发育期为 65～70 天。在郑州地区露地栽培时,果实于 6 月上旬成熟。因着色变甜较早,可适当早采上市。树势中庸,树姿开张,自花结实,丰产性强。结果早,各类果枝结果良好。

3. 华光

该品种为极早熟、白肉、甜油桃。果实近圆形,外观美丽,成熟时全面着玫瑰红色。平均单果重 80g。肉质软溶质,风味甜,有香气,可溶性固形物占 10% 以上,品质优良。粘核。果实发育期为 60 天。在郑州地区露地栽培时,其果实于 5 月底到 6 月初成熟。蔷薇型花,花粉量大,极丰产。在栽培中应注意疏果,以增大果实。在个别年份有裂果现象。

4. 丹墨

该品种为全红型、极早熟、黄肉、甜油桃。果形圆正,稍扁,美观亮泽,果皮全面着深红至紫红色,有不明显条纹。平均果重 97g,最大达 130g。果顶圆平,呈浅唇状。缝合线浅,过顶,两侧对称,梗洼深而较广。着色不均匀,充分成熟时果顶及部分果面呈墨红色。果肉黄色,硬溶质,质细,风味浓甜,香味中等。可溶性固形物含量为 10%～12%。粘核。鲜食品质优,耐贮运性好。在北京地区露地栽培,果实于 6 月 21～26 日成熟。树势中等,树形半开张。以长、中果枝结果为主,复花芽多。铃形花,花粉较多,丰产性较好,是有栽培前途的极早熟、浓红型、黄肉、甜油桃优系。

5.早红珠

该品种为全红型、极早熟、白肉油桃。果实近圆形,外观艳丽亮泽,全面着明亮鲜红色。平均果重 92～100g,最大 130g。果肉软溶质,肉质细,硬度中等。风味浓甜,香味浓郁。可溶性固形物含量 11%。品质优。粘核。耐贮运性良好。北京地区露地栽培时于 6 月 18～23 日成熟。果实发育期 62 天,需冷量 700 小时。丰产。幼树结果早。铃型花,花粉多。

6.早红宝石

该品种果实圆形端正,平均单果重 100g,最大 150g。果面光洁艳丽,全面着宝石红色,极为美观。果肉黄色,柔软多汁,风味浓甜,有香气。含可溶性固形物 12%～13%。坐果率高,丰产性好。果实生育期 60～65 天,需冷量 650 小时。

7.早红霞

该品种为极早熟、白肉、甜油桃。果实近长圆形,平均果重 130g,最大果重 170g。色泽鲜艳,80% 以上着鲜红色条斑纹。果肉软溶质,肉质细,风味甜或浓甜,有微香。可溶性固形物含量 9%～11%。品质中等。粘核。耐贮运性良好。北京地区露地栽培时于 6 月 22～26 日成熟。果实发育期 65 天。丰产性较好。蔷薇型花,花粉多。

该品种果形较大,但果形稍欠圆正,偶有 5%～10% 的果实发生轻度裂果。

8.早红艳

该品种为全红型、早熟、白肉、甜油桃。果实长圆形,外观艳丽,全面着明亮鲜红色。平均果重 120g。果肉硬溶质。风味浓甜,有微香。可溶性固形物含量 10%～11.5%。品质优。半离核。耐贮运性好。北京地区露地栽培时于 6 月 26 日至 7 月 1 日成熟。丰产。结果早。蔷薇型花,花粉多。

9. 五月火

该品种果实较小,平均果重 75g,最大 110g;果形卵圆,对称,果顶微凸,缝合线浅。果皮底色橙黄,全面着红色,有光泽,韧性中等,能剥离。果肉橙黄,无红色素,硬溶质,汁液中等,有香气,风味偏酸。含可溶性固形物 8.8%,可溶性糖 7.18%,可滴定酸 0.63%,维生素 C 12.75mg/100g。粘核。

树姿半开张,树势较强,以中、长果枝结果为主,复花芽居多,花芽较小,极易成花,坐果率 29.8%,丰产性能良好。花为蔷薇型,花粉量多。郑州地区露地栽培时 6 月 5 日果实成熟,果实生育期 65 天,营养生长期 256 天。抗寒性较弱。

10. 超五月火

该品种果实近圆形,平均单果重 77.4g。果面浓红,果皮光亮;果肉黄色,肉质细,风味酸甜,有香气。含可溶性固形物 9.8%,总糖 8.7%,总酸 0.62%。果实较耐贮运。自花授粉,坐果率高,丰产性好,连续结果能力强。在山东泰安露地栽培时,果实于 6 月上旬成熟。果实生育期为 62 天。

11. 早美光

该品种原产美国,是山东省果树研究所 1987 年从澳大利亚引进的油桃品种。需冷量为 600 小时,果实生育期为 72 天左右。果实近圆形,平均单果重 110g,果皮光滑,着色全面鲜红。果肉细脆,风味酸甜,香气较浓。耐贮运。自花结实,自花授粉,坐果率高,丰产、稳产性强。

12. 阿姆肯

该品种果实平均果重为 105g,最大单果重达 147g。椭圆形,较对称,果顶尖圆,缝合线深中等。果皮底色橙黄,全面着鲜红色,有光泽,易剥离。果肉橙黄色,硬溶质,汁液多,有香气,风味浓,稍酸,品质中等。含可溶性固形物 9.4%,可溶性糖 8.29%,可滴定酸 0.82%,维生素 C 8.0mg/100g。粘核。有时果实顶部出现裂果现象。树姿稍直立,树势中强,以中、长果枝结果为主,花芽起始节位低(第二至第四节),复花芽居多,坐果率为 32.7%,丰产性能好。花为铃形,花粉量多。在郑州地区露地栽培,果实于 6 月 20 日左右成熟。果实生育期为 75 天。抗寒性较弱。

13. 早红 2 号

该品种果实圆形,平均单果重为 117g,最大果重达 180～220g,对称,果顶微凹。果皮底色橙黄,全面着鲜红色,有光泽,不易剥离。果肉橙黄色,有少量红色素,肉质为硬溶质,汁液中等,风味甜酸适中,有芳香。含可溶性固形物 11%,可溶性糖 7.76%,可滴定酸 0.86%,维生素 C 8.80mg/100g。离核,核色浅棕。耐贮运。果实发育期为 90～95 天。在郑州地区露地栽培,果实于 7 月上旬成熟;在辽宁南部栽培,果实于 7 月下旬成熟。树姿半开张,树势强健,枝条粗壮,各类果枝均能结果。花芽起始节位低,且多为复花芽;花为大花型,花粉多,坐果率为 30.4%,生理落果轻,丰产性能好。

14. NJN72(新泽西州 72)

该品种是从美国引入的油桃品种。平均单果重 100g,最大果重达 180g。果实圆形,果顶圆,两半对称。果皮底色橙黄,全面着鲜红色,有光泽。果肉黄色,硬溶质,汁多,有香味,风味酸甜适口。果实较耐贮运。花粉多,自花授粉,结实率高,丰产性好。在辽宁南部大棚栽培,1 月下旬开花,4 月中旬成熟,果实发育期为 67 天左右。

15. NJN76(新泽西州 76)

该品种是从美国引入的油桃品种。平均单果重 160g,最大果重达 220g。果实椭圆形,果顶圆,两半对称。果皮底色橙黄,果面着深红色,有光泽。果肉黄色,肉质细,硬溶质,汁液较多,有香气,风味甜酸适中,粘核。果实较耐贮运。树姿开张,树势中庸,树体矮小,极易形成花芽,复花芽居多。铃形花,花粉较多,自花授粉,结实率高。丰产,抗病。果实发育期为85天左右。在辽宁营口地区作大棚栽培时,1月下旬开花,4月底或5月初果实成熟。

16. 瑞光1号

该品种果实近圆或短椭圆形,果顶圆,缝合线浅。平均单果重87g,最大果重为139g。果皮底色为淡绿色或黄白色,果面的一半至全部着紫红色或玫瑰红色点,或玫瑰红色晕,不易剥离。果肉黄白色,肉质为硬溶质,成熟后柔软多汁。味道酸多甜少,可溶性固形物含量为8.0%~10.2%。粘核。树冠较大,树姿半开张。花为蔷薇型,花粉多。花芽起始节位在第一至第二节,复花芽较多。各类果枝均能结果,因而能丰产。

17. 瑞光2号

该品种需冷量在800~850小时。果实生育期为80~85天。果实长圆形,单果重100~185g。果皮底色为黄色,着色面70%左右着艳红色。果肉黄色,细嫩,味甜,品质上等。作大棚栽培时,果实可于5月上中旬上市。

二、水蜜桃品种群

1. 春花

该品种果实近圆形,果形整齐。平均果重86g,最大果重140g;果顶圆,缝合线浅,较对称,绒毛中等。果皮底色黄绿,果顶及阳面覆盖斑点状紫红色,覆盖面占全果的50%,易剥离。果肉白色,顶端少量红色,近核处无红色,肉厚,质软,汁液中等,纤维中等;风味甜,有香气。含可溶性固形物9%~11%,可溶性糖8.71%,可滴定酸0.32%,维生素C 10.02mg/100g。粘核。核较大。

郑州地区露地栽培,6月上旬果实成熟,果实发育期60~65天,年生育期233天左右。

树体生长健壮,长势中等。长、中、短果枝均可结果,以长、中果枝结果为主,坐果率 21.2% ~24.5%,生理落果轻,丰产性能好,栽培时须疏果。花为蔷薇型,花粉量多。

2. 布目早生

该品种果实长圆,果实中等偏大,平均单果重 120g,最大果重 250g;果顶圆平,缝合线浅,果皮底色乳黄,顶部和阳面着玫瑰色红晕;绒毛中等,韧性中强,易剥离。果肉白色,近核处微红,厚 1.68 ~1.80cm,肉质软溶质,纤维中等,汁液多,风味甜,有香气。含可溶性固形物 9% ~11%,可溶性糖 8.9%,可滴定酸 0.23%,维生素 C 11.25mg/100g;核半离,浅棕色,无裂核。

果实发育期 76 天,年生育期 247 天。

树姿半开张,树势强健,以长、中果树结果为主;幼树旺长,花芽形成少;成年树花芽起始节位低;坐果率 31.0%,丰产。花为蔷薇型,花粉量多。

3. 砂子早生

该品种果形椭圆,较大,平均单果重 150g,最大果重 400g;果顶圆,缝合线中,两半部较对称;果皮底色乳白,顶部及阳面具红霞;绒毛较少,厚度中等,韧性中,易剥离。果肉乳白色,有少量红色素渗入果肉,肉质致密,汁液中多,风味甜,香气浓。含可溶性固形物 11.7%,可溶性糖 9.81%,可滴定酸 0.28%,维生素 C 10.12mg/100g,核半离,浅棕色。花粉不育,需配置授粉品种,严格进行人工授粉或壁蜂授粉,授粉树不少于 30%。

郑州地区露地栽培,6 月 22 日果实成熟,果实生育期 77 天,年生育期 251 天。

树姿开张,树势中等或稍强;结果枝粗壮,稍稀;产量中等偏低;长果枝春夏梢间常形成盲芽,花粉败育。

4. 春蕾

该品种果实卵圆形,平均单果重 63g,最大果重 117g,果实偏小,两半部较对称,基部不平;果顶尖圆,梗洼中,缝合线浅,成熟状态不一致,顶部先熟。果皮底色乳黄,顶部或阳面着红晕,绒毛中等,易剥离。果肉乳白色,近核处色与果肉色同,顶部有少量红色素,肉质软溶质,汁液多,纤维中,风味淡甜。含可溶性固形物7%～9%。香气淡,核软,半离,易碎裂。

在郑州地区露地栽培,5月底6月初果实成熟,果实生育期56天,年生育期251天。

树姿开张,树势强健。各类果枝均能结果,以长、中果枝为主;复花芽居多,花芽起始节位为第2节;坐果率高,为39.9%;生理落果轻,丰产性能良好。花粉量多。

5. 早霞露

该品种果实长圆形,平均单果重85g,最大果重116g。果顶平圆,两半部较对称。果皮底色浅绿白,顶部着少量红晕,绒毛稀疏,易剥离;果肉乳白色,近核处无红色,肉质半溶,汁液较多,风味较甜,略有香气。可溶性固形物含量8%～10%。粘核,核中等大,不碎裂。

在杭州地区露地栽培,5月下旬果实成熟,果实发育期55天左右。花为蔷薇型,花粉量多。

树姿开张,树势中庸,长果枝起始节位第2、3节,复花芽多,丰产性能良好。

6. 雨花露

该品种果实长圆形,平均单果重110g,最大果重202g;果顶圆平,两半部对称;缝合线凹入果顶,形成两小峰。果皮底色乳黄,果顶着淡红色细点形成的红晕;绒毛短;果皮中等厚度,韧性强,易剥离。果肉乳白,近核处无红色,柔软多汁,香气浓,风味甜。含可溶性固形物11.8%,可溶性糖8.15%,可滴定酸0.26%,维生素C 9.46mg/100g。核半离,淡褐色。

在郑州地区露地栽培,6月19日果实成熟,果实生育期75天,年生育期251天。

树姿开张,树势强健,各类果枝均能结果。花芽形成良好,复花芽居多;花芽起始节位低,坐果率 35.29%,丰产。花为蔷薇型,花粉量多。

7. 霞晖 1 号

该品种果实生育期为 67 天,需冷量为 850 小时。果实长圆形,平均单果重为 125g,最大果重 145g。果面粉红色,汁多味甜,可溶性固形物为 11.5%。丰产。该品种没有花粉,生产中需配置授粉品种。

8. 安农水蜜

该品种果实生育期为 73 天左右,果实特大,平均单果重 245g,最大果重 558g。果实长圆形,底色黄白、面着红霞,外观较美,味甜汁多,风味浓郁。粘核。可溶性固形物含量为 11.5%~13.5%。属无花粉品种,需配授粉树,生产上可用雨花露、早花露作授粉树。

9. 春丰

该品种果实生育期为 64 天。果实大,近圆或扁圆形,平均单果重 105g,最大果重 180g。色鲜红,果肉乳白色,质地细腻,甜味多、酸味少,香气浓郁,汁多爽口。可溶性固形物含量为 12%~14%,品质极上。结果早,丰产。

10. 春艳

该品种果实生育期为 65 天。果形圆正,果实大,平均单果重 120g 以上,最大果重 210g。果皮色泽鲜红,底色乳白娇嫩,果肉白,质地细,香气浓,味甜、汁多、爽口。可溶性固形物含量 12%~14%,品质极佳。自花结实能力强,结果早、丰产稳产。为保护地栽培的理想品种。

11. 早凤王

该种是早凤桃的芽变品种。果实生育期为 75 天。果实近圆形,平均单果重 312g,最大果重 620g。果皮底色白,果面深粉红色,全部披条状或片状红霞,着色良好,艳丽美观。果肉硬脆而甜、口感好,可溶性固形物含量为11.2%。复花芽多,花粉量大,坐果率高。树势强健,抗逆性强,是一个有发展前途的早熟、丰产、稳产的优良新品种。

12. 庆丰

该品种果实中等大小,为长圆形,其基部稍大。平均单果重140g,最大单果重达200g。果顶圆,稍凹。果皮淡黄绿色,有红晕和条纹。果肉乳白色,阳面为红色,多汁,味道香甜。粘核,品质上等,耐贮运。果实在6月底至7月初成熟。果型大且美观,是优良的大果型早熟品种。树势健壮,树姿半直立。萌芽力和成枝力均较强。大多为单花芽,花芽瘦小,但抗寒力强,坐果率高,丰产。

三、蟠桃品种群

1. 早露蟠桃

该品种果形扁平,中等大。平均单果重68g,最大果重95g。果顶凹入,缝合线浅。果皮易剥离,底色乳黄,果面50%着红晕,绒毛中等。果肉乳白色,近核处微红,硬溶质,肉质细,微香,风味甜。含可溶性固形物9.0%,可溶性糖7.81%,可滴定酸0.27%,维生素C 10.56mg/100g。粘核,核小。果实可食率高。果实生育期63天。在郑州地区露地栽培,果实于6月10日左右成熟。树姿开张,树势中庸。各类果枝均能结果,丰产。花为蔷薇型,花粉量多。栽培中要注意疏花疏果,以增大果实。

2. 早蜜蟠桃

该品种果形扁平,平均单果重65.9g,最大果重114g。果顶圆平凹入,两半部对称,缝合线中深,梗洼浅而广。果皮底色浅绿白,果顶部有紫红色斑点或晕,其覆盖面占50%~70%,绒毛密,外观美。果肉乳白色,软溶质,纤维少,香气中等,甜味浓。含可溶性固形物11.3%,可溶性糖8.9%,可滴定酸0.29%,维生素C

12.32mg/100g。果实生育期为 75 天。在郑州地区露地栽培,果实于 6 月 19 日左右成熟。树姿较开张,树势强健。以长果枝结果为主。复花芽居多。花为蔷薇型,花粉量多,丰产性能好。

3. 新红早蟠桃

该品种果形扁平。平均单果重 67.4g,最大果重 85.0g。果顶圆平凹入,两半部对称,缝合线中深,梗洼浅而广。果皮底色浅绿白,果顶部有鲜艳的玫瑰色点或晕,覆盖程度为 40%～60%,外观美。绒毛中等。果皮容易剥离。果肉乳白色,柔软多汁,纤维中等;芳香爽口,甜酸适中。含可溶性固形物 10.5%,可溶性糖 7.95%,可滴定酸 0.56%,维生素 C 16.42mg/100g。核半离,极小,扁平。果实生育期为 70 天。在郑州地区露地栽培,果实于 6 月 12 日成熟。树姿开张,树势强健,各类果枝均可结果,以长果枝结果为主,丰产性能好。

注意疏花疏果,以增大果个。

四、观赏桃品种群

随着物质生活水平的提高,人们更向往大自然,城里人养花弄草实属一种乐趣。尤其到了春节,家中、商场、娱乐场所摆放几盆盛开的桃花,色香诱人,陶冶情操,为节日增光添彩。更有"图发(桃花的谐音)"之说。因此,观赏桃很受人宠爱。

现将一部分观赏桃品种简介于表 9-1,供参考。

表 9-1   观赏桃品种简介(李秀杰,1998)

品　种	花色	单重瓣	瓣数(个)	花径(cm)	主要特性
迎　春	粉红	重瓣	20.0	4.7	需冷量少,开花早
白山碧桃	纯白	重瓣	25.4	4.2	需冷量少,开花早,花洁白,有芳香
桃花仙子	粉红	重瓣	38.4	4.5	花朵大、姿态美,果实可食用
黄金美丽	粉红	重瓣	48.0	4.6	花朵大、鲜艳,果实可食用

品 种	花色	单重瓣	瓣数(个)	花径(cm)	主要特性
重瓣玉露	粉红	重瓣	20.0	5.5	花朵大,果实可食用
满天红	深红	重瓣	25.8	4.3	花大而密,鲜艳,有淡香,果实可食用
酒红桃	杂色	重瓣	52.0	4.9	白色花瓣上嵌粉红条纹
菊花桃	粉红	重瓣	27.0	4.4	花瓣似菊花,新颖别致
飞雨垂枝	杂色	重瓣	31.3	4.2	枝条下垂,白色花瓣上嵌粉红条纹
朱粉垂枝	粉红	重瓣	32.0	3.9	枝条下垂,花期较晚
红垂枝	深红	重瓣	16.6	3.6	枝条下垂,瓣数较少
仙 桃	深红	单瓣	5		鲜艳,需冷量少,开花早
红寿星	深红	重瓣	24.2	4.3	矮化
粉寿星	粉红	单瓣、重瓣			矮化
白寿星	纯白	单瓣、重瓣			矮化
大果寿星	深红	重瓣	27.2	4.0	矮化,果实可食用
乐 园	粉红	半日瓣	5		矮化,需冷量少,果实可食用

第二节 生物学特性

一、生长习性

桃树为落叶小乔木,树冠高度为 2～3m,中心干性弱,树姿开张。桃芽具有早熟性。幼树生长势旺,萌芽力和发枝力均强。在年生长周期中有多次分枝的习性,可利用二次枝或三次枝加速培养树冠,或促其转化为结果枝,以增加产量。一般定植后的第 2 年即可结果,3～4 年进入盛果期。桃树的寿命长短,与品种、砧木、土壤、气候和栽培条件有关,一般 20 年后树势衰老,产量下降。设施栽培桃树密度大,光照差,结果早,年生育期长,寿命较短,一般为 5～8 年。

(一)根系

桃树属浅根性树种,其根系分布的深度和广度受砧木种类、品种特性、栽植密度、土壤质地、地下水位等因素影响。它一般分布在深 1m 以内的土层中,而集中分布在 20～40cm 土层中。Bellini等(1983)对设施高密度栽培桃根系的发育情况进行了观察,发现根系分布较浅,且主要在行间发展,并明显受到相邻根系竞争性影响的限制。与此相关联,树冠的发展也受到了限制。

桃根系在一年中有两个生长高峰。桃树自然休眠结束后,地温达到 5℃ 时,根系即开始活动。其生长的最适温度为 15～22℃。因此,其第一个生长高峰出现在 7 月份之前。8 月初当地温超过 26℃ 时,根系生长受到抑制,因而进入夏季被迫休眠期。当秋季土温稳定在 19～20℃ 时,根系开始第二次生长,但生长势较弱,生长期也较短,并且随着土温的降低,其生长更趋缓慢。桃树落叶后,地温降至 10℃ 以下时,其根系逐渐停止生长,进入冬季休眠。

设施栽培桃树根系的活动时间,比露地桃树根系的活动时间要提早 30～50 天,在寒冷地区要早 3 个月。因为设施内栽植密度大,光合性能减弱,树体贮藏养分少,因此,在栽培桃树时,要加大基肥特别是有机肥的施用量,以便养根壮树。

桃根需氧量高。它的正常生长,要求土壤的空气含量达到 10% 以上;新根生长,要求土壤空气含量达 5% 左右。若降低至 2% 以下,根系生长就明显衰退,甚至死亡。桃根极不抗涝,水淹 2～3 天即可致根系死亡。

(二)芽

桃树枝梢上的芽有叶芽和花芽两种。叶芽瘦小而尖,着生于枝梢顶端和叶腋。花芽肥大,呈长卵圆形,外面由密生灰白色短茸毛的鳞片包被,腋生,其又可分为单花芽和复花芽。单花芽是在每个节上着生 1 个花芽,复花芽是在每个节上着生 2 个以上的花芽。叶芽只抽生枝条,着生在枝条的顶端和两侧。新梢顶端一般都是叶芽。侧芽有 1 个叶芽和 1 个花芽并生的,有 1 个叶芽和 2 个、3 个花芽并生的。一般叶芽位于花芽中间,但也有 2 或 3 个均为叶芽的。复芽实质上是个极短缩的 2 次枝。一般北方品种群的桃品种多为单花芽,南方品种群的品种多为复花芽;幼年树单花芽多,成年树复花芽多。

桃芽具有早熟性。新梢上形成的芽,当年即可萌发形成副梢,生长旺盛的还可萌发形成 2 次、3 次副梢,设施栽培甚至可形成 4 次副梢。桃叶芽的萌发力很强,只有少数芽不萌发而形成潜伏芽。桃潜伏芽的寿命短,更新能力差,因此,树冠下部易秃裸,结果部位往上移。

(三)枝条

生长季节,桃树新梢由于不同生长势而形成了不同类型的枝条,即发育枝、徒长枝和结果枝。

1. 发育枝

发育枝生长健壮,长度在 60cm 以上,粗度 1.2~2.5cm,组织充实,其上多为叶芽,有少量花芽;有多数副梢,一般以着生在树冠外围为主。

2. 徒长枝

徒长枝生长极旺,长度超过 80cm,粗度在 2cm 以上;节间长、叶片薄,组织不充实;多发生副梢,其上叶芽多,一般发生于树冠内膛。

3. 结果枝

结果枝生长势中庸或偏弱,其上多花芽。长度一般在 100cm 以下。根据其生长强弱,又可分为:①徒长性结果枝,长度在 1m 左右,粗 1~1.5cm;枝条下部多叶芽,上部多并生花芽,但不充实;副梢少,多发生在骨干枝背上和树冠外围。②长果枝,长为 30~60cm,粗 0.5~1.0cm,一般不发生副梢。③中果枝,长 15~30cm。④短果枝,长 5~15cm,花芽多。⑤花丛状果枝,长 5cm 以下,生长弱,多单芽。

桃树萌芽、展叶后,随着气温的上升而迅速生长。其迅速生长的时间长短,与枝条的类型有关。一般中、短枝的迅速生长期短,停止生长早;短枝的迅速生长期为 61～76 天,中枝的迅速生长期为 77～97 天;长枝、强旺枝迅速生长期长,停止生长迟,一般在 100～117 天,并有多次生长的特点。当枝条长达 25cm 时,往往从中部开始抽生二次枝,秋季还会抽生三次枝等。这种生长节奏,随品种不同而有差异。长枝、强旺枝的长度,常因树龄、品种和栽培技术不同而异。幼树和结果初期的枝条,长度一般超过 1m。盛果期枝条生长势转弱,枝条长度为 60～100cm。盛果末期,枝条生长势更加减弱,长度多为 50cm 左右。

设施栽培的桃树,由于生长期更长,可抽生四次枝,容易形成树冠,结果早,早丰产。但枝条过多会减少光照,故要加强抹芽疏枝工作。

二、结果习性

(一)花芽分化

如果加强管理,桃树在定植的当年即可形成花芽。

桃树花芽的发育,可分成生理分化期、形态分化期、休眠期和性细胞形成期 4 个阶段。

1. 生理分化期

桃的生理分化期在形态分化前 5～10 天,花芽中蛋白态氮占总氮的比率明显增加,新梢生长缓慢。

2. 形态分化期

形态分化期又可分为 5 个时期,即花芽分化始期、萼片分化期、花瓣分化期、雄蕊分化期及雌蕊分化期。

3. 休眠期

当桃花芽形成柱头和子房后,便进入相对休眠期。在冬季低温休眠阶段,如遇高温,则部分花芽可能败育,败育程度与高温历时有关。

4. 性细胞形成期

当早春温度上升至 0℃ 以上,桃在开花前开始形成性细胞。在花粉母细胞形成期,其对条件变化极为敏感。如果温度过高,花粉粒异常,就会严重影响授粉,甚至造成绝收。大棚栽培中的环境一般不是温度低,而是要着重防止温度过高。花芽从分化到形成,在露地需要 8~9 个月,而在大棚中栽培,只需要 5~6 个月。在花粉形成过程中,有些品种如早白蜜、五月鲜、砂子早生等,中途停止发育,不能形成有生活力的花粉,称作花粉败育或雄性败育,只能形成具有雌性功能的雌能花。此类雌能花品种,在种植时应配置授粉树。

(二)开花结果

桃开花期平均温度约 10℃ 以上,适宜温度 12~14℃。开花期一般为 4~5 天。高温、干旱时开花期短,低温、阴天时开花期长。

桃为虫媒花,雌蕊和雄蕊在花开前已成熟,有的花药在开花前已开裂,进行闭花授粉。雌蕊柱头保持授粉能力的时间,一般为 4~5 天。据南京农业大学观察,露瓣初期的花粉已具备了发芽授粉能力,随花器的发育,花粉发芽率相应提高。

桃花粉发芽和花粉管伸长的适宜温度在 10℃ 以上,4.4℃ 以下停止发芽。

桃自花结实率高,但异花授粉时更能提高结实率。

桃授粉受精后到果实成熟,有两个迅速生长期,在两个迅速生长期中间隔着一个缓慢生长期,呈双 S 形曲线生长,即 3 个生长期。

第 I 期:幼果迅速生长期。这一阶段是从子房膨大开始到果核开始木质化之前。此期果实体积和重量迅速增加,果核也相应迅速增大,并达到应有的大小。在华北地区,约在 5 月下旬至 6 月上旬,历经 30 天左右。

第Ⅱ期:缓慢生长期。该期果实增大缓慢,果核从内向外开始逐渐木质化。硬核期延迟时间长短因品种而异,早熟品种经 14～21 天,中熟品种 28～35 天,晚熟品种 42～49 天或更长。该期以胚乳消失,子叶达到应有的大小,果核变坚硬为结束标志。

第Ⅲ期:果实迅速膨大期。此期果实体积、重量增大很快,直到成熟。各品种延续时间不同,大约经 35 天。采前 20～30 天内增长量最大,占总重量的 50%～70%。成熟前 7～14 天桃横径增长迅速,吸收强度、内含物、硬度、底色、彩色明显改变,标志着成熟期的到来。

三、对环境条件的要求

(一)温度

桃树比较耐寒,一般品种可耐 -22～-25℃ 的低温。在北方地区,桃的花芽易受冻害,但不同品种的花芽抗寒力不同。花芽的抗冻能力在进入休眠前的 11 月份和结束休眠后的 3 月份最差。桃花芽萌动后的花蕾变色期受冻温度为 -1.7℃。桃的根系在冬季 1～3 月份能耐 -10～-11℃ 的低温。

桃树在冬季自然休眠阶段,要求 7.2℃ 以下一定低温的积累(需冷量)。只有满足其对需冷量的要求,在温度适于生长时,桃树才能正常萌芽生长和开花结果。

桃果实成熟期需要一定的高温。据国外资料报道,桃生长期月平均温度在 18.33℃ 以下,则果实品质差;达到 24.9℃,则产量高、品质好。

(二)光照

桃树是喜光树种,光照不足时,树体的同化产物显著减少,根系发育差,枝叶徒长;花芽分化少,质量差;落花落果严重,果实品质不良;小枝易枯死,树冠下部秃裸。因此,在保护地条件下,对桃树栽植的密度、整形修剪的方式,应适应桃树的这一特性。

(三)水分

桃树不耐涝,桃园短期积水,即会引起植株死亡。排水不良、地下水位高的桃园,也会引起根系早衰,叶片变薄,叶色变淡,同化作用减低,进而落叶、落果,以至植株死亡。桃树根系耗氧量大,如土壤含水量过大,长时间缺氧,会使根系窒息死亡。因此,桃树建园时,应选择地下水位低、排水良好的地块。

(四)土壤

桃树喜疏松、排水良好、土层深厚的砂壤土,在粘重的土壤上易发生流胶病,在沙地上易出现线虫和根癌病。桃树在微酸或微碱性的土壤上都能栽培,在 pH 值 $4.5 \sim 7.5$ 范围内均可生长良好。但桃在碱性土壤上生长不良,易得黄叶病。

桃树忌重茬栽培。若不得已进行重茬栽培时,必须先进行土壤处理和改良。

第三节 苗木准备与栽植技术

一、设施栽培的苗木要求

选择优良健壮的苗木,是桃(油桃)设施栽培早结果、早丰产,达到优质、高产、高效目的的重要保证。对桃设施栽培苗木主要有以下几点要求:

(1)用来定植的苗木,应选择根系完整、发达,整形带内芽子饱满的 1 年生小成苗、速成苗,特别是速成苗。实践证明,速成苗好定干、易整形,当年就可形成大量的花芽,第二年就可获得较高产量。芽苗也可用来建园,只要管理好,也可达到速成苗的效果。设施栽培最忌使用 2 年生以上大苗,这类苗子整形带内芽子质量不好,不易整形,很难达到早期丰产的目的。

(2)所用苗木必须根系发达,具备 5 条以上侧根,每条侧根长

20cm 以上,粗度 0.3～0.6cm 以上。根系舒展,分布均匀。

(3)苗高在 80cm 以上(芽苗除外),整齐一致,皮色正常,无缩水抽干现象。其地上部 30～50cm 处要有 7 个左右饱满芽。要求嫁接口愈合良好。

(4)苗木不带明显病虫害,最好是无病毒苗木。

二、园地选择

桃(油桃)设施栽培和露地栽培相比,投资大,且设施一旦建成就不可更换,因此,选择好园地非常重要。根据桃树喜光、根系需氧量大、怕涝、不耐盐碱等特点,设施栽培园地选择时应具备以下条件。

1. 地势
要求地势高燥,背风向阳。地下水位不得浅于 1m,最好没有沥涝的历史。

2. 土壤
要求选择土质疏松、透气性好、无盐碱或盐碱较轻的砂壤土。

3. 排灌条件
要求排灌条件方便。桃树喜水,但又怕淹,所以必须有排灌条件,保证及时灌水、及时排涝。

4. 茬口
尽量避免在重茬地建园,因桃树根系中含有扁桃苷,这种物质能影响桃树新根生长,进而影响产量和品质。

三、栽植技术

(一)栽植时间
设施栽植桃树分为春季栽植、秋季栽植和预备苗临时补植 3种。目前生产上多采用春季栽植,其优点是栽后通过一个生长季节的管理,可形成树冠,第二年即可扣棚。秋季栽植适于近距离栽植,时间以桃落叶时为宜,优点是经过越冬前根系恢复,第二年长势更旺,为第三年丰产打下基础;缺点是不能长距离运输,而且时间限制较死。为了保证设施内桃苗栽植整齐,可用花盆或编织袋栽植一些预备苗,当设施内出现死苗、缺苗时移栽到设施内。

(二)栽植密度

为提高单位面积产量,尽快产生经济效益,目前桃生产上多采用 1m×1m、1m×1.5m、1.2m×1.5m 或 1m×2m 株行距。这几种栽植密度数量大,覆盖率高,前期产量大。如采用 PCR 修剪,则不需要间伐,否则可在 3~4 年郁闭后进行隔株、隔行间伐。

(三)授粉树的配置

目前,大棚桃树的栽培品种,多数为自花结实力强的品种,但也有雌能花品种和自花结实率低的品种。据试验观察,露地栽培的完全花、自花结实率较高的品种,在大棚内采用人工异花授粉,可使其坐果率显著增加。因此,为了提高大棚桃树的结实率,尤其是雌能花品种和自花结实率低的品种的结实率,在进行大棚栽植时,要配置授粉树。

授粉树应选择与主栽品种花期相遇或稍提前,花粉量大,授粉亲和力高,并且与主栽品种果实成熟期基本一致,经济效益较高的品种。目前适合大棚栽培的桃品种,诸如曙光、艳花、早红珠、早红霞、早红艳、早红 2 号、阿姆肯、瑞光 2 号、瑞光 3 号、布目早生、春蕾、雨花露、早露蟠桃等,药粉量较多,除可以作主栽品种外,还可以做授粉树。而砂子早生、五月鲜、早白露等品种花粉不育或不成熟,则不能做授粉品种;如果作主栽品种,则需在同一棚室内栽植 3 个以上品种的桃树。

授粉品种与主栽品种配置的比例,一般按 1:(4~5)作成行排列栽植。这样,间伐去掉临时株后,留下的授粉品种与主栽品种的比例仍然不变。

（四）栽植方法

1．挖定植沟

在栽植前，按照株行距挖掘宽、深各 60～80cm 的定植沟。临时性定植沟可浅些，40cm 深即可。因栽植行较密，所以可以隔行挖行，将挖好的一行填好后再挖另一行。挖沟时将表土放在沟的一侧，底土放在另一侧。沟挖好后，先在沟底铺一层与表土混拌的秸秆肥或枯枝烂叶、杂草等，上面放腐熟的优质有机肥料，用量为每公顷 6 万 kg 左右，厚度为 25cm 左右，粪土比例为 1∶1。然后填入表土，最后填入底土与地表相平，随后灌水，使沟里土层沉实。

2．苗木处理

苗木选好后，要将根系浸水数小时，再用 0.3% 的硫酸铜浸根 1 小时，或用 3 波美度石硫合剂喷洒全株消毒，然后用以栽植。

3．定植

定植前先将栽植点测量好，然后以栽植点为中心挖好栽植穴。栽植时的深度，通常以苗木上的地面痕迹（根颈）与地面相平为准。苗木放入穴内时，要注意将嫁接口朝向北面，使根系向四周土中均匀舒展，并将其扶正，使其与南北、东西行对齐。接着填土，边填边踏实，直至与地面相平，然后做畦灌水。

（五）栽后管理

栽后要及时定干。定干高度根据树形要求，一般为 30～40cm。选择有足够数量饱满芽处定干。

栽植后要及时灌水，还要注意防治病虫害。

第四节　设施栽培方式及高效栽培模式的建立

一、设施栽培方式

目前生产上常用的桃设施栽培方式有 3 种：促早栽培、延迟栽培和避雨栽培。

(一)促早栽培

这是目前生产上最为常见的设施栽培方式,主要适用于北方地区,品种以极早熟、早熟品种为主,在达到低温需冷量后即可扣棚。以郑州地区为例,极早熟品种曙光、五月火、春蕾等可于12月中下旬扣棚,日光温室保温条件好,4月中下旬即可成熟上市;塑料大棚5月上旬桃上市。同样的品种越向北,纬度越高,达到桃要求的低温量的时间越早,扣棚升温越早,成熟上市也早,但因需要加温栽培,故增加了生产成本。

(二)延迟栽培

该方式主要适用于北方地区,品种以果实发育期在120天以上的晚熟、极晚熟桃为主。目前雪桃、中华寿桃等品种的延迟栽培已获成功。据李宝田(2000)利用雪桃试验,早春采用盖草苫降低室温的方法使其延迟开花,9月初扣棚升温,12月下旬果子成熟,成熟期推迟30～40天。

(三)避雨栽培

该方式主要适用于南方多雨地区,主要目的是避雨,提高桃果品质。避雨栽培在我国台湾和日本较为普遍。在台湾高山,每年冬春之际即进入雨季,从水蜜桃打破休眠萌芽前的2月份被覆PE膜到8月份果实成熟采收后卸除,共有约212天的棚内隔雨期,大约隔离了全年75%的雨量,并腾出了约150天的降雨日,不但减少了雨水对果树生长的干扰,同时也避免了雨水对果农田间栽培作业的干扰。其中,对桃树生长结实危害最大的桃缩叶病与细菌性穿孔病在遮雨棚内几乎绝迹,成效尤为显著,如图9-1。

二、桃(油桃)设施高效栽培模式的建立

我国果树设施栽培起步较晚,而且科研明显滞后于生产。目前,生产上采用的栽培管理技术如栽植密度、整形修剪方式、土肥

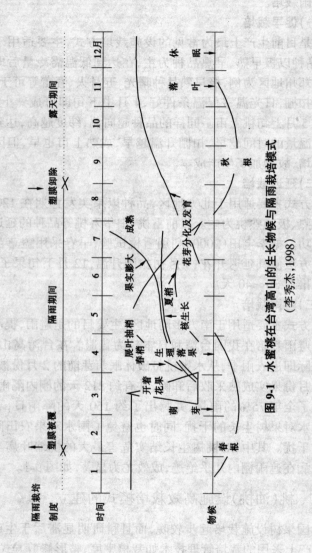

图 9-1 水蜜桃在台湾高山的生长物候与隔雨栽培模式

（李秀杰，1998）

水的管理等主要沿用露地栽培的方式,或略作变更,因而带有很大的随意性和盲目性。已经报道的桃栽培密度就有株行距 $0.9m \times 1.2m$、$1m \times 1.25m$、$1m \times 1.5m$、$1.1m \times 1.5m$、$1m \times 2m$、$1.2m \times 1.5m$、$1.5m \times 2.0m$、$2m \times 2.5m$、$2.5m \times 3m$、$3m \times 4m$、$4m \times 4m$ 等十几种,采用的树形有"丫"字形、纺缍形、多主枝自然开心形、匍匐扇形等等,栽培管理极不规范,往往成功者少,失败者多,或达不到设施栽培应有的产量、品质和效益。迄今尚未有人对不同的栽培管理方式进行系统的研究、评价,也未有根据果树设施栽培的特点建立起的完整的高效栽培模式。国外许多国家从 70 年代开始对油桃的设施栽培技术进行系统研究,并建立了许多栽培模式,但任何栽培模式都有一定的适应范围。这些模式对我们来说,只能借鉴,不能照搬,必须根据我国的设施条件和生态气候特点,建立我们自己的高效栽培技术模式。

王志强等(1999)在进行预备试验和参考国内外桃设施栽培研究的最新成果的基础上,以曙光油桃为例,从栽植密度、树形结构、修剪和树势调控 4 方面着手,筛选、组配了 4 种设施栽培模式,并从生长量、叶面积指数、树体结构、冠内光照分布、成花量、坐果率、早期产量、品质和综合经济效益等方面进行研究、评价和优选,试图建立一种适合我国中、北部地区生态气候条件的高速成桃(油桃)设施栽培模式。

在供试的 4 种模式中,栽植密度设 3 个处理,即中密($2.0m \times 1.5m$,3 333 株/hm^2)、高密($1.2 \times 1.0m$,8 333 株/hm^2)和超高密(12 500 株/hm^2);树形设两个处理,即自然开心形和圆柱形;树势调控根据密度设两种方式,即"前促后控 + 常规修剪"和"前促后控 + PCR 修剪"。"前促后控"和"PCR 修剪"的具体技术参照本章第五节。

4 种模式具体如下:

模式 1:中密植($2.0m \times 1.5m$) + 自然开心形 + 常规修剪

模式 2:高密植(1.2m×1.0m)+自然开心形+前促后控+PCR 修剪

模式 3:高密植(1.2m×1.0m)+圆柱形+前促后控+PCR 修剪

模式 4:超高密植(1.0m×0.8m)+圆柱形+前促后控+PCR 修剪

(一)不同栽培模式对桃营养生长和树体结构的影响

1．不同栽培模式的生长量及群体结构

芽苗定植后当年,不同栽培模式曙光油桃的生长量及群体结构,见表 9-2。

表 9-2　　　　　　曙光油桃定植当年不同栽培模式的生长量和群体结构

栽培模式	树干直径 (cm)	新梢总长度 (cm)	树冠体积 (m³)	总叶面积 (m²)	叶面积指数	郁闭度
模式 1	2.8	18.76a	0.92b	4.30a	1.43	0.51
模式 2	2.6	18.62a	0.88b	3.47b	2.89	1.00
模式 3	2.3	17.03a	1.17a	4.55a	3.79	0.94
模式 4	2.3	15.42b	1.05a	3.16c	3.95	1.00

结果显示,定植当年,不同模式下的树干直径有一定差异,随密度的增加有减小的趋势,且自然开心形树冠的树干直径大于圆柱形,但差异不显著。单株新梢总长度是树体生长量的集中反映,在 4 个模式中,只有"超高密植"的模式 4 显著小于其他模式,而模式 1、2、3 之间无显著差异。但圆柱形树冠体积显著大于开心形,与栽植密度无明显的相关性。单株总叶面积在各模式间有显著差异,随密度增加而递减,但相同密度的模式 2 和模式 3 之间相比,圆柱形树冠的总叶面积大于开心形树冠。叶面积指数(LAI)和郁闭度能较好地说明单位土地面积的叶面积数和生产效能。比较 4 种模式可以看出,定植当年生长季末,模式 1 的 LAI 和郁闭度远远低于果树生产的最适值,群体生产效能必然低下。值得注意的是,模式 2 和模式 3 栽植密度相同,模式 3(圆柱树形)的树冠体积

和叶面积指数均大于模式 2,但郁闭度却小于模式 2,树冠向高处发展,有利于立体利用设施内空间。模式 4 的 LAI 虽然在最适范围之内,但行间、行内已完全郁闭(郁闭度为 1)。

2. 不同栽植模式下的树冠结构

表 9-3 的结果显示,定植当年,曙光油桃的树冠结构主要与整形方式有关,同时也受栽植密度的影响。开心形树冠(模式 1、模式 2)的结构与圆柱形树冠(模式 3、模式 4)的有明显不同,前者当年可发枝 4~5 次,树冠主要由 3 次、4 次和少量 5 次枝组成,花芽主要分布在 2 次枝上。枝条的长度和粗度从模式 1 至模式 4 呈逐渐递减的趋势。开心形树冠单株总枝条量达 55.8~63.3 个(未包括 5 次枝),而圆柱形树冠单株全部枝条数仅 32.3~39.0 个。这些特点从一个侧面说明,圆柱形树冠有利于缓和树体生长势,而且其与开心形树冠相比,发枝层次少,枝条总量较少,树冠结构简单、疏松,对充分利用设施内光能有利。

表 9-3　　　　　　　不同栽培模式 1 年生曙光油桃的树冠结构

栽培模式	一次枝(主干) 高度(cm)	二次枝 数量(个)	二次枝 平均长度(cm)	二次枝 粗度(cm)	三次枝 数量(个)	三次枝 平均长度(cm)	三次枝 粗度(cm)	四次枝 数量(个)	四次枝 平均长度(cm)	四次枝 粗度(cm)
模式 1	40.8	3.4 主枝	60.2	1.93	24.7	42.0	0.63	35.2	25.1	0.36
模式 2	40.6	3.5 主枝	58.1	1.84	23	40.1	0.59	32.1	24.3	0.34
模式 3	138.6	27.0	48.3	0.61	11	15.3	0.26			
模式 4	143.0	25.6	46.6	0.57	6.7	13.4	0.23			

注　枝条粗度均为距基部 5cm 处的直径。

3. 不同栽培模式的光照分布与光能利用

为充分利用设施内空间,提高单位面积产量和效益,设施内一般采用密植栽培。光照是密植园的主要矛盾。桃树是典型的喜光树种,光照条件的好坏,直接影响其光合速率、产量和品质,因此,要建立高效的设施栽培模式,必须考虑光能的合理和有效利用。

从表 9-4 可以看出,定植当年,不同栽培模式冠内的光照分布与栽植密度及整形方式有密切关系,树冠中下层的相对光强随栽植密度的增加而明显减弱;但密度相同的条件下,圆柱形树冠(模式 3)的冠内光照显著优于开心形树冠(模式 2),特别是地面以上 30、50cm 两个

表 9-4　　　　不同栽培模式 1 年生曙光油桃的冠内光照分布

栽培模式	地上高度(cm)					
	30	50	80	100	120	150
模式 1	18.9a	25.4a	68.0a	88.4a		
模式 2	5.2c	9.0d	64.0a	84.7a		
模式 3	14.6b	20.3b	22.8b	28.0b	61.5	81.0
模式 4	9.6c	13.5c	18.7b	26.7b	60.0	81.2

注　　测定时间为 1996 年 8 月 5 日上午 9~10 时,表中数据为相对光强(%)。

层次,开心形树冠的平均相对光强只有 5.2% 和 9.0%,显著低于圆柱形的,实际光强已接近桃树的光补偿点。这两个层次的叶片为光合无效叶片,小而薄,提前黄化脱落。虽然自下而上光照逐渐改善,上层叶片受光良好,但据测算,开心形有 21.5% 的叶面积接受的相对光强低于 20%,而圆柱形树冠受光小于 20% 的叶面积只占 5.2%,因此,圆柱形树冠的整体采光条件优于开心形。这是因为两种树形的叶幕结构和叶幕配置不同:开心形的叶片主要分布于树冠上层,密度较大,透光较差;而圆柱形树冠虽然体积大,但结构较疏松,树冠中的有效容积大,叶片在垂直面上分布均匀,不仅透光率较高,而且有利于接收、利用散射光。

模式 1 由于栽植密度小,而且 LAI 和郁闭度低,所以定植当年冠内光照分布较均匀,采光条件较好。模式 4 为超高密栽植,LAI 为 3.95,冠内相对光强劣于模式 1 和模式 3,但冠内中下层的光照仍好于模式 2。因此,总体而言,定植当年不同栽培模式的冠内光强的优劣顺序为:模式 1>模式 3>模式 4>模式 2。

4.PCR 修剪的生长反应

在供试的 4 种栽培模式中,有 3 种模式采用 PCR 修剪结合其他措施控势、控冠,因此,研究油桃对 PCR 修剪的生长反应、再生冠的结构、冠内光照分布及花芽形成情况对各栽培模式进行评价十分必要。为此,分别于 1997 年 9 月 30 日(定植后第 2 年)和 1998 年 9 月 26 日(定植后第 3 年)连续两年对 PCR 修剪后再生树冠的生长量及花芽形成情况进行了调查,结果如表 9-5。表中结果显示,1997 年的再生树冠比定植当年的一年生树冠略有增大,模式 2、模式 3 和模式 4 树冠体积分别增大 20.5%、17.1% 和 12.6%,单株花芽数分别增加 18.8%、19.2% 和 17.6%。1998 年 PCR 修剪后的再生树冠比 1997 年略有减小,但单株花芽数却有不同程度的增加,树体生长健壮。

表 9-5　　　　　　　曙光油桃对 PCR 修剪的生长反应

调查日期	模式	树干直径 (cm)	树冠体积 (m³)	新梢总长度(m)	总叶面积 (m²)	单 株花芽数
1997 年 9 月 30 日	模式 2	3.2	1.06	21.8	4.12	484
	模式 3	2.8	1.37	20.7	5.01	500
	模式 4	2.3	1.29	17.8	3.67	443
1997 年 9 月 26 日	模式 2	4.0	0.96	19.0	3.66	511
	模式 3	3.7	1.28	18.4	4.83	507
	模式 4	3.0	1.26	16.5	3.43	457

另外,还连续两年对 PCR 修剪后再生树冠的结构及冠内光照分布情况进行了调查、测定,结果发现,再生冠的结构与定植当年调查的结果基本一致,冠内光照情况也未发现有显著变化(数据略)。

(二)不同栽培模式的生产力比较及评价

一个理想的栽培模式除了密度适宜、个体发育良好、群体结构合理、营养生长与生殖生长协调,能最大限度地利用光能、热能、土地资源和设施内空间外,最主要的还是获取单位面积最佳的产量和效益,这是评价和优选油桃设施栽培模式的根本依据和最终目的。

1. 不同栽培模式对油桃物候期的影响

表9-6列出了1997~1998年连续3年记录的物候期资料。可以看出,设施内曙光油桃物候期因年份不同而略有波动,不同栽培模式对物候期有轻微的影响,并表现出一定的规律性。

表9-6   不同栽培模式对设施内曙光油桃物候期的影响(月/日)

年份	栽培模式	罩膜日期	萌芽期	盛花期	成熟期	较露地提前日数
1997	模式1	1/10	1/23	2/14	5/3	34
	模式2	1/10	1/23	2/15	5/6	33
	模式3	1/10	1/20	2/13	5/2	37
	模式4	1/10	1/21	2/13	5/3	36
1998	模式1	1/12	1/25	2/16	5/9	27
	模式2	1/12	1.25	2/16	5/10	26
	模式3	1/12	1/21	2/9	5/7	29
	模式4	1/12	1/22	2/12	5/7	29
1999	模式1	1/8	1/28	2/23	5/8	待观察
	模式2	1/8	1/28	2/22	5/8	待观察
	模式3	1/8	1/26	2/19	5/5	待观察
	模式4	1/8	1/26	2/19	5/6	待观察

表中结果显示,郑州地区1月上中旬罩膜保温,2月中下旬可进入盛花期,5月上旬果实成熟,较露地栽培提早30天左右。不同栽培模式曙光油桃物候期略有差异,模式3果实成熟最早,模式2最晚,二者相差3~4天,连续3年记录结果一致。模式间物候期的这种细微差异主要与各模式树冠所处的光温环境有关。模式3为高干圆柱形树冠,不仅采光条件好,而且设施内上层空间温度较高,因而成熟最早;模式2为低干开心形树冠,冠内光照较差,且设施内下部空间温度较低,故成熟最晚;模式4虽为高干圆柱形树冠,但栽植密度大,郁闭度高,冠内光照劣于模式3,因此,成熟期也介于模式2和模式3之间;模式1密度相对较小,因此,早期郁闭度低,光照好,

但由于采用常规方式修剪,定植后 2~3 年,树冠迅速扩大,并完全封行,冠内光照逐渐减弱,因此,果实成熟期也有相对延迟之势。

2. 不同栽培模式之产量、品质等经济性状比较

表 9-7 列出了设施内曙光油桃 1997~1999 年的坐果率和产量资料。可以看出,不同栽培模式对桃坐果率和产量有显著影响。

表 9-7　　　不同设施栽培模式曙光油桃之坐果率及产量比较

年份	栽培模式	坐果率 A	坐果率 B	株产 (kg)	单位体积树冠产量(kg/m³)	单位面积产量(kg/hm²)
1997 年	模式 1	41.2n. s	14.3b	2.06b	2.24n. s	6 866.0
	模式 2	39.4n. s	12.3b	1.70b	1.93n. s	14 166.1
	模式 3	40.6n. s	21.6a	3.17a	2.71n. s	26 415.6
	模式 4	38.8n. s	20.7a	2.78a	2.42n. s	34 750.0
1998 年	模式 1	30.6n. s	14.8b	3.24b	1.86b	10 798.9
	模式 2	27.8n. s	11.6c	1.66c	1.72b	13 832.8
	模式 3	26.6n. s	18.3a	3.08a	2.53a	25 665.6
	模式 4	28.7n. s	13.0c	2.13c	1.82b	26 625.0
1999 年	模式 1	41.2n. s	18.9b	7.64a	2.10b	25 464.1
	模式 2	39.2n. s	17.8c	2.90c	1.95b	24 165.7
	模式 3	38.9n. s	22.3a	4.17b	2.78a	34 748.6
	模式 4	38.3n. s	12.4c	2.00d	1.63c	25 000.0
3 年平均	模式 1	37.7	16.0	4.31	2.07	14 376.3
	模式 2	35.5	13.9	2.21	1.87	17 388.2
	模式 3	35.4	20.7	3.47	2.67	28 943.3
	模式 4	35.3	15.4	2.30	1.96	28 791.7

注　坐果率 A、坐果率 B 分别为花后 15 天和 30 天调查的结果。

盛花后 15 天调查的坐果率(坐果率 A),4 种模式间无显著差异,连续 3 年结果一致;但盛花后 30 天调查时,坐果率 B 各模式间差异较大:结果第一年(1997 年),按圆柱形整枝的模式 3、模式 4 显著高于按低干开心形整枝的模式 1 和模式 2,结果第二年(1998 年)和第三年(1999 年)除模式 3 仍维持较高的坐果率,模式 2 坐果率依然较低外,模式 1 坐果率逐渐提高,模式 4 坐果率有逐渐降低之势。模式间坐果率 A 非常接近,而坐果率 B 差异显著,说明模式间坐果

率差异并非授粉受精不良所致,而是由第一次生理落果轻重不同造成的。结果第一年的幼树,营养生长旺盛,顶端优势强,圆柱形树冠不仅结构疏松,叶幕结构合理,透光度高,便于利用设施内散射光,而且有利于缓和树势,因此坐果率较高;在设施内高密度条件下,低干开心形不仅树冠体积小,叶片重叠,冠内光照不足,总体光合生产能力低下,而且树势较旺,多次发枝消耗大量光合产物,造成幼果有机营养严重不良,可能是其生理落果严重、坐果率低的主要原因。结果第二、第三年,按常规修剪的模式1通过轻剪长放、以果压势等措施,树势逐渐缓和,加之栽植密度不大,早期光照尚好,因此,坐果率逐渐提高;模式4虽然按圆柱形整枝有利于缓和树势,但因定植密度过大,行内、行间完全郁闭,冠内光照严重不足,因此,生理落果严重,坐果率降低。

坐果率 B 与单株产量之间有一定的相关性($r = 0.557$)。结果第一年,坐果率较高的模式3和模式4均为圆柱形树冠,因此,也可以说,结果第一年圆柱形树冠的单株产量显著高于开心形树冠。尽管结果第二、第三年单株产量还与栽植密度有关,但密度相同的模式2和模式3相比,按圆柱形整枝的模式3单株产量始终显著高于按开心形整枝的模式2。前已述及,圆柱形树冠与低干开心形树冠相比,不仅结构疏松,叶幕结构合理,有利于利用设施内较丰富的散射光,提高树体光合水平,而且树冠体积较大,便于充分利用设施内上层空间,实现立体结果;而低干开心形树冠叶片主要集中于树冠表层,且层层叠叠,叶幕密度较大,冠内光照不良,致使树冠结果表层化,加之树冠体积也较小,因此,密度相同的条件下,单株产量显著低于圆柱形树冠。另外,除结果第一年差异不显著外,第二、第三年模式3(圆柱形树冠)单位体积树冠的产量均显著高于模式2。因此,可以认为,在栽植密度完全相同的条件下,圆柱形树冠具有较高的生产力。中密植的模式1因密度较小,且采用常规修剪,树冠扩大较快,单株产量也迅速提高,从结果第二年开始,株产超过所有模式。结果前 3 年,4 种栽培模式的平均株产排序:模式 1>模式 3>模式 4>模式 2。

单位面积的产量由定植密度和单株产量共同构成,是群体生产力的一种反映。图 9-2 较形象地显示了 4 种栽培模式结果前 3 年的单位面积产量及平均产量。可以看出,定植第二年(即结果第一年),各模式即达到较高产量,特别是模式 3 和模式 4。模式之间的单位面积产量差异首先与栽植密度有关。在供试的 3 个密度处理中,模式 4 密度最大,产量最高;模式 1 密度最小,因此,产量最低。其次,在栽植密度相同时,不同的整形方式对产量也有显著影响,圆柱形树冠(模式 3)的桃产量明显高于开心形树冠(模式 2)。

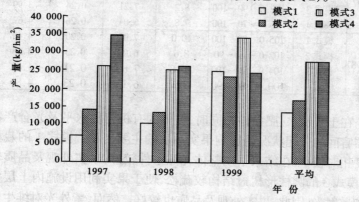

图 9-2　结果前 3 年不同设施栽培模式曙光油桃的产量比较

分析结果前 3 年 4 种栽培模式的单位面积产量变化可以发现,模式 2 和模式 3 除 1998 年盛花期受长时间的雨雪、低温影响而略有波动外,产量基本保持稳定,且模式 3 稳中有升(1999 年);模式 1 在结果前 3 年,产量一直呈迅速上升的趋势,从 1997 年的 6 866kg/hm² 增加到 1999 年的 25 464kg/hm²;而模式 4 则呈现出缓慢的下降趋势。结果前 3 年,4 种栽培模式平均单位面积产量的高低顺序为:模式 3>模式 4>模式 2>模式 1,其中,模式 3 和模式 4 的平均产量高于模式 2 和模式 1 的 65.6% 以上。

不同栽培模式对油桃果实外观及内在品质也有一定影响(见表9-8)。总体上说,模式 1 和模式 3 果实的单果重、着色度、可溶性固形物和可溶性糖含量高于模式 2 和模式 4,表现出较好的商品性,而果实的可滴定酸及维生素 C 含量则略低于模式 2 和模式 4。连续两年的检测结果基本一致。

表 9-8 不同栽培模式对油桃果实外观及品质的影响

年份	栽培模式	单果重 (g)	着色度 (%)	可溶性固形物(%)	可溶性糖 (%)	可滴定酸 (%)	维生素 C (mg/100g)
1997	模式 1	103.3	80~100	8.5	7.50	0.23	3.80
	模式 2	98.0	60~90	7.4	5.86	0.29	4.80
	模式 3	102.0	90~100	8.2	7.21	0.24	3.99
	模式 4	97.2	70~100	7.8	6.04	0.26	4.62
1998	模式 1	105.0	80~100	10.0	7.02	0.20	4.40
	模式 2	102.0	60~90	8.6	6.08	0.23	4.66
	模式 3	104.0	90~100	10.8	7.60	0.21	4.43
	模式 4	100.0	80~90	8.5	6.13	0.23	4.80

在土壤及水、肥条件相同时,树体的有机营养水平及光合产物在器官间的分配状况是影响果实品质的主要因素。模式 1 的栽植密度相对较小,在结果早期整体光照条件较好,果实外观及品质较好;模式 3 的圆柱形树冠结构较疏松,便于果实利用设施内上层空间和散射光,因此,果实外观及品质也较好。然而,紫外光对维生素 C 有破坏作用。从表 9-8 可以看出,果实中维生素 C 的含量有随树冠光照的增加而减少的趋势。模式 4 虽为圆柱形树冠,但因栽植密度过大,群体光照不良,加之负载量相对较大,因此,果实品质和外观较模式 1 和模式 3 稍差。

3. 不同栽培模式之经济效益分析

果树设施栽培所需的经济投入包括设施骨架、棚膜、草苫、地膜、苗木、肥料、农药、水电、人工等费用。一座面积 600m²、骨架为 S-GRC 复合材料构造的塑料大棚,每年经营所需的经济投入计算如表 9-9。其中设施骨架按 10 年寿命折旧,棚膜按 2 年、草苫按 3 年折旧;苗木成本按单价 3.00 元/株计;果园寿命按 8 年计算;每个劳动力可管理 2 座棚,年薪按 3 600 元计。

表 9-9 　　　　　　　不同栽培模式的经营成本核算　　　　　　(单位:元)

模式	设施投入				苗木投入	管理费用			合计
	骨架	棚膜	草苫	地膜		人工	肥料	农药及水电等	
模式 1	1 000.0	620.0	350.0	60.0	75.0	1 800.0	450.0	75.0	4 430.0
模式 2	1 000.0	620.0	350.0	60.0	187.5	1 800.0	500.0	86.0	4 603.5
模式 3	1 000.0	620.0	350.0	60.0	187.5	1 800.0	500.0	86.0	4 603.5
模式 4	1 000.0	620.0	350.0	60.0	281.3	1 800.0	550.0	105.0	4 766.3

注　表中所列数据为经营一座面积 $600m^2$ 的大棚所需的年费用。

计算结果表明,经营一座面积为 $600m^2$ 的塑料大棚,4 种栽培模式每座所需的设施投入均为 2 030.0 元,模式间成本差异主要是因栽植密度不同而导致苗木成本和管理费用的差异。4 种栽培模式投入成本的高低顺序为:模式 4>模式 3>模式 2>模式 1。

根据每年的产量和平均售价计算产值,扣除成本费用后,各模式每年的纯收益如表 9-10。

表 9-10 　　　　　　　不同栽培模式的经济效益比较

模式	1997 年		1998 年		1999 年		总收益 (万元)	收益/成本
	平均售价 (元/kg)	纯收益 (元/600m²)	平均售价 (元/kg)	纯收益 (元/600m²)	平均售价 (元/kg)	纯收益 (元/600m²)		
模式 1	36.0	10 402.0	20.0	8 530.0	21.0	27 658.0	4.66	3.5:1
模式 2	34.5	24 721.5	20.6	12 494.5	20.0	24 396.5	6.16	4.5:1
模式 3	38.2	55 943.5	23.6	31 278.5	22.6	42 517.5	12.97	9.4:1
模式 4	36.3	70 919.2	20.4	27 822.7	21.4	27 333.7	12.61	8.8:1

由于不同栽培模式对果实成熟期、单果重及品质的影响,因此,平均售价也不相同,成熟早、着色好、果个大的模式 3 和模式 4 平均售价较高。早期产量与经济效益是评价设施栽培模式的最主要指标。由表 9-10 看出,结果前 3 年的总收益在各模式间差异显著,模式 3 和模式 4 的早期经济效益和收益/成本值远远高于模式 1 和模

式2。就模式3和模式4而言,前者从结果第一年开始就保持较高而且稳定的产量和效益,而后者虽然前期产量和经济效益也较高,但从投产第二年始,产量有下降的趋势,且表现出密度过大、管理不便和树势衰退等问题。因此,综合以上分析,可判定模式3优于模式4。

第五节　设施环境调控技术

一、适宜保温时间的确定

桃的休眠较深,对低温的要求比较严格。桃休眠的解除一般要求7.2℃以下500～1 000小时不等。低温量不足,即使开始保温,从保温到开花需要的时间长,发芽和开花不整齐。不同的加温时期,开花率和到开花时所需要的天数如图9-3。可以看出,1月5日前加温的,开花最慢,即到开花所需的天数最多;休眠结束后1月25日开始加温的,开花最快,到开花所需的天数最少,花也开得最整齐,此时7.2℃以下低温的积累为908小时。

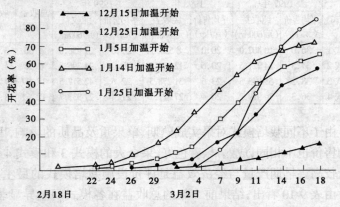

图9-3　加温开始时期与开花率(大分农技,1988)

由此可见,休眠没有结束就开始保温,对提早开花并无好的效果;只有基本上满足了桃的低温要求,在桃开始进入休眠觉醒时期时进行保温,才能对桃开花、成熟有促进作用。

表9-11是根据郑州地区气象资料推算的和1996年实测的低温时数。

表 9-11　　　　　郑州地区 7.2℃ 以下低温积累时数　　　　（单位:h）

时间(月/日)	12/05	12/15	12/30	01/05	01/15	01/30
资料推算	201	331	558	694	853	1 008
1996 年实测	235	404	601	737	871	1 017

从表9-11可以看出,郑州地区,12月下旬至元月上旬可以达到500~600小时的低温量,元月中旬可以达到850小时以上的低温量。这样,在郑州地区,对一些低温需冷量低的油桃品种,如曙光、华光、艳光、早红珠、五月火、丹墨、早红霞等,可从12月下旬开始保温;而对需冷量较高(850小时以上)的品种,如早霞露、安农水蜜等,应在元月中旬前后开始保温。

表9-12是1996年对曙光油桃不同扣棚保温时间物候期的观测,可以看出,12月20日扣棚处理,因油桃尚没有达到550小时以上的低温时数,从扣棚到开花所需天数为40天,比1月13日扣棚处理延长了10天,花期延长了7天,成熟期仅比1月13日扣棚处理提早5天;而1月30日扣棚处理,从扣棚到开花仅需20天,成熟期仅比元月13日扣棚处理晚7天。这说明必须经过充分休眠,达到该品种低温需冷量要求后扣棚保温才能够发挥应有的作用,否则达不到应有的效果。

当然,桃设施栽培的保温时间还要看所采用的设施类型和所采用的保温措施。日光温室保温性能好,而塑料大棚保温性能差。前者在基本解除休眠条件下开始保温越早,促早成熟的效果越好;而后者保温性能差,在不加温栽培条件下,保温太早,棚内温度满足不了桃正常生长发育的需求,也就达不到应有的效果。在郑州地区,只要采取严格的防寒措施,如及时盖草帘、加盖地膜、周围挖防寒沟等,在不加温的条件下也完全可以达到桃正常生长发育的要求,虽然成熟期可能略晚于日光温室,但也有较好的促早效果。这就是中原地区发展设施果树的优势之一。

表 9-12		曙光油桃不同扣棚时间的物候期	
扣棚日期 (月/日)	始花期 (月/日)	谢花期 (月/日)	成熟期 (月/日)
12/20	02/01	02/16	04/26
01/13	02/13	02/21	05/01
01/30	02/20	02/28	05/08

二、扣棚期的温、湿度管理

1. 从保温到开花前

此期的温度过高或过低都会影响花的正常发育。一般应使温度缓慢上升,切勿快速加温,以免影响花器发育。此期温度白天应维持在 $18\sim22℃$,夜间应维持在 $5\sim7℃$,切不可超过 $25℃$。相对湿度以 80% 左右为宜。

2. 开花期

这一时期对温度最为敏感。白天维持在 $20\sim25℃$,超过 $25℃$对花粉发芽不利;夜间以保持在 $8\sim10℃$为宜。此期相对湿度要严格控制,不能超过 50%。

3. 果实膨大期

研究表明,较高的温度对果实膨大有利,因此,白天温度应保持在 $25\sim28℃$,夜间温度应为 $12\sim17℃$。此期空气相对湿度宜控制在 60%～70%。

4. 着色—成熟期

这一时期外界温度逐渐回升,棚内温度不能超过 30℃,夜间以 16～18℃ 为宜。空气湿度宜控制在 60％ 左右,以提高果实品质(见表 9-13)。

大棚温、湿度的调控,主要靠铺地膜、扒缝通风、揭盖草帘、人工加温和控制灌水来实现。

表 9-13　　　　大棚油桃不同生育期温度、湿度控制

生育期	保温至开花前 10 天	开花期	果实膨大期	成熟期
昼温(℃)	18～22	20～25	25～28	<28
夜温(℃)	5～7	8～10	12～17	16～18
空气湿度(％)	80	<50	60～70	60

第六节　树势调控与栽培管理技术

一、桃设施栽培控势促花综合技术

设施栽培使桃树的生长空间受到一定的限制。然而,由于棚内温度、湿度偏高,肥力较好,却大大地促进了树体的生长。因此,控制树势,协调营养生长与生殖生长的关系成为决定桃设施栽培能否成功的关键之一。由河南省林科所、中国农科院郑州果树所为主组成的"河南省果树高效设施栽培协作组"(作者)根据桃和油桃生长量大,当年多次抽枝,次生枝成花力强以及设施栽培延长了全年生育期等特点,采用了桃、油桃设施栽培的专用修剪系统——PCR 修剪系统,即采果后去除全部树冠,利用再生枝条构成翌年的结果枝组。采用 PCR 修剪技术,结合施用多效唑和控水、控氮、增磷技术,是桃、油桃设施栽培控势促花综合技术的核心;同时结合圆柱形整形技术,可以保证在高密度设施栽培的条件下,有效地控制树势,协调营养生长与生殖生长的关系,既有利于早期丰产,又无碍于后期管理,达到速成、丰产、高效的目的。现将这一技术简述如下。

1. 定植当年

芽苗剪砧后不摘心,成品苗在离地面 40~50cm 处选一饱满芽定干,剪口下芽靠顶端优势向上生长,不摘心。萌芽后,加强肥水管理,促其迅速生长,扩大树冠,从 5 月底到 6 月底每公顷可分两次追施尿素 375kg,过磷酸钙 225kg,每 10 天叶面喷施 0.5% 尿素 1 次。此间,注意按照整形要求抹芽,扭枝,调整枝条的角度与层间距,待中央主干长至规定高度时摘心。从中央领导干上发出的主枝,生长至 30~40cm 时摘心,这样可形成圆柱形树冠。从 7 月份后控水、控氮、增施磷肥。每 10 天叶面喷 1 次 0.2%~0.5% 磷酸二氢钾。根据树势和品种特性,叶面喷施 200~300 倍多效唑(指含有 20% 有效成分的成药),也可采用拉枝、拿枝、扭梢、摘心等方法缓合树势,促进树体从营养生长向生殖生长转化。通过上述"前促后控"的综合措施,一般在定植当年即可形成理想的树冠和大量的花芽,为翌年丰产打下良好的基础。

2. 定植后第 2 年

一般 5 月上中旬以前即可采收完毕,进行 PCR 修剪。先从主干附近剪除全部主侧枝,剪口下留一对芽,再在主干 50~60cm 高度寻找一发育较好的潜伏芽,在芽的上方 2cm 处剪除主干。PCR 修剪后 2~3 天,每公顷施 120kg 氮,105kg 磷,135kg 钾,立即浇一遍透水。约 10 天后,可长出新梢。此后,要加强夏季管理,及时抹芽、摘心,按圆柱形整枝要求(如前述)进行管理。一般 6 月底之前又可形成新的树冠。从 7 月中旬开始控水、控氮、增施磷肥,叶面喷施 200~300 倍液多效唑,控制营养生长向生殖生长转化,当年秋季即可形成大量优质花芽。以后每年就这样管理。

二、整形与修剪技术

如前述,生产上桃设施栽培常用的有3种树形,即圆柱形、"丫"字形和自然开心形,以圆柱形和"丫"字形应用最多。

设施桃除采用 PCR 技术修剪外,还应进行夏剪和冬剪。

(一)夏剪

夏剪一般进行 4~5 次。

第一次修剪在花后一周进行,抹去双生芽中的弱芽,对背生的新梢短截至 5~10cm;对徒长枝进行疏剪。另外,对树势强的树可进行早期扭枝,有利于控制树势。

第二次在生理落果前进行。此时若树势过强、枝条过密,会影响光照,造成果实变小和裂果等现象。因此,在这次修剪时应注意开张主枝的角度。对主枝延长枝剪口下背上所长出的竞争枝,必须给予控制,密而直立的可疏除。对内膛萌发的徒长枝,一般的均应疏除;如有空间生长的,可在下部留 1~2 个副梢进行缩剪,培养成结果枝组。此时对生长势弱的树可以扭枝,而对树势强的树扭枝已无效果。

第三次在采收前 10~15 天进行。此时除了对过密的新梢进行疏剪,并控制徒长枝外,主要任务是摘心。对于仍在生长的长果枝,剪去 1/4 左右,控制其生长。对第二次夏剪控制的徒长枝和竞争枝上的副梢也应进行摘心,促其枝条组织充实。

第四次是在 PCR 修剪以后 20 天,对新萌发的过密枝、双枝、背上徒长枝进行疏除。要注意抑制"上强"。

第五次是在 7 月中旬,以缓和树势为目的,对骨干枝实行拿枝、摘心、扭梢等处理,以促进花芽形成。

(二)冬剪

冬季修剪可在保温前进行。对生长旺盛的幼树,长果枝要长留,剪留长度为 30~40cm,待结果下垂后回缩,并应尽量多留副梢果枝。徒长枝可疏除。徒长性果枝过密时可疏除。对树势中庸的树,长果枝留 4~6 节花芽,中果枝留 3~5 节花芽,短果枝留 2~3 节花芽修剪。对生长衰弱的树,果枝剪留的长度应相应地缩短。对骨干枝的延长枝应尽量控制其高度,一般应控制在距棚 0.5~1.0m。

三、花果管理

(一)授粉

由于设施内空气流动性差,无昆虫传粉,影响自然授粉,需采取补救措施。因此,桃设施栽培中,为了提高坐果率,需要在配置授粉树的基础上,再在花期进行人工辅助授粉,或放入蜜蜂、壁蜂传粉。

1. 人工授粉

在将要授粉的前 2~3 天,采集多种含苞待放的花蕾,放在一起。采集时撕裂花苞,用镊子摘取花药,在光面纸上摊一薄层阴干,并使室温保持在 20~25℃。经过 1~2 天,花药开裂,放出花粉,将其收集起来,装入干燥的小瓶内避光存放,待桃树开花时用以进行人工授粉。授粉最好在每天 9~15 时之间进行。授粉时,用毛笔或铅笔的橡皮头蘸取花粉,点抹到刚开放的花朵柱头上,每朵花授粉 2~3 次。

2. 蜜蜂和壁蜂授粉

因大棚栽培密度大,3~4 年后树冠即相互连接,造成人工授粉不易操作。这时,可以利用蜜蜂或壁蜂来完成授粉。其方法是:在棚室内放两个能装 10kg 水果的纸箱,将其改制成巢箱,每箱内装芦苇制成的巢管 12 捆,每捆 50 根巢管平放,管口向外,巢管口染成不同颜色,便于蜂识别。巢箱固定在棚室北墙上,距地面 1.7m,箱前放湿润泥土供壁蜂筑巢用。放蜂时间为预计开花前的 8~10 天。将壁蜂从冷藏箱内取出,放入已钻多孔(直径 1cm)的小纸盒(如青霉素盒)内,数量为 500 只。将小盒放在箱内的巢管捆上,有孔侧向外。为补充桃树开花前后的壁蜂粉源,可在棚内间种一种草莓。

(二)疏花疏果

桃树品种坐果率高,尤其施用 PP$_{333}$ 后,花量剧增,而生长势减弱,如不及时疏花疏果,必然造成负载量过大,影响树体生长发育,使树势衰弱,果实变小,品质变劣,同时影响花芽分化的数量和质量。因此,在综合管理的前提下,合理疏花疏果,成为桃高产、稳产、优质的重要措施之一。

1.疏花

疏花一般在蕾期和开花期进行。这次疏花主要是对坐果率高且可靠的品种进行的。疏花在有些果园是结合补充修剪进行的。结合修剪疏果时,主要对冬剪时长留的果枝进行回缩,疏除果枝基部的花,留下果枝中上部的花。中上部的花疏双花,留单花。预备枝上的花全疏掉。也可采用化学疏花,即在盛花期连续喷 2 次 0.5～0.8 度石硫合剂,第一次于花开 80% 时进行,第二次在第一次后的 2～4 天进行。

2.疏果

对坐果率高的品种可在落花后一周进行第一次疏果;对一般品种来说,通常是在第二次落果开始后,坐果相对稳定时进行。留果量一般为定果量的 2 倍左右。

3.定果

一般于硬核前进行。确定留果量的依据是当年树的生长势、开花坐果情况以及品种果实的大小、预定的单株产量等因素,并增加 5% 左右作为熟前以各种原因造成的损失。具体留果数量应根据果枝的类型确定。一般长果枝留 2～3 个(小果型按 4～5 个),中果枝 1～2 个(小果型 2～3 个),短果枝 1 个(小型果 1～2 个),副梢果枝 1～2 个,预备枝不留。幼树的延长枝一般不留或少留果。内膛和树冠下部应少留果。据观察,疏果后叶片与果实的比例以 (20～30):1 为宜。早熟品种叶果比稍小,晚熟品种叶果比稍大。

四、肥水管理

(一)营养补给技术

1. 补给量的确定

桃树对三大营养元素的要求以氮、钾为主,对磷的需要量较少。据分析测定,产量较高的桃园,叶中氮、磷、钾的适宜含量(干物质的百分率)分别为 2.67%～3.36%、0.15%～0.30% 和 2.14%～3.0%。当氮含量低于 1.7%、磷低于 0.09%、钾低于 1.0%时,即表现出缺素症。

桃树设施栽培密度大,生长量大,产量高,营养物质消耗多,特别是采用 PCR 修剪技术,营养元素流失就更多,因此,通过施肥进行营养补给就是一项重要的工作。

科学施肥,首先要确定桃树的需肥总量和氮、磷、钾 3 种主要肥料的适当比例。据研究,形成 100kg 桃的经济产量(桃果实),需吸收氮(N)0.48kg,磷(P_2O_5)0.2kg,钾 (K_2O)0.76kg(表 9-14)。

表 9-14 桃产量与肥料吸收量

果实产量 (t)	1 000m² 需肥量(kg)				
	氮(N)	磷(P_2O_5)	钾(K_2O)	钙 (CaO)	镁(MgO)
1	5	2	7	9	1.5
2	10	4	14	18	3.0
3	15	6	21	27	4.5
4	20	8	28	36	6.0
5	25	10	35	45	7.5
6	30	12	42	54	9.0

陈晓玲等(2000)对 2 年生大棚油桃的研究表明,营养补给量应以采收的桃果、PCR 修剪及冬季修剪的枝叶、落叶所携带走的营养量为标准确定,每株施用纯氮 43.16g,纯磷 6.16g,纯钾 34.83g。

2. 补给时期和方式

(1)基肥。于秋季一次施用。秋季施基肥最适宜的时期是 9 月份。早施基肥,可使在挖施肥沟时被切断的根系,在根系的第二次生长高峰期长出新根,并能吸收养分。等到扣棚后土温上升时,即可及早吸收养分,以利于桃树的生长。施用肥料以有机肥为主,适量加入磷、钾肥。方式有沟施、辐射状沟施等。

(2)追肥。一般使用化肥。设施桃树可以在以下几个时期追肥。

萌芽期:一般在发芽前 20～25 天进行追肥。以三元复合肥和二铵为主。追肥后应立即灌水。结果树每公顷施 150～300kg。

开花后:桃树发芽、开花消耗了大量的贮藏养分。为了提高坐果率和促进幼果膨大、新梢的生长以及根系的扩伸,在开花后应追施氮、磷、钾肥。其氮肥施用量为每公顷施用尿素 150kg。

硬核期:此时是桃树由利用贮藏营养向利用当年同化营养的转换期,种胚开始迅速生长,果实对营养元素的吸收开始逐渐增加,新梢旺盛生长,并为花芽分化作物质准备,所以,此时追肥应以钾肥为主,配合使用磷、氮肥。

果实膨大期:采收前 15～25 天,桃树果实迅速膨大,这时增施钾肥可有效地增产和提高果实的品质。除叶面喷施 0.3%～0.5% 磷酸二氢钾以外,还可土施含钾量较高的肥料。施用量依树龄和树势而定。

果实采收后:果实发育至成熟要消耗树体大量的营养,所以在果实采收后,应追肥予以补充。追肥以氮肥为主,配合磷肥,以促进根系和新梢的进一步生长,恢复树势。施入量根据树体和树龄情况而定,原则是少量勤施。时间一般控制在 6 月中旬以前。

追肥一般采用开沟土施和叶面喷撒相结合的方式。

(二)灌水

桃树虽然耐旱怕涝,但桃树在萌芽、开花、结果、成熟等时期,都照样需要较多的水分供应。一般设施桃树灌水应掌握以下 5 个环节:萌芽水、新梢生长水、果实膨大水、采后修剪水、越冬水等。灌溉方式:在扣棚期以滴灌最适宜;去棚期可采用大水漫灌的方式。

第七节　病虫害防治技术

一、病害及防治

(一)细菌性穿孔病

该病是由细菌引起的病害。其主要危害叶片,其次是果实和枝梢。叶片染病之初出现水渍状小斑点,后扩大成圆形或不规则形紫褐色至黑褐色病斑,大小约 2mm,周围有黄绿色晕环;后期病斑干枯,病健交界处形成一圈裂纹,仅有一小部分与叶组织相连,病斑中央组织极易脱落而形成穿孔,使病叶早期脱落。枝梢染病时,呈紫褐色水渍状斑点,逐渐扩展成长梭形病斑,表皮破裂,露出木质部,有桃胶溢出,严重时几个病斑相连,使枝条枯死。果实染病初期呈褐色水渍状小圆斑,后逐渐扩大,变成暗紫色,中央凹陷。湿度大时,病斑上常出现黄白色粘质分泌物。

该病发生与管理水平、气候、树势及品种有关,树势弱、树冠郁闭、空气湿度大、排水不良和偏施氮肥时发病重。

防治方法:①清除病源。随时清除落叶,结合修剪剪除病枝,集中烧毁。②刮治病斑。用波美 25~30 度石硫合剂涂抹伤口。③喷药保护。桃树发芽前喷 5 度石硫合剂或 45% 晶体石硫合剂 30 倍液。落花后喷施新植霉素 3 000 倍液,或 72% 农用链霉素 3 000 倍液,或硫酸链霉素 4 000 倍液,或 50% 代森铵水剂 700 倍液都有效。以后每隔 15 天左右喷 1 次,共喷 4~5 次。

(二)炭疽病

该病主要为害果实,也侵染新梢和叶片。幼果染病后果面呈暗褐色,发育停滞,并逐渐萎缩硬化形成僵果。果实膨大期染病,果面初呈绿褐色水渍状病斑,随果实膨大,病斑随之扩大,并呈浓褐色圆形或椭圆形凹陷病斑,湿度大时其上产生橘红色粘质小粒点。果实近成熟时染病,病斑常连成不规则大斑,后期产生橘红色粘质小粒,逐渐覆盖整个果面,最后病果软腐脱落或形成僵果残留于枝上。枝梢染病,病斑表面长出橘红色小粒点,病梢多向一侧弯曲,严重时枯死。

该病从落花后至果实成熟均能发生。病菌在僵果和病枝上越冬,高湿是发病的先决条件。桃树枝叶过密、树势衰弱时易发病。

防治方法:萌芽前喷福美砷可湿性粉剂 100 倍液,或波美 5 度石硫合剂。落花后每隔 10～15 天喷一次 80% 炭疽福美可湿性粉剂 800 倍液;或 75% 百菌清可湿性粉剂 800 倍液;或 80% 大生可湿性粉剂 800 倍液,共喷 2～3 次,重点保护幼果。

(三)缩叶病

该病主要为害桃树幼嫩部分,以叶片为主,严重时也危害嫩梢和幼果。嫩叶刚从芽鳞抽出时即被害。最初叶缘向后卷曲,颜色变红并呈波纹症状,后叶片卷曲皱缩程度加重,并变厚变脆呈红褐色,严重时全株叶片皱缩变形,嫩梢枯死。嫩枝受害后呈灰绿色或黄色,节间变短、略粗肿,其上叶片常簇生,严重时枯死。幼果染病,初生黄色或红色病斑,微隆起,随果实增大渐变褐色,后期病果畸形,果面龟裂呈麻脸状疮疤,易脱落。

病菌在芽鳞或树皮上越冬,桃展叶后入侵叶片。病菌喜冷凉、潮湿气候,10～16℃时孢子的萌发与侵染力高,21℃以上时病情减轻。上年发病重的枝条上残留病菌多,发病重。

防治方法:①清除初侵染源。在病叶表面还没形成白色粉状物前及早摘除烧毁。②桃树发芽前喷波美 3～5 度石硫合剂,或 70% 代森锰锌可湿性粉剂 500 倍液,注意细致周到。桃树发芽后不需再防治。

(四)根癌病

病瘤发生于桃树的根、根颈和茎等部位,以根颈处最为典型。有时散布在整个根系上,受害处产生大小不等、形状不同的肿瘤。

桃株受害后发育受阻,生长缓慢,植株矮小,严重时整株死亡。

病源为根癌土壤杆菌。该病多由苗木带病入园所造成,在园内则可通过灌水、虫传浸染。

防治方法:①严格苗木检疫,严禁病苗入园。②严格苗木消毒。栽植前用 0.3%～0.5%硫酸铜浸泡苗根 1 小时,然后冲洗干净;或用 3～5 度石硫合剂进行全株喷药消毒。③发现病株应及时处理。若病症较轻时,可扒开土壤晾根,用中国农业大学研制的抗癌菌剂 5 倍液灌根。若发病严重,可将病株连根刨出,烧掉。

二、虫害防治

(一)蚜虫

蚜虫包括桃蚜、桃粉蚜等,是桃设施栽培的主要害虫。蚜虫一年发生数代,主要为害嫩叶、幼果。

防治方法:①杀灭越冬虫卵,在桃芽萌动前喷 5%蒽油乳剂或 5 度石硫合剂。②萌芽期进行药剂防治,这是防治蚜虫的关键。应在桃花蕾吐红时喷 40%乐果乳剂 1 500 倍液,或 50%碎蚜雾 2 000 倍液,或 50%灭蚜松乳油 1 500 倍液,或 50%辛硫磷乳剂 2 000 倍液,或 20%速灭杀丁乳油 2 000 倍液。花后再喷 1～2 次。

(二)叶螨类

叶螨主要是山楂叶螨。其主要为害叶片,开始时叶脉两侧失绿,严重时全叶焦枯、脱落。

防治方法:①杀灭越冬螨,清除落叶、杂草,刮除粗皮,消灭部分越冬螨;在发芽前,喷施 5%蒽油乳剂或 5 度石硫合剂杀灭越冬螨。②发芽后药剂防治:在越冬螨出蛰盛期,或第一代卵孵化结束后,喷施 0.3 度石硫合剂,或 50%硫磺胶悬剂 300 倍液,或 25%螨死净 500 倍液,或 5%尼索朗乳剂 1 500 倍液,杀灭成螨或若螨。

(三)桃潜叶蛾

该虫害主要为害桃叶。被害叶部分表皮变白但不破裂,严重时整个叶片被潜食而引起落叶。

防治方法:①清除落叶,消灭越冬蛹。②药剂防治:喷施 40% 水胺硫磷乳油 1 500 倍液;或 92% 杀虫丹原粉 2 000 倍液;或 18% 杀虫双水剂 500~600 倍液;或 25% 灭幼脲 3 号 1 500 倍液;或 5% 杀铃脲 600 倍液;或 30% 蛾螨灵可湿性粉剂 1 200 倍液,其对红蜘蛛有兼治作用;或 30% 辛脲乳油 1 000 倍液,其对桃蚜有兼治作用。

(四)食心虫类

该虫害主要有桃小食心虫、梨小食心虫。幼虫以为害桃新梢和果实为主。幼虫蛀入新梢后,顶端新梢萎蔫、折断而死亡。幼虫蛀入果实后,蛀孔周围变黑、腐烂,形成"膏药"状。以老熟幼虫在树干翘皮内及树干基部土壤中结茧越冬。

防治方法:①刮除老树皮。②树上挂糖醋罐诱杀成虫。③落花后 1 个月喷 50% 马拉硫磷乳剂 1 000 倍液,或 90% 敌百虫 1 000 倍液。

(五)桃蛀螟

其主要为害果实。以老熟幼虫结茧越冬。为害期为落花后 1 个月左右。在北京地区,越冬幼虫 5 月下旬至 6 月上旬发生。第一代幼虫为害桃和杏的果实,多从果柄基部沿果核蛀入果心。由于蛀孔大,容易招致病害,使果实腐烂。幼虫老熟后转移到树皮裂缝处化蛹越冬。

防治方法:①早春刮树皮。②于产卵盛期喷 50% 杀螟松 1 000 倍液或杀螟杆菌或青虫菌 1 000 倍液。③对果实及时套袋。④利用黑光灯或糖醋罐诱杀。

第十章　樱桃的设施栽培

樱桃是落叶果树中果实成熟最早的树种。其果实色艳、形美、味佳、营养丰富,被誉为"早春第一果",深受群众喜爱。但樱桃花期易受霜冻,成熟期遇雨易裂果,产量低而不稳。且樱桃皮薄、多汁,不耐贮运;成熟期集中,货架寿命短,销售紧张,从而影响了其推广与普及。设施栽培,成功地发挥了樱桃成熟期早的优势,解决了上述一系列问题,带来了极高的经济效益。据山东设施栽培试验提供的资料,大棚中国樱桃提早 40 天成熟,鲜果供应期由原来的 10 天左右延长到 50 多天;甜樱桃果实成熟期提早 38 天,鲜果由原来的 20~25 天,延长到 55~60 天。4 年生中国樱桃 1 000m²,产量 1 257.1kg,纯收入 37 142.9 元,比大田增长 10.12 倍;3 年生甜樱桃每 1 000m² 产果 399kg,纯收入 63 030 元,比大田高出 7.2 倍。

第一节　品种选择

一、品种选择的依据

设施栽培樱桃,目的是生产优质、早熟的樱桃果实,满足早春果品市场对鲜果的需求。因此,应选用品质优良、果实生长期短、成熟早、产量高、易于管理的品种。具体地讲,品种选择应依据以下几点:

(1)选择低需冷量的品种。即自然休眠期较短的品种。自然休眠期越短,越容易提早成熟。樱桃品种的需冷量一般为 600~1 440 小时。

(2)选择抗病性强、果实品质好、商品价值高的品种。尤其是果个大、色泽艳、风味好的品种。

（3）选择果实发育期短的品种。即早熟品种。成熟早、产量高、稳产性好，才能更好地发挥设施栽培的作用。

（4）尽量选择树体小、树形紧凑、易整形、管理简单的品种，以便于大棚或温室栽培，并减少设施建造的投资。

（5）选择早果性强的品种。甜樱桃结果晚，是限制快速发展的主要原因之一，因此要选择早期丰产性好的品种。

（6）选择授粉品种时，要求花粉量大，与主栽品种亲和力强，花期较抗寒。

二、设施栽培优良品种

1. 莱阳矮樱

该品种属中国樱桃。果实圆球形，平均单果重 1.73g，果柄 1.4cm，果皮深红色，果肉淡黄色、致密、味香。含可溶性固形物 16.5%。离核，可食率 91.3%。在山东莱阳露地栽培，5 月下旬成熟。该品种树体粗壮，树冠矮小，适应性强。结果早，果个较大，品质优，果色艳，连年丰产稳产，是最适宜设施栽培利用的中国樱桃优良的矮生型品种。

2. 大窝楼叶

该品种属中国传统樱桃品种。产于山东枣庄。果实较大，圆球形或近圆球形，平均单果重 2g 以上。果皮紫红色，较厚；果肉淡黄色，肉质致密，汁中多，味甜香。含可溶性固形物 17.3%，离核。较耐贮运。该品种结果早，丰产性好，喜微酸性砂质壤土，在粘重土或碱性土上生长不良且产量低。较抗病，但易受晚霜危害。

3. 短柄樱桃

该品种属中国传统樱桃品种。产于浙江一带。果大，扁圆球形，平均单果重 3g 以上。果皮紫红色，果肉浅红色，肉较致密，皮薄；果柄较短，平均 1.7cm；汁多，味甜微酸。可溶性固形物含量

12.1%。在浙江一带露地栽培,4月下旬果实成熟。

该品种树体高大,树姿开张,是中国樱桃中鲜食品质最佳和果实最大者。设施栽培条件下,应采取综合措施,控制树冠扩大。

4. 红灯

该品种系大连农业科学院采用杂交技术育成的品种。该品种树势强健,幼年树姿直立;成龄期树姿半开张,以短果枝和花束状果枝结果为主,连续结果能力强,丰产性强。适宜授粉品种有大紫、红密等。果实极大,平均果重9.2g;肾形;果皮紫红色;肉质较硬,汁液较多,果肉肥厚,可食率达92.9%;风味酸甜。可溶性固形物含量15%,品质上等,宜鲜食,耐贮运。露地栽培,5月下旬至6月上旬果实成熟。

5. 早紫

又名日之出、日出,属甜樱桃类,是一个成熟最早的甜樱桃品种。树势强健,萌芽率较高,成枝力强,以短果枝和花束状果枝结果为主。适应性强,但产量较低,平均株产40kg。果实较小,心脏形,平均单果重3.56g,平均纵径1.73cm,横径1.95cm,侧径1.77cm;可食率88.4%。果顶脐点及缝合线明显;果面紫红色;果皮薄;果肉淡红色,柔软多汁,味酸甜,较淡。可溶性固形物含量为12.6%,品质中等。粘核。露地栽培时,果实5月下旬成熟。

6. 大紫

又名红樱桃、大叶子。属软肉、中熟甜樱桃优良品种。树势强健,树冠高大,幼树生长旺盛,萌芽率高,成枝力强。冠内小枝密集,枝条细长呈斜向或下垂。长、中、短果枝结果均好,其中以短果枝结果为主。3~5年生开始结果,较丰产,适应性强。果实大,平均单果重6g,最大单果重7g,平均纵径1.8cm,横径1.5cm,侧径1.9cm;宽心脏形,果顶微平或微凹,缝合线不明显;果皮紫红色,薄;果肉红色,柔软多汁,味甜。可溶性固形物含量14%,品质上等。离核。露地栽培,果实5月下旬至6月上旬成熟。果实发育期40天左右。

7. 那翁

该品种属黄色、硬肉、中晚熟的优良甜樱桃品种,在我国栽培最为普遍。其幼树长势强健,树姿直立,萌芽率高,分枝力弱。以花束状果枝结果为主。4～6年生开始结果,丰产,适应性强,水分过大时有裂果现象。果实大,心脏形,果顶平或微凹,脐点较大,平均单果重6.8g,平均纵径2.13cm,横径1.91cm,侧径2.29cm;果面黄色,阳面有红色,果皮中厚,果肉质硬,味甜。含可溶性固形物15%左右,可食率94%,品质上等。粘核。露地栽培,6月上旬果实成熟。果实发育期45天左右。

8. 小紫

又名若紫,红樱桃。属软肉、中晚熟品种。其树势强健,树冠大而开张,萌芽率高,成枝力强,冠内枝条密集。初果期以长果枝、混合果枝结果,盛果期以花束状果枝结果为主。果实大,平均单果重6.7g;宽心脏形;果皮紫红色,较厚,果肉软而多汁;味酸甜适口。可溶性固形物含量10.5%～14%,品质上等。露地栽培,5月下旬成熟。果实发育期为45天左右。

9. 滨库

该品种是一个产自美国的古老品种。树势强健,枝条粗壮直立,以花束状果枝结果为主,较丰产。果实大,平均单果重7g以上;宽心脏形;果顶平圆,缝合线深而明显,果柄粗长。果皮深红至紫红色,厚而坚韧;果肉浅红色,肉质硬脆,果汁较多,风味甜酸适口,品质上等。露地栽培,6月中下旬成熟,果实发育期60天左右。

10. 红蜜

该品种系大连农科所采用杂交技术选育的软肉型优良品种。树势强健,树冠开张,萌芽率高,成枝力强。无自花结实能力,但自然授粉结实率较高,适宜的授粉品种有红灯、红艳等。果实中大,平均果重5g,宽心脏形;果面红色;果肉厚,肉质较软,果汁多,味甜如蜜。可溶性固形物含量17%,可食率高,品质上等。露地栽培,6月上旬成熟。

11. 红艳

该品种系大连农科所采用杂交技术选育的软肉型优良品种。树体健壮,树冠半开张,萌芽力强,成枝率高,分枝较多。有一定自花结实能力,但自然授粉结实率较高。适宜的授粉品种有红灯、红蜜等。果实大,平均单果重 8g;扁心脏形;果实整齐,果皮浅黄色,有红晕,外形美观,肉质软,肉厚,果汁多,风味酸甜。可溶性固形物含量 14%,品质上等。在大连地区露地栽培,6 月上旬果实成熟。

12. 雷尼尔

该品种原产于美国。其树势强健,枝条粗壮,节间短。抗寒性强,极丰产,结果早,抗裂果,耐贮运。配置授粉树结实率极高,适宜的授粉品种有那翁、滨库、红艳等。果实较大,平均单果重 8.5g,心脏形。果皮黄色,具鲜红色晕,肉质较硬。可溶性固形物含量 15%。品质极好。露地栽培,果实 6 月中旬成熟,发育期 50 天。

13. 佐藤锦

该品种是日本品种。树势强健,树姿直立。果实中大,平均单果重 6.5g。果实短心脏形,果面黄色,阳面着鲜红色,光泽美丽,果肉白色,硬肉,核小肉厚。可溶性固形物含量 18%,甜酸适中。露地栽培,6 月上旬成熟。

第二节　生物学特性

一、生长结果习性

设施栽培中常用的中国樱桃和甜樱桃都属乔木类型。尤其是甜樱桃,一般都是树体高大,生长健壮,干性强,成枝力强,自然分层明显,树冠呈自然圆头形或半圆形。露地 5 年生树高 5～6m,冠径 5～6m,4～5 年开始结果。中国樱桃树体相对矮小一点,树冠也呈现自然圆头形，萌芽力高，成枝力弱。其中，莱阳矮樱近乎灌状球形，2年见花，3年见果。甜樱桃和大部分中国樱桃，因树体高大，造成设施栽培很难管理。对此，我们只能尽量采用矮化砧木、紧凑型品种，外加综合化学控制和人工修剪技术。但就目前来看，国内采用的砧木都不太理想，有的矮化效果不好，有的与品种亲和力不强，造成死树。较有希望的砧木是矮樱桃和吉斯勒砧。

中国樱桃的叶芽瘦长，呈尖圆锥形，紧贴树枝生长。芽萌发力强，一年生枝上的芽，几乎能全部萌发。成枝力弱，多呈短枝及鸡爪枝。甜樱桃叶芽较大，平均长 7～8mm，最粗处达 3～4mm，先端外翘，大部分品种萌发力较弱。樱桃的花芽属纯花芽。甜樱桃的花芽为圆锥形，芽体饱满、粗胖。中国樱桃发育成熟的花芽，近椭球形。花芽主要着生在花束状果枝、短果枝和中果枝上，长果枝、混合枝基部的 5～8 个较大的叶芽，也常能分化形成花芽。

樱桃的枝，总体可分为发育枝和结果枝。发育枝构成树冠，结果枝开花结果，形成产量。发育枝上的芽都是叶芽，其作用是抽枝生叶，利用光合作用制造有机养分，扩大树冠和形成结果枝。一般来说，幼树和生长势较强的成龄树，形成营养枝较多。盛果期的树和弱树，营养枝相对较少。结果枝，按枝长短通常分为混合枝、长果枝、中果枝、短果枝及花束状果枝。混合枝，长度大多在 20cm 以上，顶芽及枝条中上的芽全为叶芽，只有基部 5～6 个芽为花芽。这类枝条多为结果早期形成，为扩大树冠形成新果枝的果枝类型。长果枝，长度在 15～20cm 之间，除顶芽和上部少数几个芽为叶芽外，其余全为花芽。这种枝开花结果后，枝条后部易光秃，只有顶部几个芽继续延伸形成果枝，长果枝多见于初果期的树上。中果枝，一般长 5～15cm，只有顶芽是叶芽，其余全为花芽。中果枝在大多树体上不常见，不是主要的结果枝类型。短果枝，长度在 5cm 左右，只有顶芽是叶芽，主要着生在二年生枝的中下部，在盛果期树上分布很广，短果枝形成的花芽发育良好，易坐果，品质也好。花束状果枝，一般长度1~2cm,顶端具叶芽,花芽紧密,成簇状分布,开花时犹如花束,其上花芽发育良好,易坐果,品质好,是樱桃主要的结果部位,盛果期树上分布最广。

櫻桃的根系属浅根系,主根不发达,具较多的侧根和须根。其根系主要分布在25cm以内的土层中。另外,其根系的分布与立地条件的好坏、环境因子、砧木类型、繁殖方式等有关。

二、对环境条件的要求

影响樱桃生长发育的环境因子,主要是指温度、光照、水分、空气、土壤等樱桃生长发育必不可少的环境条件。

1.温度

樱桃是喜温暖而不耐寒的树种,温度是其最重要的影响因素。温度高低不仅影响樱桃的成活,而且决定着它的光合作用、呼吸作用、蒸腾强度等一系列生理活动,从而对其生长发育产生重要影响。我国大部分地区的无霜期和有效积温,都能满足樱桃生存生长的要求。但某些地区的绝对低温,往往成为樱桃栽培的限制因子。甜樱桃,一般适于在年平均气温10~12℃的地区栽培,冬季气温降至-18~-20℃时,大枝会发生冻害,降至-25℃以下时,则能使植株大量死亡。凡极端低温类似的地区均不宜发展甜樱桃。同样,生长季的高温也不利于樱桃的生长。在高温高湿情况下,樱桃易旺长冒条,造成树冠郁闭,影响花芽分化,结果不良,品质也差,病虫害加剧。试验资料表明,樱桃打破休眠,根据品种不同,需要在7.2℃下经过500~1 300小时。

2.水分

樱桃对水分状况极为敏感。它既不抗旱也不耐涝,适宜在年降水量为600~700mm的地区栽培生长。樱桃对水分的要求因生育期不同而异。生长季节随着果实的生长、叶面积的迅速扩大,樱桃对水分的需要量也逐渐增加。如果这时出现干旱,当土壤含水率降到一定程度,就会出现树体萎蔫,直至死亡。所以,干旱季节务必在树木尚未显出旱相时及时灌水,保证其正常生长。另一方面,水分过多对樱桃也不利。樱桃忌涝、忌积水,土壤水分过多时易出现烂根现象。果实成熟期雨水过多,往往造成裂果,降低品质,不耐贮运,影响经济收益。

3. 光照

大多数甜樱桃喜光性很强。相比之下,中国樱桃较耐荫。一般来说,当光照不足时,甜樱桃因光合作用时间短,光合速率低,合成的有机营养不足而影响生长和结果。在年日照时数 2 600～2 800 小时的地区,甜樱桃生长结果良好。中国樱桃对光要求不那么严格,很多地方的樱桃沟,在光照条件不太好的情况下,照样开花结果。

4. 土壤

中国樱桃比较耐干旱、贫瘠。甜樱桃喜欢土层深厚,土质松软,保水、保肥、保墒的砂壤土或壤质沙土,而低洼易涝的沼泽土和盐渍土、极其贫瘠的石渣子土、具流动性的风沙土,都不适于樱桃生长发育。另外,土壤质地、肥力状况也直接影响樱桃产量和果实品质。

三、物候期

棚栽樱桃的发育规律与露地有很大不同。在一个生育周期中,棚栽樱桃从休眠中期到萌芽,一直到果实成熟前,大部分时间在设施环境中生长发育;从揭棚到落叶休眠,其又在露地中生长发育。就这样从露地到保护地,从保护地到露地,这两种不同环境交替地影响,完全打乱了樱桃在露地生长固定的物候期。其萌芽、开花、抽梢、展叶、花芽分化、果实发育、休眠等过程,形成另外一种年生长周期。樱桃的萌芽、开花与气温有关。甜樱桃,当日平均气温达 10℃ 左右时,花芽开始萌动;日平均温度达到 15℃ 左右时开始开花,整个花期为 7～14 天,长时可达 20 天。中国樱桃,当日平均气温达 7～8℃ 时,花芽开始萌发;日平均温度为 8～13℃ 时开花,花期持续 10～15 天。具体反映到日历上,由扣棚时间、加温措施决定。品种间相差 5 天左右。

表 10-1 为不同扣棚时间的樱桃花期。

叶芽萌动期,一般比花芽萌动期晚 5～7 天。芽萌发后,有一个短暂的新梢初生长期(甜樱桃为 1 周左右)。开花期间,新梢生长很慢,至谢花只长 1～2cm。谢花后,新梢进入迅速生长期。结果树的新梢在果实成熟时,生长渐趋缓慢。4 月中下旬,果实采收后,揭除棚膜,立即进行修剪,待 3 周左右,新梢又重新生长。叶芽萌发后,随着新梢的初期生长,叶片逐渐展出,叶面积日渐增大。谢花后随着新梢的迅速生长,叶片数量增加,面积迅速增大。叶面积的扩大也随着新梢生长的停止而终止。

表 10-1　　　　　不同扣棚时间的樱桃花期

品　种	加温时间	花　期
中国樱桃	12 月下旬	2 月初至 2 月中旬
	元月中旬	2 月中旬至 3 月初
	元月下旬	3 月初至 3 月中旬
	对照	4 月初 4 月中旬
甜樱桃	元月上旬	3 月初至 3 月中旬
	元月下旬	3 月中旬至下旬
	2 月上旬	3 月底至 4 月上旬
	对照	4 月下旬至 5 月初

樱桃作为北方落叶果中成熟最早的水果,果实发育期非常短。甜樱桃和中国樱桃从谢花至果实成熟,早熟品种只有 30～40 天,中熟品种 40～50 天,晚熟品种 50 多天。整个果实发育过程可分为 3 个阶段:第一阶段,为第一速长期,从谢花至硬核前,该阶段果实迅速膨大;第二阶段,为硬核和胚发育期,果实大小变化缓慢,果核木质化;第三阶段,为果实第二次迅速生长期,自硬核至果实成熟,这一时期果实迅速增大,横径生长大于纵径生长。

中国樱桃,由于萌芽率高,成枝力弱,形成花芽比较容易,各类枝条均能形成花芽,一般幼旺树花芽分化比成龄树迟,以中长果枝结果为主,而且花多着生在枝条的中上部,因此,幼树期整形修剪时,除骨干枝的延长枝需适当短截和疏除部分过密枝外,其余枝条一般不剪,以免剪掉花芽,影响早期产量。甜樱桃花芽分化的特点是,分化时间较早,分化时期集中,分化快。一般在新梢第一次生长停止、果实采收后 10 天左右便开始大量分化。此后,转入形态分化期,历时 1~2 个月,大概 8~9 月份分化完成。分化时期的早晚,与果枝类型、树龄、品种有关。花束状果枝和短果枝芽分化比长果枝与混合枝早,成龄树比幼旺树早,早熟品种比晚熟品种早。樱桃由于花芽分化期比较集中、分化迅速,所以对营养条件的需求较高。在营养条件不良时,会出现雌蕊败育,所以一定保证早期肥水供应。

樱桃落叶后即进入休眠期。在我国北方的大部分地区,樱桃树体在 11 月份进入自然休眠期,在设施栽培中,有时为了让树体尽早进入休眠期,而采用摘叶处理。休眠后的树要开花萌芽,则需要一定限度的低温量才能解除休眠,即通常所说的满足需冷量。通常认为在 7.2℃ 以下时,经过 1 100~1 400 小时即可渡过自然休眠。另据报道,一般甜樱桃对低温要求 800~1 700 小时(低于 5~7℃ 的小时累积数)。品种间有所不同,如高砂只要 1 200 小时。中国樱桃自然休眠期比甜樱桃短。掌握每个樱桃品种度过自然休眠的需冷量,根据当地气象资料,确定适当的覆膜保温时间,对设施栽培具有非常重要的意义。

第三节 苗木准备与栽植

一、苗木准备

由于设施栽培的特殊性,要求一次定植成功,不允许出现死苗补植和苗木大小不均的情况。要求苗木发育粗壮、根系完好、须根多、无病虫害、品种纯正。中国樱桃苗木多由扦插和压条繁殖而成,根系及苗木很不整齐。甜樱桃则是通过嫁接育成。所用砧木以矮化砧为好,苗木比较整齐,根系也相对较好。通过自育或异地购买的苗木,可以在秋季直接定植或假植至早春再定植。

二、栽植技术

栽培樱桃的大棚或日光温室,宜选择建在背风向阳、土质深厚肥沃、灌溉方便、排水良好的地方。每个大棚或日光温室以 $666.7m^2$ 左右为宜。确定棚内樱桃定植的株行距非常关键,如果株行距太大,则棚内覆盖度低,单位面积生产力也较低;如果株行距过小,生产寿命短,进入第 4 年基本郁闭,疏枝量很大,管理困难。表 10-2 是山东王其伦等人对大棚内矮樱桃不同定植株行距对产量的影响的试验记录。

表 10-2　　　　　　　　不同定植密度对产量的影响

株行距 (m×m)	密度 (株数/1 000m²)	产量(kg/1 000m²)		
		2 年生	3 年生	4 年生
1×2	500	67.5	669.0	1 269.0
1.5×2.5	267	37.5	477.0	1 257.0
2.0×3.0	167	22.5	337.5	936.0

目前大多数观点认为,若以中国樱桃的莱阳矮樱桃作主栽品种,定植株行距以 1m×2m 或 1.5m×2.5m 为宜,南北栽植;若以莱阳矮樱桃作砧木,以大樱桃(甜樱桃)为主栽品种,株行距以 2m×3m 或 2.5m×3m 为宜。土壤肥力较高和长势较强的品种,如红灯、大紫等株行距宜大些,可采用 3m×3m;土壤肥力较低和长势较中庸的品种,如芒果红、佐藤锦等,株行距可小些。

中国樱桃自花结实能力较强,不配植授粉品种结果也良好。

但甜樱桃多数品种自花结实能力很差,必须配植授粉树。具体配置见表10-3。

表10-3　　　　甜樱桃主栽品种与授粉品种的配置

主栽品种	授粉品种		
早紫	黄玉	那翁	大紫
大紫	早紫	黄玉	那翁
那翁	早紫	水晶	大紫
滨库	大紫	红樱桃	红灯
红灯	滨库	大紫	

授粉树的配置比例为20%～30%。栽植方式可按行栽植或与主栽品种混栽。栽植前按预定的株行距挖沟。挖沟一般在秋季完成,经过一个冬天的熟腐,以便苗木成活与生长。如为穴栽,要求挖80cm×80cm×80cm的大坑;若开沟栽,则挖深、宽各100cm的沟。将树叶、杂草、秸秆等分解较缓慢的物质与土混合垫入穴(或沟)底,作底肥,再将表土与有机肥混匀放于穴(或沟)的上部,让其直接接触根系。栽植分秋植和春植。在我国的北方大部分地区,由于秋季干旱少雨,一年生樱桃苗易枯梢或抽干,所以,多采用春栽。在春季解冻后立即进行栽植,栽植过程中要使根系舒展,与土壤紧密接触,然后踏实;栽后及时灌定植水。

第四节　设施环境调控技术

设施栽培的关键是人为给果树制造一个良好的小环境,改变果树在当地露地栽培时固定的物候期,以达到果实提早或延迟上市的目的。利用设施,合理地调控环境因子,是设施栽培的重要环节。首先,要确定覆膜时间。从生理上讲,最早覆膜时间应在樱桃完成自然休眠以后进行。据Chandler等人研究,樱桃解除休眠大约需要经历7.0℃以下600～1 300小时的低温积累。这个低温,在我国北方大部分地区,一般要到 1 月下旬或 2 月上旬。但前人的研究多是对甜樱桃进行的,而针对中国樱桃尚没有进行过此研究。但从中国樱桃和甜樱桃的物候期比较而言,中国樱桃一般早于甜樱桃 10～20 天,因此,其低温需冷量应小于 600～1 300 小时。据河南省林科所樊巍等人的研究,在郑州地区矮樱桃最早覆膜时间应该在 12 月下旬。其试验记录如表 10-4。

表 10-4　　　　　　　大棚矮樱桃不同覆膜时间的物候期

覆膜时间(年·月·日)	开花期(年·月·日)	采收期(年·月·日)
1996.12.25	1997.1.20～30	1997.3.25～3
对照	1997.3.25～10	1997.5.5～10
1997.1.10	1997.2.5～13	1997.4.3～10
对照	1997.3.10～20	1997.5.1～8

揭膜时间要根据气候和果实生育期确定。一般是在 3 月下旬,先揭去两侧的棚膜,放风锻炼 2～3 天,再将膜卷到大棚上边。这样可促进果实着色,提高含糖量。下雨天或有寒流的夜晚,将棚膜放下,以防低温冻害和裂果。

从樱桃的生理因子分析,影响其开花结果时间的关键因子是温度和湿度。基于我国的农业生产总体水平,设施温、湿度调节主要靠覆棚膜、盖地膜、放风、盖草帘等简单措施。大棚樱桃不同的生育阶段,对温度和湿度的要求不同。

(1)大棚开始覆膜期。这一阶段一般为 7～10 天,应先覆棚膜,逐步提高温度,白天温度控制在 10～15℃,夜晚温度不低于 0℃。这时,空气相对湿度宜控制在 80% 左右。

(2)开花前。保温 7～10 天后加覆地膜,棚上夜晚加盖草帘。白天温度控制在 18～20℃,夜晚温度控制在 3～6℃。空气湿度控制在 80% 左右。

(3)萌芽开花期。覆膜后 3～4 周即开始萌芽开花,这一时期如果温度过高(25℃以上),会导致花梗变短,花粉发芽力降低,影响结实率。湿度过大,一是影响花粉粒散开,影响传粉;二是易感病害。因此,此期白天温度16~20℃为宜,切忌超过25℃,夜晚温度以5~6℃为宜;空气湿度以40%~60%为宜。

(4)果实膨大期。落花初期1周内温度不宜太高,以白天20℃左右、夜间5~7℃为宜;真正进入果实膨大期后,可适当提温,以有利于幼果细胞分裂,加速果实膨大。这时白天一般20~25℃,夜晚6~10℃。空气湿度宜控制在50%~60%。

(5)成熟期。这一时期大棚樱桃温、湿度的管理和前期基本相同。白天不要超过25℃,夜晚不要超过14℃,有利于提高樱桃含糖量及着色。湿度不要超过60%(见表10-5)。

表10-5   大棚樱桃不同生育期的温、湿度控制

生育期	覆膜至开花前		开花期	果实膨大期	成熟期
	前1~2天	开花前			
昼温(℃)	10~15	18~22	16~20	20左右	不超过25
夜温(℃)	70	3~6	5~6	5~7	不超过14
空气湿度(%)	80	80	40~60	50~60	50~60

第五节　栽培管理技术

一、整形修剪

(一)整形

樱桃树的整形,主要依据砧木种类、品种特性、棚室类型结构等的不同而异。目前,保护地樱桃生产上采用的树形可分下列几种:

1.中国樱桃树形

中国樱桃多采用改良主干形和自然丛状形。边行和临时株一般采用自然丛状形。主枝5~6个,结果枝着生于各主枝上,经常利用萌蘖进行地上枝更新。永久株一般采用改良主干形,这种树形类似苹果的自由纺锤形。其结构特点是:干高 40~50cm,中心领导干保持优势生长,中心干上直接着生 8 个左右小主枝(大型枝组),主枝间距 15~20cm,螺旋着生,主枝角度为 80°~90°,树高控制在 1.8~2.8m。

整形过程:定植后留 60~70cm 左右定干。在当年生长期中,对各级骨干枝的延长枝进行 1~2 次摘心,并调整主枝角度为 70°~90°,对直立枝进行扭梢或重摘心。休眠期对中心干延长枝剪留 40~60cm,并适当选芽刻伤。对选留的主枝缓放或去顶芽。第二年生长期修剪:对中心干延长枝和竞争枝处理同第一年,对当年选留的主枝缓放或去顶芽。第三年生长期修剪:对中心干延长枝和竞争枝处理同第一年,对当年选留的主枝开角;对上年主枝背上强旺枝重摘心或扭梢控制;其余枝条过密者疏除,留下的应进行重摘心或者扭梢。这样经过 3 年时间,树形基本完成。以后根据树高和主枝长势,决定开心的早晚。

2. 甜樱桃树形

甜樱桃主要有两种树形,自然开心形和改良主干形。自然开心形的特点是成形快,修剪量轻,结果早,管理方便。树体结构为:干高 20~30cm,树高控制在 2~2.5m,过渡行控制在 1.5~2m,一般要求距棚顶 40cm 左右。全树 3~4 个主枝,开张角度 40°左右,最后除去中心干,即为自然开心形。每个主枝上着生 3~5 个背斜或背后侧枝(大型结果枝组,插空排列),开张角度为 70°~80°,多单轴延伸。

整形过程:第一年生长期的修剪,在 30~40cm 处定干,对生长旺盛的直立新梢留 10~15cm 摘心,对其他的侧生新梢,当长至 30~40cm 时留外芽摘心,去上芽,促生分枝,培养主、侧枝延长枝,当延长新梢长至 30~40cm 时,进行第二次摘心。其余直立旺枝重摘心 1~2 次,有的可以扭梢控制生长。8 月份调整主枝角度为

40°左右,强主枝角度要大一些,弱主枝角度小一些。休眠期(落叶后至翌年发芽前)修剪,将主枝延长枝留40~50cm短截,其余枝条缓放或去顶。第二年生长期修剪,对各级骨干枝的延长枝继续摘心1~2次;对竞争枝和背上直立枝应重摘心或扭梢控制生长培养枝组,长枝应刻芽、摘心或扭梢。对于过密的新梢应适当疏除。8月份继续调整好骨干枝角度。休眠期修剪仍参照第一年进行。这样经过3年时间,树形基本完成,并开始结果,全树基本不剪。除疏梢或疏枝调整枝条密度外,不再用剪梢、缩剪、扭梢、刻芽等方法进行修剪。改良主干形与中国樱桃的整形方法一样。

(二)修剪

设施栽培修剪措施主要在生长期完成。

(1)拉枝、刻芽。从定植后的第2年开始,春季萌芽前将长枝拉到水平,扣棚前后,将高树落头,并通过拉枝调整大枝方位,以利扣棚;定植后的2~3年间,于春季萌芽前,对中央领导干以及枝条侧生芽部位进行刻芽,以促进成枝。

(2)夏季摘心。5月至7月上旬,主枝延长枝长到40~50cm时摘心,以促成分枝;主枝上着生的直立新梢,待长至10cm左右时摘心,以促进新梢基部成花。

(三)樱桃不同年龄时期的修剪

1.初果期的修剪

此期修剪的主要任务是完成整形,继续扩大树冠,增加结果部位,培养健壮的结果枝组;平衡好骨干枝之间的生长,为大量结果打好基础。

2.盛果期的修剪

盛果期修剪的主要任务是保持树势中庸、健壮、稳定的长势,维持合理的群体结构和树体结构,维持结果枝组的生长结果能力,延长盛果期有效结果年限。盛果期进行修剪的作用是:①通过修剪来稳定枝量和花芽量;②防止骨干枝多头延伸,应放出去,缩回来,维持树体大小适度,防止树与树之间交叠生长;③对可能出现的局部旺长或偏弱枝,采取"抑强扶弱"的修剪方法予以调整。要维持树冠体积的大小,既要防止树冠缩小,结果体积减少,产量下降,也要防止骨干枝无限延伸,引起树体交接增加,透光不良,内膛枝条枯死光秃而出现的不良后果。这可以通过对骨干枝的延长枝放出去、缩回来,抬高角度或开张角度等修剪方法来解决。维持结果枝组和结果枝良好的生长结果能力。对延伸型枝组,只要其中轴上的多年生短果枝和花束状果枝莲座叶发达,叶腋间形成的花芽饱满充实、坐果率高,可以采取缩放修剪方法予以维持。放时以中庸枝带头不短截;缩时轻缩到2～3年生长枝段上,选中庸偏弱的中枝带头,以保持稳定的枝芽量。当枝轴上的多年生果枝和花束状果枝叶数减少、叶片变小、坐果率下降时,则要及时轻回缩,选弱枝带头或"闷顶"不留带头枝。切忌重回缩,以免减少结果部位、降低结果能力。对分枝型枝组,通常在枝先端的2～3年生枝段外缩剪,促生分枝,增强长势,增加中、长果枝和混合枝的比例,维持混合枝的比例,维持和复壮枝组的生长结果能力。

3. 衰老期的修剪

大棚内的树由于受到较强的控制,如大幅度拉枝、大量疏枝、化学控制等,很容易衰老。为了延长其经济寿命,老树应尽早更新树冠,恢复产量。其方法是:对骨干枝在2～3年内分批缩剪更新,促使潜伏芽萌发,等长出新枝后,从中选留方向、角度均好的作为更新枝,多余的萌梢尽早抹除。待更新枝长到50cm左右时,适时摘心促发二次枝。以此尽早形成新的树冠,恢复产量。

二、土、肥、水管理

设施条件下,由于光照和温度不能充分满足樱桃生长发育的需要,特别是因为光照不足,影响了光合作用的正常进行,进而影响到树体的营养贮存水平。为此,必须通过改进土壤管理方法和施肥技术来补偿。

1.基肥

首先要结合土壤耕翻,进行早秋施肥。果实采收后,气温尚高,日照时间长,采后施肥能明显促进光合作用,增加贮藏营养,促进花芽分化,提高花芽质量,并可提高其越冬能力。采果后至7、8月份施用有机肥,株施腐熟鸡粪 10～20kg,或腐熟人粪尿 20～30kg,或猪圈粪 50～60kg;开沟施或结合土壤深翻时撒施。

2.追肥

追肥应在谢花后、硬核期之前进行,幼树株施复合肥 0.5～1kg,结果树一般株施复合肥 1～2kg 或人粪尿 25kg。

3.根外追肥

扣棚期间主要为根外追肥。盛花前期喷 0.3% 硼砂,盛花前后喷 0.3% 尿素及 600 倍磷酸二氢钾液。注意喷施应在下午或傍晚进行,主要喷洒叶背,以利于叶片吸收。另外,于扣棚后开花前对枝梢喷布 1%～3% 的尿素,可促进花芽发育。

4.适时灌水

樱桃对水分反应敏感,既不抗旱,也不耐涝。特别是谢花后到果实成熟前,是需水的临界期,更应保证水分供应。一般发芽后至开花前灌 1 次水。落花后,花芽的苞片脱落,应避免浇水,以防新梢徒长,或造成严重的落花落果,或引起裂果。果实采收后,结合追肥进行灌水,对树体恢复和花芽分化很重要。土壤结冻前,再灌 1 次透水。雨季还要注意防止积水。下雨后,要及时将积水排出;连续阴雨后,要及时中耕晒根。

第六节　病虫害防治技术

1.叶斑病

该病主要危害叶片,有时叶柄和果实也能受害。病原为真菌,在落叶上越冬。酸樱桃受害叶片产生褐色或紫色不规则坏死斑,数斑联合可使叶片大部分枯死,叶背产生红霉。甜樱桃受害叶片上的病斑大而圆,叶背有粉色霉点产生,病叶易早落。

防治方法:①清理落叶,集中烧掉。秋后翻土,经过一冬的冻晒,减少病菌。②在樱桃落花后,全树喷 1 次 1∶2∶160 的波尔多液,以后每隔 15 天再喷 1 次。多雨年份可适当加喷。甜樱桃最好用 0.2~0.3 波美度石硫合剂喷洒防治。③也可用代森锰锌、退菌特等常规杀菌剂进行防治。

2. 细菌性穿孔病

该病主要危害叶片。发病严重时,可造成早期落叶,削弱树势,从而影响产量。病原为细菌,在落叶或枝梢上越冬。发病初期,叶片上形成针头大的紫色小斑点,以后逐渐扩大,相互结合,形成圆形褐色病斑,病斑上的黑色小点粒,即为分生孢子块及子囊壳,最后病斑干缩,穿孔脱落。

防治方法:①清园,集中烧毁枯落物。②在樱桃发芽前,全树喷 3~5 波美度石硫合剂,或喷 1∶2∶160 波尔多液。展叶后可喷硫酸锌石灰液(硫酸锌 0.5kg,消石灰 2kg,水 120kg),也可喷 65%代森锰锌 500 倍液等进行防治。采果后,喷布 2~3 次 1∶1∶180 的波尔多液。

3. 流胶病

该病是樱桃的重要病害。流胶树先表现为树势衰弱,严重时整株死亡。流胶病的发病机理还不清楚,目前多数专家认为是一种生理性病害。春季开始,在枝干伤口处以及死组织处溢泌树胶。流胶后,病部稍肿,皮层及木质部变褐腐朽,腐生其他杂菌,导致树势日衰,严重时枝干枯死。

防治方法:①增施有机肥料,防止旱、涝、冻害,增强树势,提高树体抗性。②预防日灼:树干涂白或修剪时尽量不要造成枝干光秃。③减少伤口:加强病虫害防治,特别是蛀干害虫的防治。修剪时不要留太大伤口,避免机械损伤。④叶面喷施或土施铜、锰等微肥,也可减轻病害发生。⑤雨季防涝,及时中耕松土,改善土壤通气条件。⑥对已发病的枝干进行及时、彻底的刮治,并用保护剂(生石灰10份十石硫合剂1份+食盐2份+植物油0.3份+水调制而成)涂抹,也可用大蒜汁涂抹。

4．根癌病

该病主要发生在根颈处,有时也发生在侧根上。根部癌瘤大小不一,球形或不规则形。初发病时,乳白色或略带红色,光滑、柔软,后渐变褐色至深褐色,表面粗糙,凹凸不平。碱性土、土壤粘重、排水不良时,发病重。不同的大樱桃砧木中,中国樱桃砧很少发病,酸樱桃、山樱桃、实生甜樱桃砧发病重,考特砧木品种发病尤其严重。

防治方法:①选用抗病砧木。尤以莱阳矮樱桃为最好。另据山东果树所介绍,引自德国的吉斯勒砧很有前途。②苗木消毒。出圃苗木要严格检疫,发现病株要即行剔除、烧毁。苗木栽植前,要浸根消毒。③刮治癌瘤,发现癌瘤要彻底刮除干净,用生石灰10份+石硫合剂1份+食盐2份+植物油0.3份+水调制而成的保护剂涂抹伤口。刮下的癌瘤组织,要及时清理、烧毁。

5．红颈天牛

幼虫蛀食枝干,引起流胶,削弱树势。严重时,造成大枝以至整株死亡。它是危害大樱桃的常见害虫。

防治方法:①成虫发生前,在树干和大枝上涂抹白涂剂,防止产卵。②利用成虫中午多静伏在枝干上的习性进行人工捕杀。③小幼虫在皮下危害期间,发现新鲜虫粪,人工挖除。④用棉签蘸取50%辛硫磷10倍液或20%氰戊菊酯20倍液堵塞虫道,或用注射器将上述药液注入虫道内,每虫道10ml药液。

6．金缘吉丁虫

幼虫蛀食树干皮层,破坏输导组织,削弱树势,缩短树的寿命。

防治方法：①成虫发生期，清晨利用其假死性震落扑杀，或用黑光灯诱杀。②冬季或早春刮除老树皮，杀灭蛀入树皮的小幼虫，或在4、5月份，沿虫道（皮部柔软处）用刀挖取皮下幼虫。③6月间羽化盛期，往虫道内注射50%辛硫磷10倍液，消灭羽化成虫。

7. 桑白蚧

该虫害为蚧壳虫中的一种。以成虫和若虫在枝干上刺吸汁液，引起树势衰弱，花芽质量不好，严重时枝条萎缩干枯，以至整株死亡。

防治方法：①刮树皮。在冬季休眠期，刮除其越冬雌成虫。②萌芽前期全树喷布5度的石硫合剂。③生长期可在若虫孵化盛期喷布常规有机磷杀虫剂，如2 000倍50%的1 605液等。

第七节　采收、包装与保鲜

一、采收

设施栽培的樱桃，因其代价高，通常只用于鲜食。一般当地销售，多在充分成熟、表现出本品种的果实性状时采收；外销鲜食，则多在果实成熟八成左右时采收，比当地销售鲜食者提前1周左右。樱桃果实的成熟期，常因其在树冠中的部位和着生的果枝类型不同而迟早不一。另外，樱桃每丛花生1~6果，这些果实坐果早晚稍有差异，成熟期也不甚一致。因此，多根据其成熟的早晚，采收2~3次，历时1周左右。第一、二次按照用途采收成熟度适宜的果实，最后一次清园，把树上遗留的果实全部采收完毕。采收樱桃主要靠人工进行，因此要做好采前的一切必备工作。如四脚梯、内衬软质材料的盛具等。采摘时，要用手握果柄，用食指顶住果柄基部，轻轻地摘下。要注意轻采轻放，勿使果实脱把，避免伤损果面。在操作过程中还要注意，不要折损花束状果枝，以防影响来年产量。

二、包装

采收后的樱桃果实,要先在园内的集中场地进行初选,将病果、僵果、虫(鸟)蛀果、青绿小果、过熟果、畸形果、霉烂果和"半子果"剔除,然后装在筐中运往包装场分选包装。包装前,要根据果实用途进一步分选。特别是供作长途外销的,一定要把成熟度过高的果实挑选出来。樱桃是果中珍品,尤其作为设施樱桃,更可称得上人间仙物。这样的东西,如果还采用以往的柳条筐、木条箱、瓦楞纸包装,未免有美女披着破麻袋的感觉。近年来,设施栽培的樱桃多采用礼品包装加小包装。小包装材料一般采用低质或无毒可降解硬质塑料,制成精巧的果盒或果盘,规格一般为 25cm×10cm×3cm。外加印刷精美的手提礼品盒或礼品袋。将经过挑选的果实装入。装盒过程中,要轻轻摇动,使果实装紧、装实,以免运输过程中碰撞挤压。严格避免阳光直射,以防发热腐烂。

三、保鲜

鲜樱桃极不耐贮运。在设施栽培下,一般在 4 月上中旬成熟上市,这时我国北方大部分地区气温还很低,短时间内存放不会有太大的影响。为延长鲜果的市场供应期,就必须采用多种贮藏保鲜技术。目前,国内采用的贮藏保鲜方法主要有以下几种:

(1)地沟贮藏法。具体方法就是在背阴处挖一长方形的沟,沟的大小应根据要贮藏樱桃的量而定,放入樱桃后上面覆盖草帘或秸秆,使其保持一定的温度和湿度。这种方法可保鲜樱桃 5 天左右。

(2)低温贮藏法。低温贮藏有显著的保鲜效果,是目前较常用的一种方法。采用现有的冷库对果实进行预冷处理,在 1~2 小时内使果实温度降到 4℃~5℃,然后转入温度为 -1℃~1℃,相对湿度为 85%～90% 的库中贮存,一般可有效贮存 15～30 天。

(3)气调贮藏。这是采用化学平衡原理,延缓樱桃果内的生化反应的方法。具体操作是:对采后的果实在入贮前进行钙处理,这样能保持果实硬度和果汁含量基本不变。入室前先进行真空预冷,然后保存在环境条件为二氧化碳含量 10%～20%、氧气 0.5%～2.5%、温度为 0～2.5℃、相对湿度为 90%～95% 的气调室中。气调贮藏的最后几小时,要逐渐升高库温。另外,常见的保鲜贮藏方法还有减压气调法、药物浸泡法、变温处理法等。

第十一章 杏的设施栽培

杏是落叶果树中果实成熟最早的树种之一。杏不仅果实鲜美多汁、酸甜可口,而且富含人体必需的 17 种氨基酸和多种维生素,其中 $V_{B_{17}}$ 具防癌抗癌的功能,深受广大群众喜爱。因而,近年来杏栽培有了较快发展。在自然条件下,杏 5 月下旬即可成熟上市。在设施条件下,可将其成熟期提早到 4 月上旬。杏是设施栽培的重要树种之一。

第一节 优良品种

在华北地区,较早熟的杏品种从 5 月下旬开始成熟,最晚熟者为 7 月下旬。果实发育期为 55~100 天。绝大多数品种适于设施栽培。

杏原产我国,栽培历史悠久,分布极广,品种繁多,各地均有自己的地方品种。作为设施栽培品种的选择,应以果实大、成熟早、早期丰产性能好、品质优良的离核品种为主要目标。杏自花结实率很低,在选择主栽品种时,也应注意选择与主栽品种亲和力强的授粉品种。

以下介绍我国目前栽培的主要优良品种。

1. 骆驼黄

该品种原产于北京。5 月底至 6 月初果实成熟,平均单果重 49.2g,最大单果重 78.0g;圆形,果顶平圆微凹;果面底色橙黄,阳面有暗红晕;果肉橙黄色,肉质松软,汁液多,纤维中等,风味酸甜;可溶性固形物含量为 11.5%~15.0%。粘核。自花结实率低。露地盛果期树株产 50kg 左右。

2. 凯特杏

该品种是山东果树研究所 1991 年从美国加利福尼亚州引入的。果实在 6 月中旬成熟。果实较大,平均单果重 105.5g,最大者可达 150g;果形整齐,近圆;果色橙黄,酸甜爽口,口感纯正,芳香浓郁,品质上等。含可溶性固形物 12.7%。离核。极丰产,盛果期株产可达 35kg 左右。

3. 山黄杏

该品种原产于北京。6 月中下旬成熟。果实大,平均单果重 70.0g,最大单果重 80.0g;果实大小整齐,近圆形;果面底色橙黄,阳面有片状红晕;果肉橙黄色,肉质细,汁多味酸甜。可溶性固形物含量为 13.0%。半离核。丰产性能好,3 年生平均株产 21.5kg。

4. 玉巴达

该品种原产于北京。6 月上旬成熟。果实较大,平均单果重 61.5g,最大单果重 81.0g;果实整齐,近圆形;果肉多汁,肉质细,味甜酸,有香味。含可溶性固形物 12.0%～13.0%。离核。

5. 红玉杏

又名红峪杏。原产于山东历城县。6 月上中旬成熟。果实大,平均单果重 80g,最大单果重 125g;长椭圆形,果肉汁多肉厚,酸甜适度,品质上等。含可溶性固形物 15.9%。离核,苦仁。自花结实率低,需配置授粉树。鲜食、加工皆可。

6. 广杏

又名礼泉梅杏。主要产地为陕西省礼泉县和乾县。6 月上旬成熟。果实大,平均单果重 100g,最大单果重可达 250g;果形圆形,味甜多汁,品质极佳。甜仁,离仁。为优良丰产的大果鲜食品种。

7. 兰州大接杏

该品种原产于甘肃省兰州市郊。6 月下旬果实成熟。果实大,平均单果重 85g,最大单果重达 200g 以上;果实圆形或卵圆形,果肉金黄色,肉质柔软,汁多味甜,有芳香,品质上等。含可溶性固形物达11%。半离核,仁甜。产量高,品质好,是优良的大果鲜食品种。

8. 红金榛

该品种原产于山东省招远县。7月上旬成熟。果实大,平均单果重71g,最大单果重120g;长圆形,果肉橙红色,柔软多汁,甜酸适口。含可溶性固形物13.0%。离核,甜仁,品质上等。易加工,且抗病性强。

9. 沙金红

该品种原产于山西省清徐县。6月下旬成熟。果实较大,平均单果重65g,扁圆形,果肉紧密,甜酸适口。含可溶性固形物13%。苦仁,离核,丰产。适应性强。果实耐贮运。

10. 仰韶黄杏

又名鸡蛋杏、响铃杏。原产于河南省渑池县。6月中旬果实成熟。果实大,平均单果重89.5g,最大单果重达137g;卵圆形,果肉橙黄色,肉质细软,汁多味香,酸甜适口,品质极上。含可溶性固形物14%。苦仁,离核。

11. 贵妃杏

该品种原产于河南灵宝。6月上中旬果实成熟。果实较大,平均单果重55g,最大单果重79.6g;近圆形,果肉橙黄色,肉质细,汁液中多,味酸甜。含可溶性固形物13.5%。离核、半离核,甜仁。

12. 三原曹杏

又名三原唐杏。原产于陕西省三原县。6月上旬果实成熟。单果重80~88g;圆形,肉质柔软可口,味甜。可溶性固形物含量为11.2%。甜仁,离核。

13. 华县大接杏

该品种原产于陕西省华县。6月上中旬果实成熟。平均单果重 84g;果形扁圆;果肉柔软,品质极佳,味极甜。甜仁,离核。可溶性固形物含量达 13.0%。品质极佳。

14．二花曹杏

该品种原产于山东省肥城县。6 月上旬果实成熟。平均单果重 35g,最大单果重达 59.3g;果形椭圆,果肉黄色,粘核至半粘核,肉质中细,甜酸可口。含可溶性固形物 13%。

15．泰安水杏

该品种原产于山东省泰安市。6 月上旬果实成熟,果形扁圆,平均单果重 65g,最大单果重 96g。果肉黄白色,质细软多汁,香气浓郁,品质上等。含可溶性固形物 15%。苦仁,离核。

16．金太阳

该品种是山东省果树研究所 1994 年从美国引入的,系美国最新育成的品种。5 月下旬果实成熟。单果重 53.8g,最大单果重 97g;果皮金黄,阳面透红,果味甘甜,香味浓厚,品质上等。含可溶性固形物 15%。离核,核小。适应性强,耐瘠薄,抗低温。花器发育完全,自花结实,坐果率高。

17．阿克西米西

又名白干杏。原产于新疆库车。6 月中旬果实成熟。果形广卵形,单果重 20～28g。肉质细软,味极甜,味极甜。含可溶性固形物 20%～28%。甜仁,离核。是我国有名的丰产、优质、抗寒品种。

第二节　生物学特性

一、杏树对环境条件的要求

1．温度

温度对杏树的生长发育、开花结果有很大影响。杏树喜温、耐旱,树体在 -30～43.9℃仍能正常生长,但最适宜于杏树生长发育的温度为年平均温度 6~12℃。

杏的花器和幼果对低温很敏感,低温是造成其减产的重要原因。杏花受冻的临界温度,初花期为 -3.9℃,盛花期为 -2.2℃,坐果期为 -0.6℃,低于这个临界温度时就出现冻害。

温度对果实的成熟期、色泽、品质、风味均有直接影响,温度高时,成熟早,成熟时间也较一致,且果实含糖量较高,风浓味郁。

温度对杏树开花期的影响,见表 11-1。

表 11-1   **开花期与气温的关系**

(北京市农村科学院林业果树研究所 1984~1986)

年份	3 月份旬平均气温		开花前 40 天日最高气温平均值(℃)	开花期日均温(℃)	开花日期
1984	上旬 中旬 下旬	-1.3 0.3 1.9	10.6	12.2	4 月 20~24 日
1985	上旬 中旬 下旬	-6.0 -0.3 0.1	12.0	11.2	4 月 21~23 日
1986	上旬 中旬 下旬	3.0 1.8 6.1	12.3	11.7	4 月 13~17 日

2. 光照

杏树是喜光性很强的树种。世界上杏树分布范围多集中在北半球年日照时数为 2 500~3 000 小时以上的地区。如果光照不足,杏树会出现枝条徒长或生长细弱,结果枝生长寿命短,内膛光秃,果实品质差等不良现象。

3. 水分

杏树喜欢土壤湿度适中和空气干燥的环境条件。由于杏树根系发达、分布广,且能深入到深层土壤中,因此,杏树非常耐旱。在干旱的石质山坡、沙荒地,杏树也能正常生长。但土壤严重缺水,会影响树势和果实的产量及品质。开花期缺水还会造成大量落花落果。一般正常年份降水量在 400～600mm 范围内,杏树可正常生长、开花、结果。

杏树不耐涝,在雨水过多、土壤排水不良的粘重土壤上,积水稍久,轻则早期落叶,重则烂根,甚至整株死亡。开花期空气湿度过高,对授粉受精很不利,会使坐果率降低。

4. 土壤

杏树对土壤、地势的适应能力很强,除了通气性差的重粘土之外,无论在砂壤土、砂质土、壤土、粘壤土、微碱性土,还是在丘陵地、山坡梯田地和海拔 800～1 000m 的高山土地上,均能正常生长。但土壤肥力对杏树的生长、发育及果实的产量与品质、风味、树势和寿命等,都具有明显的影响。一般在砂壤土、砂质土、壤土及微酸、微碱性土壤条件下,杏树生长良好。

5. 矿物质营养

杏树所必需的矿物质营养元素有:氮(N)、磷(P)、钾(K)、钙(Ca)、镁(Mg)、硫(S)、铁(Fe)、硼(B)、锌(Zn)、锰(Mn)、钼(Mo)、氯(Cl)、钠(Na)等十几种。这些元素中,有些是大量元素,如氮、磷、钾、钙等,有些是微量元素,如铁、锰、硼等。

矿物质营养对杏树的正常生长发育起着非常重要的作用。为了获得高而稳定的产量和品质优良的果实,就必须满足杏树对各种矿物质营养的需要。否则,不管是总的矿物质营养水平的降低,还是个别矿物质营养元素的缺乏,都会引起杏树矿物质营养代谢的失调,使杏树生长发育受阻,最终导致产量降低和品质下降。

二、生长特征

1. 根系的生长

杏树属深根性树种,垂直根入土较深,一般可达 2～3m,最深者可达 6m。其根的生长早于地上部分,停止生长晚于地上部分。当早春土壤温度在 5℃时,细根开始活动;土壤温度在 18～20℃时,根生长最快。秋季土壤温度低于 10℃时,根生长最弱或停止生长。

2．枝条的生长

在 4 月上旬,当气温在 8℃左右时,叶芽开始萌发。随着气温的升高,当日均气温在 10℃ 以上时,枝条即进入旺盛生长期。一年中不同季节发生的枝条,可分为春梢、夏梢和秋梢。

杏树的枝条按其功能可分为营养枝和结果枝。由于生长势不同,营养枝又可分为发育枝和徒长枝。发育枝只着生叶芽,少数品种也着生花芽,但多在先端,其主要功能是扩大树冠和增加结果部位。徒长枝是由大枝上发生的直立枝,生长旺,节间长,分枝少,无花芽。

结果枝着生花芽和叶芽,按其长度可分为长果枝(大于 30cm)、中果枝(15～30cm)、短果枝(5～15cm)及花束状果枝(小于 5cm)。结果枝萌发以后生长迅速,从萌芽到停止生长,历时 20～30 天。其新的顶芽形成后,当年不萌发。一般结果枝年生长量为 5～10cm。

影响杏树枝条生长的因素很多,如品种、树势、树龄、树体贮藏养分的状况以及立地条件等。生长季节水分的多少,是限制新梢生长的关键因素。除此之外,与修剪技术的关系也很密切。重剪能刺激芽的萌发和生长,使之形成长枝。

3．芽的种类与分化

杏树芽依其结构和功能不同,可分为叶芽和花芽。按其在枝条上着生位置的不同,又分为顶芽和侧芽,其中侧芽着生在叶腋内,故又名腋芽。

杏树花芽是在前一年形成的,属于当年花芽分化、翌年开花结果的类型。它是枝条、叶腋间的侧生分生组织,经过一系列的演变而形成的,这一过程称为花芽分化。

花芽是形成产量的基础,只有分化出大量的花芽,才能保证来年的丰收。花芽分化包括两个阶段:第一阶段称为生理分化,叶腋间的雏形等发生一系列生理上的变化,实现营养生长向生殖生长的转变;第二阶段称为形态分化,在生理分化的基础上,雏形芽在形态上向花芽转变。

杏花芽分化与年周期气温变化密切相关。据兰州果树研究所观察,从花芽形态分化开始到雄蕊出现,主要是在高温季节的6月下旬至8月下旬进行,平均温度为21.9~22.3℃,雌蕊出现的9月份,平均气温为15.7~17.4℃。越冬期间,杏的花芽各部分仍在继续生长分化。

杏的花芽分化比较容易,但是性器官的发育容易受阻,形成雌蕊发育不完全的退化现象。发生这一现象的原因,首先受品种遗传性的制约。据调查,河北青龙县苦核白杏的退化花约为总花数的68%,而山白杏仅为1.5%~8.8%;辽宁省朝阳区白玉扁杏的退化花仅占2.6%,坐果率达64.7%;而小甜核退化高达60.5%,坐果率低至8.3%。其次是树体的营养状况,树体营养状况好,花芽分化好,完全花比例大,结实率高。据北京市农林科学院林业果树研究所调查,山黄杏在不同环境条件下,由于营养状况不同,完全花的比例和坐果率有明显的差别(见表11-2)。

表11-2   山黄杏在不同条件下完全花坐果率的对比

(北京市农林科学院林业果树研究所,1985)

栽培地点	管理措施	短果枝完全花(%)	总花坐果率(%)
供试品种园	施少量尿素、磷肥,冬春灌水、轻度修剪	51.2	11.3
大面积生产园	粗放管理	40.1	8.7

4. 叶片的形态与生长

叶片是树体进行光合作用、制造有机养分、进行呼吸和蒸腾作用的器官;还可通过气孔吸收水分和养分。叶片的生长状况对树体的生长发育、果实的产量及品质起着重要作用。

杏树叶为单叶互生。初生幼叶黄绿色,成熟后为深绿色。叶片的大小、厚薄决定着叶绿素含量的多少,进而影响光合作用、同化能力的大小。叶片大、肥厚而浓绿,意味着叶绿素含量较高,亦表明树体营养状况好。影响叶片大小的因素很多,除了品种因素外,环境条件对叶片大小及其生长状况影响极大。在生产上,通过叶片的颜色、大小变化而确定增施肥料的种类及数量的多少,是一个非常有效的方法。

5. 花的发育与授粉

杏树开花比其他果树早。在华北地区一般 3 月底至 4 月初。当日均气温达到 8℃以上时,花芽开始开放。在正常气候条件下,从花芽萌动到幼果形成需 25 天左右。单花期 2~3 天,单株花期 6~8 天。盛花期短,一般 3~5 天。开花顺序为花束状果枝—短果枝—中果枝—长果枝。

花开后,花粉通过风媒或虫媒传到柱头上,完成自然授粉过程。雌蕊保持受精能力的时间一般为 3~4 天。但开花后半小时是授粉最佳时间,授粉坐果率达 95% 以上;开花后 4 小时,坐果率为 75%;开花后 16 小时,坐果率为 60%;开花后 48 小时,授粉坐果率降低到 37.8%。

多数国内杏树品种为自花授粉不能结实。据山东省林业科学研究所报道,泰安水杏、东头、红荷苞、二花曹 4 个品种的自花授粉结实率均为零。野生山杏的自花授粉结实率达 49%。另据北京市农林科学院林业果树所 1984~1985 年对国内 27 个杏品种结实率的调查,其中 22 个国内优良品种自花结实率均为零。研究表明,杏树自然授粉坐果率高于自花授粉,而辅助授粉(人工授粉)又高于自然授粉。因此,在设施条件下,不仅要注意配置优良的授粉树,而且要注意加强人工授粉。

6. 果实的生长发育

杏果从受精到成熟,其生长过程大致可分为3个时期:第一迅速生长期;硬核期;第二迅速生长期。

第一迅速生长期,是指从花后子房膨大到果核木质化以前的期间,一般为28～34天。此期果实生长迅速,其生长量占成熟采收时的30%～60%,是形成杏果产量的关键时期,应注意加强杏园的水肥管理,以提高杏果品质及产量。

硬核期,是在第一迅速生长期后,果实增长变缓或不明显,纵、横径很少增大,果核发育加快,并逐渐木质化的时期。在此期间,种胚在核内迅速发育,胚乳逐渐消失。硬核期的长短一般为2～12天,果肉增重5%～10%。

第二迅速生长期,是在硬核期后果实再次迅速生长,直到果实成熟的时期。这一时期果肉厚度迅速增加。在此期间应注意加强杏园的水肥管理。

7. 落果

杏树落果现象严重,普遍存在"满树花,半树果"或"只见花,不见果"的现象。杏树有两次明显的落果:一次在花后2周左右,这时子房已膨大,幼果约为黄豆般大小;一次在果实迅速膨大期。这两次落果时间相对稳定,故又称为生理落果。

造成杏树落果的原因很多,除环境条件和栽培条件以外,树体内营养不足及花器不全而败育等也是重要原因。在落果期内,加强杏园的肥水管理,增强树势,合理疏花疏果,可有效地减少落果。

三、物候期

杏物候期包括花芽萌动期、开花期、果实发育期、落叶期。

杏树花芽一般在3月中下旬开始萌动,4月初或4月上旬开花,花期4~5天,山区可晚至4月中下旬。果实发育期是指受精后子房膨大至果实成熟这一时期,早熟品种18天左右,中熟品种28天左右,晚熟品种40天左右。杏树在10月下旬至11月上旬落叶。

第三节 苗木准备与栽植

一、苗木准备

苗木准备是在建园之前,根据杏树不同品种的特征,就建园区气候环境条件,选出适合于设施栽培的杏树品种以及授粉树品种进行育苗,或者到外地选购合适的苗木。当地苗木最好随起随栽,外地运来的苗木栽前须在水中浸泡1~2小时,使根系吸足水分后再栽植。栽前一定要修整杏苗的根系,剪掉伤根和烂根。

二、栽植技术

1. 园地选择

根据杏树的生长特性,应选择阳光充足、土层深厚、有机质含量较高、排水良好、地下水位较低的地块建园。土壤 pH 值以 6~8 为宜。土质不能过粘,且不易选用核果类迹地,以防重茬病的发生。为了方便浇灌和生产资料以及所产果品的运输,杏园地的选择还应靠近水源和交通较便利的地块,但不易紧靠路边,以减少尘土污染。要尽量避开污水和有害气体的污染源。另外,为了安全起见,园址不应建在有高压电线通过的地方。

2. 栽植时间

春季和秋季均是杏树栽植的好季节。一般在华北地区春栽为3~4月份,淮河以南地区为2~3月份。秋栽多在落叶以后至土壤封冻前进行,一般在10~11月份。

秋栽比春栽好。秋栽苗木当年伤口可愈合,根系可得到恢复,翌年春季能及时生长,成活率高,地上部分生长良好。且秋季时间长,可以充分安排劳力。有条件的地区,应多在秋季栽植。但秋栽杏树要注意防止抽条冻害的发生。

3. 栽植方法

一般宜采用开沟定植,要求开沟规格为 60mm×60cm。栽植时要注意杏树的栽植深度,以原来的根颈部稍底于地面为宜。栽后应立即浇水。

第四节　栽植方式与环境因子的调控

一、栽植方式和栽植密度

大棚杏树的栽植方式,应以宽行密株的长方形为好,使其南北成行。这样,不仅有利于通风透光,而且便于进行田间管理和行间间作。

杏树大棚栽植密度,应把握在每公顷 2 250～3 000 株之间,其株行距可采用 1m×1.5m、1.5m×2m、2m×3m 等规格。为了提高产量,早期可以适当密植,株行距可为 1m×1m。当树体长大,树冠郁闭,影响产量时,逐年间伐。间伐时,可采用隔行、隔株或隔行隔株同时进行的方式。

二、环境因子调控技术

杏树的设施栽培使调控杏树生长的微环境成为可能。通过对温度、水分、光照、空气成分和土壤营养状况的调控,可以使杏树生长得更好,从而达到丰产、优质的目的。

1. 温度调控

在设施栽培中,温度控制是否适宜至关重要,它关系到大棚栽培的成功与否。杏树生长发育与温度的关系,可以分为最低、最高和最适温度 3 个界限。在最适温度条件下,杏树光合作用强、生长快。在最高、最低温度界限内,其生长受到一定抑制。但杏树不同发育阶段对温度的要求不同,而且要具有一定的昼夜温差,才能促进果实糖分的转化,提高果实品质。杏树在不同的生长期,对温度的要求及适应范围也是不同的。其中花期和结果期尤为关键。在花前期,温度不能低于 0℃,以防冻死。花期的温度,要保证开花、授粉和受精的需要。据山东省林科所的研究,并对比杏树在自然条件下对温度的要求,制定出杏树在花果期的温度管理指标,见表 11-3。由于不同杏树的生长条件不一,表中指标仅供进行大棚温度调控时参考。

表 11-3　　　　　　杏树大棚温度管理指标　　　　（单位:℃）

项目	花前期	开花期	第一迅速生长期	硬核期	第二迅速生长期
最高气温	18~20	16~18	20~25	26~28	27~32
最低气温	2	6	7	10	15
日均气温	6~11	11~13	13~18	18~22	22~25
10cm 深处地温	6~11	12~13	14~19	19~24	24~27
30cm 深处地温	4~10	10~11	12~16	17~20	20~25

　　温度调控要把握花前期和花期、果实发育期的调控,注意协调好地温与气温。调温时要注意逐渐进行。
　　温度调控技术,包括增温技术和降温措施。增温技术,在北方十分寒冷地区,一般采用火炉、电热线、热风炉等设施加温;而在较暖地区,一般只在有寒流侵袭、严重降温时,才进行辅助加温,一般采用燃烧酒精或柴油等方法。
　　增加大棚内温度,除用上述增温技术外,还要做好大棚的保温工作。保温设施包括棚膜、不透明覆盖材料、围膜、防寒沟、风障等。

目前,我国塑料大棚的降温措施比较落后,多通过开启风口来降温。通风要根据季节、天气情况灵活掌握。另外,还可采取冷水洒地或喷雾的方法,使大棚内气温下降。

2. 光照调控

杏树大棚光照的调控,主要任务是如何增光,即针对棚内光照度弱、光谱质量差、光照时间短的特点,采用多种措施改善光照状况。大棚增光的措施很多,常用的有:选择透光率高的棚膜,采用合理的大棚结构,延长光照时间,悬挂反光幕,在地面铺设反光薄膜,清洁棚膜以利透光等。

3. 湿度调控技术

杏树耐旱怕涝,棚栽时应防止土壤过湿。湿度过大,常造成花粉粘滞,生活力低,扩散困难,对坐果妨碍很大。花期时应设法降低大棚内空气湿度,使之保持在 60% 左右较好。花前期湿度可适当高一些,但不能超过 80%。杏发育后期,若湿度过大,会使新梢徒长,影响冠域光照和花芽形成,此时湿度应小于 60%。

大棚内湿度控制,一般用通风换气、改变温度、适时适量灌水、及时增温等方法。

4. 二氧化碳浓度的调控技术

杏树二氧化碳补偿点为 100mg/kg 左右,饱和点在 1 000～1 500mg/kg。通常大棚内二氧化碳可维持杏树生长,但远不能满足需要,没有达到杏树进行光合作用的最适浓度,故而应设法提高大棚内的二氧化碳浓度。

提高二氧化碳浓度的方法与措施有:①多施有机肥;②及时通风换气;③施放干冰;④使用二氧化碳发生器;⑤用燃烧法产生二氧化碳等。特别应注意的是,在提高大棚内二氧化碳时,应把握二氧化碳施用的时间和浓度。

第五节　栽培管理技术

一、适宜树形

　　由于大棚的小环境限制,如何修剪,使杏树形成适宜大棚条件生长的树形,对于杏树大棚栽培很重要。适宜树形,可使大棚内杏树合理充分地利用空间、阳光,有利于田间管理,有利于杏树的生长发育。常用树形一般有自然开心形、丛枝状、"丫"字形、多主枝分层开心形、纺锤形等。在大棚栽培条件下,树形以"丫"字形为好,辅以少量自然开心形和其他树形。

二、大棚杏树的管理

1.杏树的修剪与控冠

　　杏树在幼年期的修剪,应以早结果为目的。为了早结果,修剪时以轻剪和疏剪为主,并结合拉枝、扭枝技术,使之通风透光好,以促进花芽形成。修剪以冬季修剪为主,主要对主枝延长枝进行短截。修剪本着"去弱留强"的原则,进行合理的疏除。夏季补充修剪,重要的是疏通光路,创造良好的光照条件,充实枝条,促进花芽分化。并结合拉枝、疏枝、摘心等技术。

　　大棚杏树整形的技术要点是:①不论采用何种树形,大棚杏修剪应以冬季修剪为主,夏季修剪为辅。②大棚杏树栽培密度大,要求树冠紧凑、矮小,定干要低,一般定干高度为 30～50cm,剪口下有不少于 3 个饱满芽。③定植当年分枝级次要多。④对各大主枝及辅养枝要适时拉枝,使其开张一定角度。⑤要及早抹除背上徒长枝。⑥通过绞缢或使用一些化学药剂来控势促花。⑦整形时要注意主枝、侧枝相对少留,枝组以中小型为主,修剪以疏剪为主,不易重剪,以免旺长。

在设施条件下栽植杏树,控制杏树树冠扩大是重要的一环。控冠可通过盆栽控冠或喷洒药剂进行化学控冠。化学控冠,主要通过适时、适量施用多效唑来予以控制。

2. 水肥管理

杏树在生长前期需水量大,土壤水分充足,有利于树体生长。生长后期,要控制水分,以避免过湿涝烂根。杏树在萌芽前应灌水1次,以利于萌芽、开花和结果。另外,在硬核期新梢生长和果实发育时期也应灌水,以保证杏果的产量与品质。

杏树根系早春便开始活动,故基肥应在冬前土壤封冻前施入,以有利于根系早期吸收。在生长期,为补基肥的不足,应进行追肥。追肥应在萌芽前期和硬核时期进行,且以施速效肥为主。施好基肥和追肥,有利于花芽分化和萌发,有利于果实的生长,可提高杏果实的产量和品质。

第六节 病虫害防治技术

一、主要病害的防治

1. 流胶病

杏流胶病是一种典型的生理性病害,主要发生于枝干和果实上。流胶处常呈胀状,病部皮层及木质部逐渐变褐腐朽,再被腐生菌感染,严重削弱树势。果实流胶多在伤口处发生,使果实生长停滞,品质下降。

防治方法:①避免造成树体的机械损伤,若造成了损伤,要及时给伤口涂铅油等防腐剂加以保护。②及时消灭蛀干害虫,控制氮肥用量。在树体休眠期用胶体杀菌剂涂抹病斑,以杀灭病菌。

2. 杏疗病

该病害主要危害杏树的新梢、叶片、花和果实。一般发生于落花后新梢长至 15cm 左右的时候。新梢染病后,整个新梢的枝叶全感病,病梢生长慢、节间短、叶片呈簇状,初为暗红色,后变为黄褐色,其上有微突起的黄褐色小点,此为病菌的性孢子器。病叶后期逐渐干枯,病梢也随着干枯。其上所结果实停止发育,并干缩、脱落或悬挂枝头。

防治方法:①当叶、梢初显病状时及时剪除,并集中烧毁,连续几年即可控制。②发芽前喷 3~5 波美度的石硫合剂 1 次,以消灭树上的病原菌。③开花前和落花后 10 天,各喷 70% 甲基托布津或 50% 退菌特 800 倍液 1~2 次。

3. 根腐病

该病害主要危害杏树侧根和部分主根,严重时整个植株枝条萎蔫,凋萎猝死。

防治方法:①严格杜绝在粘重地、涝洼地和重茬地建杏园。②给病树灌根,每株施用 10kg 硫酸铜或代森铵 200 倍液。另外,对重病区幼龄杏树可采用轮换用药的方法进行治疗和预防。

4. 炭疽病

该病害主要危害果实,也危害叶和新梢。病部生长缓慢,常使病枝向一侧弯曲,严重时,可使新梢枯死。被害果实除少数干缩成僵果外,绝大多数都在 5 月间脱落。

防治方法:①结合冬剪,彻底清除并烧毁杏树上的枯枝、僵果和地面落果,以减少越冬菌源。②在杏树发芽前,喷 5 波美度石硫合剂;果实长到豆粒大时,喷布 65% 福美锌 400 倍液或 50% 克菌丹 400~500 倍液,每隔 1~2 周喷 1 次,至少喷 3 次。

5. 疮痂病

又名黑星病。其主要危害杏果,也危害杏树枝叶。果实受害多发生在肩部,病斑仅限于表皮,病斑组织枯死后果实继续生长。病果常发生裂果,形成疮痂。受害后期,可导致流胶以至枯死。

防治方法:①结合修剪,剪除病枝并集中烧毁。②在落花后,喷布 14.5%的多效灵 1 000 倍水溶液,隔半月再喷 1 次;或用 25%甲基托布津 1 000 倍液或 65%代森锌粉剂 500 倍液喷布。

二、主要虫害的防治

1. 杏仁蜂

该虫害主要危害杏果。老熟幼虫在被害杏核内越冬,翌年 4 月中下旬化蛹危害杏果。被害果脱落或在树上干缩。老熟幼虫在核内越冬。

防治方法:①清除落果,集中消毁。②在幼虫产卵期(5 月上旬,杏果如豆粒大时)喷 2 500 倍液杀灭菊酯或 20%速灭杀丁 3 000 倍液防治。

2. 桃蚜

该虫害主要危害花器和叶片。在杏树芽腋、裂缝和小枝权等处越冬。1 年可发生 10~30 代,5 月上旬以后该虫繁殖最快,危害也最为严重。

防治方法:①在杏树芽萌动时,用 5~10 倍的甲胺磷液进行环涂防治,或喷洒 1 000 倍的速灭杀丁液。②展叶后喷"一遍净"或蚜风净粉剂 3 000~5 000 倍液。

3. 梨小食心虫

该虫害主要危害杏的果实。春季 4 月上旬越冬茧开始化蛹,第一代主要危害桃梢,5 月中下旬开始危害杏果,直到杏的采收期。

防治方法:①利用梨小性诱剂对成虫的发生进行预报,指导防治时期。②用 50%杀螟松 1 000 倍液或 90%敌百虫 1 000 倍液喷布防治。

4. 桑白蚧壳虫

该虫害主要危害枝干,偶而也危害果实和叶片。雌虫在枝干上越冬。4 月下旬雌虫开始产卵,5 月中旬第一代若虫开始孵化,分泌蜡质形成蚧壳。此时是防治的关键时期。

防治方法：①发芽前喷5度石硫合剂或用3~5倍久效磷液涂抹枝干。②若虫孵化期喷0.3~0.5度石硫合剂。③进行人工刮除。

5.球坚蚧壳虫

该虫害主要危害枝干和叶片。若虫在粗糙皮内越冬，雄虫4月上旬开始结茧化蛹，雌虫5月中旬产卵，6月份大量孵化，分散到枝、叶背上危害。

防治方法：①5月上旬进行刮除。②芽膨大时喷5度石硫合剂。③若虫孵化期喷0.3~0.5度石硫合剂。

6.杏象甲

该虫害主要危害嫩芽和花蕾。以成虫在土壤、枝干、树皮或杂草内越冬。当杏花开放前后危害花蕾和花，落花后产卵于幼果上，孵化后在果内取食危害，使果实脱落。幼虫老熟后脱果入土，羽化后以成虫越冬。

防治方法：①清除落果，集中消毁。②开花期清晨人工捕捉成虫。③喷20%速灭杀丁3 000倍液。

第七节　采收、包装与保鲜

一、采收

杏果采收是杏栽培的重要环节。采收的时期对杏的产量和果实品质有重大影响。采收过早，产量低，果实色泽差，酸度大，果肉硬，香味欠佳，品质不良；采收过晚，组织变软，落果多，不耐贮运，也影响产量和果实品质。

杏果适宜的采收期，可通过测定果实可滴定酸、可溶性糖、总糖、总酸的变化来判断。但此法比较复杂。较方便的方法可采用计算果实发育日期的方法,即由盛花期至果实成熟期的天数。由于这一方法误差天数较大,对不熟悉的新品种来说,困难更大。因此,在生产实践中,常结合感观来判断,即用肉眼观察其色泽的变化,用嗅觉闻其香味,用味觉尝其风味和软硬程度,这样基本上可把握该品种的适宜采收期。另外,如运输较远时,可提前 1~2 天采收。

杏果实柔软多汁,采收时应轻摘轻放。早熟的先采,分期采收。在一株树上,应自下而上、由外及里进行采收,以防果实被碰掉。

二、果实包装

设施条件下栽培的果树,杏果实 4 月上旬即可成熟上市,价格较高。为了提高商品价值,应注意包装。包装一般不易过大,以 1kg 左右一盒为宜,即每盒 8~10 个。根据果个大小分级包装。小型包装运销方便,亦便于消费者携带,且价格适宜,作为礼品或自己食用,一般人均愿意接受。大批运输时,可将小盒装入大的包装箱中。

三、保鲜

成熟的杏果不耐贮存,要求随采收、随包装、随销售。

在 4 月份的气候条件下,温度尚不太高,一般在室温下可存放 3~5 天。不同品种,不同成熟度,贮存的时间长短不同。

如果需要较长时期的贮藏,或是向外地销售,要做好果实的保鲜工作。保鲜设备可利用冷库和冷藏车。果实采收后预冷至 5℃ 左右,然后进入冷库或直接进入冷藏车。温度要保持在 0~3℃。如果贮藏温度维持 0~0.6℃、相对湿度 90%,一般可贮藏 7~14 天,某些耐贮品种,可贮藏保鲜长达 1 个月左右。

第十二章　李的设施栽培

李是我国最古老的栽培果树之一,距今已有二三千年的栽培历史。有些古老的优良品种,至今仍在广泛种植。如分布在浙江一带的檇李,已经有 2 500 多年的栽培历史,目前仍属我国李的优良品种。由于李所占中国人水果消费的比重不大,因此,在传统栽培模式下的李栽培面积也非常小。但其成熟早、口感好、富有营养,既可鲜食,又适于加工。尤其是一些早熟品种,其上市时间几乎与早熟杏差不多,成为我国北方落叶果树中继樱桃后较早供应市场的水果,对调节淡季水果市场供求,满足人民生活需要,具有十分重要的意义。其种植的经济效益,在小杂果中也属较高的一种。李以其特有的生物学特性,同桃、草莓、杏、葡萄一样,成为我国果树生产中开展较早的设施栽培果树树种。李在设施条件下栽培,可提早 30~45 天上市,最高单产可达 36 570kg/hm^2,经济效益极高。

第一节　品种选择

一、品种选择的原则和依据

李在长期的栽培训化中,产生了许多种与变种,再加上近几年果树科研工作者采用定向育种技术培育的新品种、从国外引种的一部分优良品种,我国现有 500 多个品种。这么多品种,并不都适合于设施栽培。那么,在设施栽培的品种选择上,应遵循什么样的原则和依据呢?目前采用的设施栽培,主要是以使果实提前成熟上市为目的的。所以,设施栽培首先选择的是果实发育期短、成熟早的早熟品种。其次,还要选择果个大、色泽好、香味浓、丰产性好、品质优、早果、抗病、易管理等综合性状较优的品种。李自花结实能力差,在设施内也不易传粉受精,所以授粉树的选择与搭配也非常关键。

二、优良品种简介

1.五月鲜

该品种主要分布于河南新乡、洛阳一带。属优良早熟品种。该品种树姿开张、树势中庸,主要以短果枝和花束状果树结果为主。果实近圆形,中大,平均单果重 50g。果顶平,缝合线浅,梗洼浅广。果梗极短。果皮底色黄,果粉少。果肉黄色,肉质细,纤维含量少,酸甜多汁,香味浓,品质上等。离核,最宜鲜食。果实成熟期在 6 月中旬,整个发育期 80 天左右。

2.玉皇李

又称黄李。其在山东、河南、河北、北京、江苏等地均有栽培。该品种树势强壮,树姿半开张,大小年现象不明显,较丰产。果实近圆形,平均单果重 43.5g,最大单果重 54g。果实充分成熟后,果面淡黄色,果粉白色而薄。果顶圆,缝合线浅,梗洼深狭。果皮薄,果肉黄色,粗纤维少、汁液多。风味酸甜可口。可溶性固形物含量为 14%,品质中等偏上。粘核。常温下可贮放 2 周左右。一般 4 月上旬开花,7 月 15 日左右果实成熟,果实发育期 80 多天。

3.盖县大李

该品种原产于辽宁盖县。其树势中等、树姿半开张、适应性强,抗病虫害能力强,以中短果枝和花束状果枝结果为主,丰产,稳产。无采前落果和裂果现象。果实圆形,特大,平均单果重 125g,最大单果重 165g,结果整齐,果形端正。果皮红色,底色黄绿,中厚,果点小而明显,果粉少。果肉橘黄色,肉质细软多汁,甜酸适口,有香气。可溶性固形物含量为 13%,品质极上。果实较耐贮运。离核,果核小。在露地7月上旬成熟,果实发育期80天左右。

4.大石早生

该品种是近年来引入我国的一个优良早熟品种。其树势生长中庸,树姿直立,结果后逐渐开张,耐寒耐旱,抗病虫能力强,早果丰产。果实为卵圆形,平均单果重49g,最大单果重106g。果皮底色黄绿,着鲜红色,果点中等。果肉黄色,肉质细而致密,充分成熟后变软,果汁多,味甜酸适口,具淡淡香味。总糖含量6.12%,总酸含量1.82%,维生素C含量7.19mg/100g。常温下果实可贮放1周左右。粘核,核小。在郑州地区露地栽植,3月下旬花芽萌动,6月上旬果实成熟,果实生长期65天左右。

5.李王

李王是80年代从日本引入我国的一个高糖度、极早熟优良品种。树姿半开张,幼树生长旺盛,直立枝条较多。定植后2年见果,3~4年丰产。自花结实率低,在设施条件要注意配置授粉树。无采前落果及裂果现象。果实近圆形。平均单果重102g,最大单果重158g。果实充分成熟后全面浓红色,果点不明显,果粉少。果肉橘黄色,肉质细软、多汁,香味浓,甜酸适口。品质极上。果核小,半粘核。较耐贮运。常温下可保存1~2周。露地果实成熟期为6月下旬。

6.美丽李

美丽李是中国李古老的优良品种。目前在我国栽培范围很广。该品种树势强壮,树姿半开张,主干粗糙、具条状弯曲突起,树皮黑褐色,纵裂。栽后第2年即可开花,第3年开始结果,5年以后进入盛果期。自花不结实,授粉树在设施内最好选择大石早生。无采前落果现象,主要以短果枝和花束状果枝结果。果实近圆形,平均单果重87g左右,最大单果重156g。果皮底色黄绿,阳面着紫红色,果粉厚。果肉黄色,肉质细密,多汁,味甜酸,具浓香。可溶性固形物含量12.5%。半离核。常温下果实可存放4~5天。

露地果实 7 月中旬成熟。

第二节 生物学特性

一、生长结果习性

李为小乔木,树冠小而紧凑,一般树高 3～4m,冠幅 5～6m。幼树生长旺盛,一年生新梢可多次生长,李树萌芽力强,成枝力弱,潜伏芽寿命较长。

李是浅根性树种,大部分根系分布在 20～40cm 深的土层内。水平根的分布范围较大,通常是冠径的 1～2 倍。其具体分布范围与品种、砧木类型、立地及环境条件有关。一般砂壤土比粘壤土深、广,山杏砧比毛桃砧、毛樱桃砧根分布深。李树根系没有自然休眠,只要条件适宜就可生长。土壤温度 5～7℃ 时,可发生新根;15～22℃ 为根系活跃期,超过 22℃ 则根系生长减缓。最适的土壤湿度是田间持水量为 60%～80%。李幼树有 3 次生根高峰:春季随地温上升,生长开始,当温度适宜时出现第一个高峰,随新梢生长,养分供应集中到地上部,根系活动减弱;到新梢生长变缓,果实迅速膨大前,出现第二个高峰,随后又因果实膨大和花芽分化转入低潮;秋季,土温降低,果实采收后,出现第三次发根高峰,但发根量明显少于前两次。此外,李树有发生根蘖的特性。根蘖的发生与土壤质地、温度、土壤物理性状有关。当李树地上部受到刺激或过于衰弱时,易发生根蘖。根蘖的出现会浪费大量的养分,应及时除掉根蘖。

根据枝条的性质,李的枝条可分为营养枝和结果枝。营养枝上着生叶芽,能抽出新梢 ,可扩大树冠和形成新的枝组。结果枝上着生花芽并能开花结果。结果枝可分为长果枝(30cm 以上)、中果枝(10～30cm)、短果枝(5～10cm)和花束状果枝。中国李以花束状果枝和短果枝结果为主,而欧洲李和美洲李以中、短果枝结果为主。枝条的生长,在年周期内表现有节奏的变化:初春气温较低,新梢生长速度很慢,叶片小,节间短,称叶簇期,此期所消耗的营养主要由前一年树体内的贮藏营养提供,前后需 7～10 天。随气温、土温升高,根系功能加强,新生叶片开始制造养分,新梢开始旺盛生长,枝条的叶片大,节间长,芽充实饱满。此期对土壤水分条件很敏感,若水分不足,则枝条停止生长过早;若水分太多,枝条徒长,不利于花芽分化,且易受冻害。6 月末到 7 月初,新梢生长缓慢,有部分新梢停止生长,开始积累养分,花芽分化加快,枝条出现明显的加粗生长。进入雨季,水肥充足,有些停长或缓长的新梢又开始生长。这段新梢称秋梢。秋梢不充实,易遭受冻害或抽干。

李的芽按类型分单芽和复芽。新梢顶芽为单芽,侧芽多为复芽。按芽的性质又分为叶芽和花芽。所有枝条的顶芽均为叶芽,用以向前延伸,扩大树冠。其他芽位,叶芽或花芽单生或并生。花芽为纯花芽,萌发后只开花,不生枝叶。李的芽具有早熟性,新梢上的芽可以当年萌发,连续形成 2 次梢或 3 次梢,为李果实的丰产打下基础。大多数李品种的芽,萌发力较强,其潜伏芽寿命长,易于更新。因此,李树寿命比较长。

李幼树生长迅速,一般 2～3 年开始结果,4～5 年丰产。多数李品种花芽分化盛期较集中,一般从 6 月中下旬开始到 8 月中下旬结束,持续 40～60 天。应当注意,李花芽分化与果实生长有 10～20 天重合时期。因此,在 6～7 月份间应加强肥水与土壤管理,满足花芽分化与果实生长对营养的需求。李树由于受遗传因素、营养不良、花期冻害等的影响,会出现不完全花:雌蕊瘦弱、矮小或畸形;雄蕊的花药瘦小,花粉量少、畸形、生活力低,可孕性差。因此,在保护地条件下,最好配植授粉品种。尤其是从国外引进的品种,许多只能异花授粉。李的受精过程一般需要 2 天才能完成。如花期遇不良天气或温度过低,则需延长受精时间。中国李花粉的发芽温度比较低,一般9~13℃就可以正常发芽,在0~6℃的低温下,也有相当数量的发芽率。花期大风,使柱头干燥,不利于花粉发芽。阴雨低温,不利于传粉受精,影响产量。

二、对环境条件的要求

1.温度

温度是李生长发育的关键性限制因子,不同品种对温度的要求差异很大。原产于我国北方的几个品种,可耐-35℃~-40℃的低温。而原生于南方的几个李品种则对低温反应敏感。欧洲李原产地中海南部地区,适于在较温暖的地区栽培,美洲李则比较耐寒,可在我国东北地区安全越冬。李的花期最适温度为12~16℃,根系生长的最适温度为18~20℃。20~30℃的温度最适于李树生长。花蕾期温度低于-1.1℃,开花期低于2.2℃,幼果期低于-0.5℃时,都会造成冻害。中国李开花较早,在我国北方平原地区易受霜冻而影响产量,但设施栽培就能解决这些问题。欧洲李比中国李开花晚,一般可以避免早春霜冻的危害。

2.水分

中国李适应性较强,在干旱或潮湿地区均能栽培。而欧洲李和美洲李对水分要求就较高。欧洲李蒸腾量大,对空气湿度要求较高。一年之中的不同时期,李对水分的要求也不相同。新梢旺盛生长和果实迅速膨大时,需水量大,这时对干旱最敏感;花期水分过多过少,都会引起落花落果;花芽分化期和休眠期,适度干旱较好。李树对地下水位要求较低,只要地下水位未升到根系分布区,李树就能正常生长。但以桃、杏作砧木时,对湿涝抗性较差。设施条件下,进行起垄栽培,既可抗旱,又能防涝。

3.土壤

李对土壤的要求不很严格,尤其是中国李对土壤适应性极强,但物理结构好、通气良好、土性柔和,有利于保水、保肥、保墒的土壤,可使李树根系发达、生长旺盛、产量高;而土层薄,土质粘重,保墒、保肥性差的土壤,使李树生长较差,早期落叶,树势早衰,产量低,经济寿命短。设施栽培李树,要求土壤沙粘比例适中,土层尽可能厚,pH 值以 6.2～7.4 为好。

4.光照

李是喜光树种,良好的光照条件可以使树势健壮,花芽分化良好,产量增加,果实色泽鲜艳,风味好。但光照过强易使果实及枝干发生日灼,养分同化作用减弱。一般来说,李树比较喜欢红、黄光较多的漫射光。设施栽培条件下,光照大多数能满足树体生长发育的需要。但有时修剪管理不当易造成郁闭,从而造成光照不足,影响树体生长发育。据测定,叶面积系数(绿叶面积与土地面积之比)达到 3～5 时,树体生长发育最好。

三、物候期

李树在年生命活动中,随着气候的变化,生长发育也呈现一定的规律性。但李树适应性强,在我国分布极为广泛,不同地区由于生物因子差异较大,从而造成物候期相差也较大。在河南郑州地区,花芽萌动期为 3 月上旬,叶芽萌动期较花芽约晚 15 天;开花期为 3 月末 4 月上旬,花期延续时间 10 天左右;而在辽宁,香蕉李的花芽萌动期在 3 月下旬。所以,李树的物候期很难从时间上界定。不过,无论北方或南方的李树物候期都是主要包括生长期和休眠期两部分。休眠期是北方果树为了抵御低温危害,在长期的自然演化过程中形成的一种防御性机能。其表现为地上部完全停止生长,叶片脱落,树液不再流动,枝条成熟变色,冬芽形成。李的自然休眠期必须在一定的低温条件下才能解除。一般中国李要在 7.2℃ 以下的有效低温下度过 700～1 000 小时(低温需冷量),才能完成正常的生长发育。如其低温要求不能满足,则不能正常开花结果,萌芽不整齐。北方露地条件下,12 月下旬至 1 月中旬就能满足李树的低温要求。品种不同,对低温的需求也不尽相同。表 12-1 为日本西元直对大石早生和七郎 2 个品种的实验观测结果。

表 12-1 不同品种李的低温时期

品 种	年 度	休眠解除日期	7℃以下低温时期(h)
大石早生、七郎	1988	2 月 10 日	940
七郎	1989	1 月 31 日	960
大石早生	1989	2 月 6 日	1 056
平均		2 月 5 日	952

当温度回升到 6~10℃ 时,李树开始萌芽,进入生长期。露地情况下,3 月份花芽开始萌动,4 月初新梢开始生长,4 月中旬至 5 月上旬为新梢旺长期,一直到 9 月份停止生长。早在 6、7 月份,露地李即开始了花芽分化,一般品种花芽分化期为 60 天左右,约在 9 月中旬花芽分化完毕。设施栽培,由于采用了人为对环境因子的调控措施,而调控措施和技术的不同,其物候期也有很大差别,前后最大可相差到 1 个月左右。以下是辽宁熊岳设施内大石早李品种物候期情况:

升温期	12 月 23 日
萌芽	1 月 20 日
始花期	2 月 6 日
盛花期	2 月 10 日
果实成熟期	5 月 8 日
落叶	11 月 17 日

准确掌握李在当地的物候期,对设施栽培非常重要,它决定各阶段技术的合理应用。

第三节 苗木准备与定植

一、设施苗木准备

用于设施栽培的苗木有芽苗和成品苗。但生产中以成品苗居多，因为芽苗成活率相对较低，很多情况下需要补植，从而影响经济效益。成品苗也有大、小、好、坏之分。设施栽培需选用一级苗，即苗木要求品种纯正，砧木类型正确，接口愈合良好，地上部枝条健壮充实，高度一般是由接口至顶端达 90cm 以上，在接口以上 10cm 处的苗直径应达 0.7cm 以上；在接口以上 40～80cm 的整形带内，有饱满而健壮的芽。如果整形带内发生副枝，副枝上也要有充实健壮的芽；根系要发达、健全，须根有 4～5 条以上，并分布均匀，侧根长度在 15cm 以上，并有较多的小须根，无严重的病虫害及机械损伤。

二、定植

设施李定植用的苗木，生产中常用的有两种：一是在苗圃培养 2～3 年生的大苗，春季定植在设施内，当年秋季开始扣棚升温；二是将 1 年生苗木定植在预建设施地内，培养 2 年后再建设施。随设施类型和棚室走向的不同，栽植的行向也不同，如薄膜温室必须坐北朝南，跨度 7～15m 不等，长度可长可短。因此，在薄膜温室中栽植的行向还是以南北行为好，有利于透光和管理。

生产中常用的定植方式有以下几种：

（1）长方形栽植。即行距较宽，株距较窄。这种方式通风透光良好，便于管理，株间距小，易封行。一般行距为 2.5～3m，株距 1～1.5m。

（2）正方形栽植。这种方式，通风透光一致，树冠发育匀称，株行间均可方便耕作。一般株行距为 $2.5m \times 2.5m$ 或 $3m \times 3m$。

(3)三角形栽植。即各行交错栽植,株行距亦为 $2.5m \times 2.5m$ 或 $3m \times 3m$。

(4)宽窄行栽植。即有大小行,每 2 小行夹 1 大行,大行行距较大,透光较好,便于管理。这种方式在设施栽植中应用较多,可提高密度和促进早期丰产。

李树有自花不孕的现象,有的品种虽然可以自花结实,但坐果率很低,故一般均要配置授粉树。授粉品种应具有以下特点:即与主栽品种能相互授粉亲和,经济价值都较高,开花时期相同,而且花粉量较大。在一栋设施内,最好栽植 2~3 个授粉品种。授粉树配置方式为:①等行配置。即 2 行主栽品种,配 2 行授粉品种,主栽品种与授粉品种各占一半。这种方式便于管理。②不等行配置。即在主栽品种树中栽 1 行授粉品种树,这 1 行内可有 2~3 个授粉品种。③株间配置。即每行的中间配 1 株授粉品种树。这种方式适于带状栽植。

第四节　设施环境调控技术

李设施栽培的关键环境因子同其他核果类果树一样,起决定作用的是温度和湿度。设施内的温度,主要靠扒缝通风、地面覆盖和揭盖草苫等保温材料来进行调节。湿度主要靠灌水、喷水和放风、地膜覆盖来调节。开始保温后的前 1~2 周,采用地膜覆盖,使地温迅速上升,以促进根系活动。根系活动时间越长,开花越整齐,完全花越多,结果也越好。相反,保温后使气温上升过早、过快,而地温跟不上,会造成开花不整齐,刺激叶芽过早萌发,结果也不好。因此,开始保温后,先不要急于升温,一般 3~5 天可进入正常升温。即在晴朗天气,早上太阳出来后,全部揭起草苫,因各地时区差异,一般在上午 7~9 时。下午 16:00 以后,再将草苫盖上。

白天保持20℃左右温度,夜间维持在3℃以上即可。这一时期对湿度无特别要求。花期是设施栽培最关键的时期,李树在7℃以上即可授粉受精,但最适宜的温度是18~22℃。此期白天温度不要超过27℃,使温度维持在7~8℃即可。花期湿度过高或过低都不利于授粉受精。当湿度低于30%时,柱头易干燥;如果湿度大于60%,花粉不易散开,更无法在空气中传播,此时湿度以50%为宜。幼果期要防晴天设施内高温,此期最高温度不能超过22℃,最低不能低于8℃。幼果生长期要保证足够的水分,如设施内过干,可灌小水1次。果实膨大期对温度要求也较高,相对较高的温度对果实的发育有利。一般在果实膨大前期,白天最高温度维持25℃左右;果实膨大后期,白天温度可提高到28℃左右,夜间温度保持在15℃左右。果实着色期和成熟期要求有较大的昼夜温差。昼夜温差大,有利于着色和糖分的积累,提高果实的品质。因此,此期的温度,一般要求白天保持27℃左右,夜间保持13℃左右。湿度控制在60%。1979年日本制定的大棚栽培技术标准,提供了设施内各生育期温、湿度管理界点(见表12-2),我国可根据各地的具体气候条件,参考使用。

表12-2　　　　　　　李设施栽培不同时期温、湿度要求

项　　目	保温初	开花期	盛花期	果实膨大期		着色至收获期
				前期	后期	
昼温(℃)	20	20	20~25 (授粉时18~22)	25	25~28	25~28
夜温(℃)	0~3	3~5	7~8	10~12	15	13~15
湿度(%)	80	80	50~60	50~60	50~60	50~60

第五节 设施管理技术

一、设施李树冬季修剪技术

冬季修剪,又称休眠期修剪,露地多在12月份至翌年2月份进行。设施栽培要在落叶到扣棚之前修剪完毕。冬季修剪主要是疏除一些不需要的枝条,如病虫枝、密生枝以及无法利用的徒长枝等,培养成一定形状的树冠,使各级骨干枝的生长保持平衡,培养枝组,促进形成结果枝,以调整生长和结果的关系。在设施栽培中,冬剪不像露地那么重要,修剪量也远小于露地,主要以疏为主,结合拉枝。常用冬季修剪的手段主要有短截、疏枝、回缩、刻伤等。

(1)短截。就是把1年生枝条剪去一部分,用以刺激侧芽萌发,使其抽生新梢,增加分枝数,以保证树势健壮和正常结果。李树的枝顶端优势明显,短截过重易冒条,树体旺长而推迟结果。所以,对于强旺李树或强壮枝的短截要从轻。

(2)疏枝。就是将枝从基部剪除。疏除的对象多为树干上的干枯枝,不宜利用的徒长枝、竞争枝、病虫枝,衰弱的下垂枝,过密的交叉枝、重叠枝等,使选留的枝分布均匀,通风透光良好,并集中养分用于花芽分化和果实生长。疏枝程度要因树、因地制宜,幼龄李树宜轻疏;进入结果期以后,多进行中度疏枝;大树可多疏枝;对衰老期李树,应精细疏除短果枝或花束状果枝。

(3)回缩,也叫缩剪。到盛果期以后,新梢的生长势逐渐减弱,所生枝条多为短枝,同时有些枝条开始下垂,结果部位上移,枝条下部出现光秃现象。这时,必须进行回缩修剪。应用适当的回缩修剪,可起到改善光照、复壮树势、延长结果年限、使各短枝得以更新复壮的效果。另外,回缩还用于培养结果枝组和老弱树的更新,也可以控制棚内树冠高度和树体大小。

(4)缓放。主要是对有些1年生枝条不进行修剪,经长放后缓和树势,以利于花芽分化,等其开花结果后再回缩培养成枝组。但长放的枝如果直立,必须将其基部扭伤或压平后再甩放,以削弱生长势。

(5)刻伤。在春季发芽前,用刀横切枝条的皮层,刻至木质部为止。在芽的上部刻伤,可以阻碍养分向上输送,而使该芽得到充足的养分,同时又使芽受到刻伤的刺激,有利于芽的萌发和抽枝。如果夏季在芽的下部刻伤,会阻碍碳水化合物的向下运输,使之积累在枝条上部,从而起到控制枝势、促进花芽形成和枝条成熟的作用。在设施栽培情况下,像刻芽这样的小手术,有很重要的应用价值。

二、生长季修剪

生长季修剪,是指在李树生长期中进行修剪或采取类似修剪的措施。其目的主要是抑制新梢徒长,促进花芽分化,增加分枝级次,改善光照条件,以提高果实品质和产量。生长季修剪的方法主要有摘心、扭梢、抹芽等。

(1)摘心和剪梢。在果树生长季节,摘去先端的生长点,叫摘心。剪去新梢的一段,叫剪梢。对幼树枝条进行摘心或剪梢,可以促其发生二次枝,加速扩大树冠,利于提早结果。

(2)抹芽。芽萌发后即去除,称为抹芽。春季将位置不当、生长过密的芽或嫩梢除掉,可节省养分,改善通风透光条件,并可避免在冬剪时造成过大的伤口。

(3)扭梢和捻梢。对于一些生长较旺的新梢,特别是着生在背上的旺梢,在枝梢中上部半木质化时,将其扭曲,称之为扭梢;将其捻曲而破坏其输导组织,减弱其生长势,叫捻梢。

(4)拿枝。在生长季用手对嫩梢自基部到顶部依次弯曲,伤及木质部,响而不折,把枝拿到一定角度,称为拿枝。拿枝需间隔3～5天连续进行2次,效果才稳定。

(5)拉枝。用铁丝或绳子,把大枝拉向理想的角度和方向,以起到开张角度、缓和树势、促进花芽分化的作用。

三、设施栽培整形技术

1.自然开心形

成品苗定植当年,在距地表 60~70cm 处定干。萌芽抽枝后,待新梢抽生 30cm 左右时选定主枝,第一主枝应配置在距地面 30cm 处;其上 20cm 左右处,选留第二主枝;与第二主枝相距 20cm,选留第三主枝。对不选作主枝的不必剪除,可从基部扭曲,使其生长受到抑制,不致影响主枝生长,并且用以辅养树体。冬季修剪时,各主枝通常剪去枝条的 1/3,副梢于基部留一芽剪去,其余在主干上被捻曲的枝条,过密的可自基部剪除。若主枝的着生角度过小或过于下垂,可利用里芽外蹬或选留内芽的剪法来改变角度。第二年对主枝顶端发生的新梢,除主枝延长枝外,其生长过密的应及早除去,保留少量早摘心,以免影响主枝延长枝生长。6月中下旬时,还要选留第一侧枝,第一侧枝应自主枝分生处 40~50cm 处选留,二侧枝应在第一侧枝上部 30~40cm 的相反一侧选留。侧枝应较主枝延长枝弱,与主枝分枝角约为 45°。冬剪时,可将主枝延长枝和侧枝先端剪去 1/3 左右,中、长枝适当短截,促使发育成结果枝;其余 5cm 以下各小枝,应全都保留以培养成结果枝和花束状果枝。第三年及其以后,整枝大致与第二年相同,每个主枝上配置 3~4 个侧枝,在侧枝上培养结果枝组。对主枝附近所生的竞争枝除萌或摘心。选留侧枝时,应当和上年留下的枝条错开,并注意各级枝的从属关系,防止重叠和交叉。这样经过三四年,树形即可形成。

2.疏散分层形

当年定植苗春季萌芽后,地面以上 40cm 左右部位不要有任何枝条,其上至 120cm 的主干上,选 4 个间隔 15cm 左右、方向相对错开的强壮新梢,待其长到 60～70cm 时,留 50cm 摘心,促进后部发枝,培养成基层主枝;其余新梢有空间的将其拉平,在基部环割,促使其成花结果。第二年在基层主枝上方 40～150cm 的中心干上选 8～10 个间隔 15cm 左右、呈螺旋着生的强壮新梢。待新梢长到 50～60cm 时,留 40cm 摘心,促其分枝,直接培养成大中型结果枝组,在基部主枝上不培养侧枝,直接着生 3～5 个大中型结果枝组,形成结果不离骨干枝的紧凑形树体结构。当中心干长到 3m 时,及时将其延长头拉平或剪除,控其延伸,冠径以株间不相互交接密挤为宜。夏季修剪主要对背上直立壮梢及剪口下第二芽枝进行扭梢和捻梢处理,削弱其生长势,以利早果。同时,对内膛着生的强壮新梢,除利用其作更新枝外,有空间就将其拉平并环割一刀,无空间及早疏除,以免扰乱树形、影响光照、消耗树体营养。进入盛果期后,冬剪时要留好更新枝,做好复壮工作,防止树势早衰。调节结果枝与营养枝的比例关系,使之保持 2:1～3:1,促进结果枝粗壮,增强连续结果能力。除对未达到预定树体大小的骨干枝延长头进行短截外,对更新枝也应适度短截,其余枝条一律缓放。如弱枝或下垂的串花枝过多,可适当疏除一部分,剩下的进行堵花剪。要保证叶果比为 1:5～1:8,方可保证连年丰产而无大小年结果现象。疏散分层形,具有树冠小、成形快、骨干枝级次少、易丰产、果品质量好和管理省工等优点。

3.“丫”形树形

新栽幼树留 20cm 定干,每株与行向垂直留东西向或南北向两个枝作主枝,中间拉成 60°角。夏季延长头长到 60cm 以上时,留 50cm 摘心或冬季留 50cm 短截,促使分枝,注意随时控制背上枝旺长。设施栽培时可不留侧枝,对主枝两侧旺枝拉平或下垂,结果后根据情况再回缩。一般栽植第三年树冠即可成形,以后对骨干枝要弱枝当头,拉枝开角缓和树势,促生分枝,疏除背上竞争枝。“丫”形适于密植,通风透光好,但因李枝条脆硬易断,在人工强求树形时,开角困难,背上易冒条,容易造成树形紊乱。

四、肥水管理技术

1.施肥

除在栽植时施足基肥外,以后每年秋季施基肥。秋季地温尚高,有利于肥料的转化和吸收,提高树体的营养贮藏水平和花芽的质量。此外,在各个生长发育期要及时补充营养。特别是几个关键时期要注意施肥:①花前肥。可于萌芽前 10 天左右追肥,以尿素等速效性肥料为主。②花后肥。此时正值幼果期,新梢也进入生长峰,应及时追施氮、钾肥,以避免营养竞争,减少生理落果,促进幼果、新梢正常生长。③果实膨大肥。生理落果期后,果实开始迅速膨大,此期要追施 3～4 次氮、磷、钾复合肥,有利于养分积累和果实膨大。同时,还可促进花芽分化。④果实采前肥。此期以磷、钾复合肥为主,促进养分运转和积累,增大果个,促进着色,提高果实风味。

2.灌水

设施条件下,水分利用率较高。因此,可以减少灌水次数,但应注意萌芽前后、幼果生长期、果实膨大期,以及采收后几个时期的土壤水分状况。

第六节 病虫害防治技术

病虫害防治,是李设施生产管理中的关键环节之一。李的病虫害种类较多,危害严重,并常可危害多种果树。常见的主要病害有李红点病、李黑斑病、李袋果病、果腐病、流胶病、腐烂病、根癌病等;常见的主要害虫有李小食心虫、李蛀螟、桑白蚧、李实蜂、红颈天牛、李枯叶蛾、红蜘蛛、李蚜、顶梢卷叶蛾等。这些病虫害常混合发生,尤其是在管理条件差的情况下,李树更易感染病虫害,轻者影响树体生长、产量低、果实品质差;重者造成树体衰弱、寿命缩短,甚至致使树体死亡。因此,应在加强综合管理的基础上,重视李树病虫害的预防。

1. 红点病

李红点病在我国李产区普遍发生,初期危害叶片,引起早期落叶,导致树体衰弱;后期危害果实,影响产量和品质。叶片染病初期,叶面产生橙黄色病斑,稍隆起,边缘清晰。随病斑逐渐扩大,颜色逐步加深,病部叶肉也随之加厚,着生许多深红色小粒点,遇阴雨天气,从其内涌出橙黄色卷须状孢子。到秋末病叶转变为红黑色,叶正面凹陷,背面凸起,叶片卷曲,并出现黑色小粒点(子囊壳)。发病严重时,叶片上布满病斑,叶色变黄,干枯卷曲,叶片早期脱落,导致李树生长不良。果实感病后,初期为橙红色圆形病斑,稍凸起,病斑逐渐增大,稍有凹陷,转成红黑色,其上散生很多深红色小粒点。病斑两边龟裂成月牙形裂缝,直达果肉,导致果实畸形,容易脱落,品质变劣,不能食用。此病从展叶期到落叶前都能侵染,尤其是降雨早、雨水多的年份发病率高;植株和枝叶过密、树势弱、土肥条件差的李园发病较重。

防治方法:①注意改良土壤,对感病植株增施磷、钾肥,增强树体抗病能力。②注意中耕、排水,避免园内湿度过大。③要清除病源,消灭越冬菌源;秋季翻地也是理想的防治措施。④药剂防治。在李树萌芽前喷 5 度石硫合剂;开花期至展叶期及果实膨大期喷1:2:200 波尔多液或展叶后喷 0.3～0.5 度石硫合剂 2～3 次;5 月下旬至 6 月上旬喷 65％代森锌 400～500 倍液。

2. 黑斑病

即李叶穿孔病。分细菌性穿孔病和真菌性穿孔病两类。其中,以细菌性穿孔病发生最普遍。主要危害核果类果树的叶片、枝梢和果实,严重时易引起早期落叶。叶片发病初期,多沿叶脉产生不规则水渍状斑点,后逐渐扩大为圆形或不规则形的褐色至紫褐色病斑,周围出现黄绿色晕圈。此后病部逐渐干枯。发病严重时,单片叶上发生十几个病斑,数个病斑汇合成一个大斑,使叶片枯焦脱落,大量落叶。枝梢上病斑有春季溃疡和夏季溃疡两种类型,春季溃疡斑多发生在上年夏季生出的枝条上,病菌于上年侵入,春季在枝条上产生暗褐色水渍状小疤疹,一般宽度不超过病枝周长的一半。夏季溃疡斑多于夏末发生,在当年新梢上以皮孔为中心形成水渍状暗紫色病斑,圆形或椭圆形,稍凹陷,边缘呈水渍状,病斑形成后易干枯。果实发病初期生淡褐色小斑点,逐渐变为圆形、紫褐色病斑,中央稍凹陷,边缘呈水浸状,干枯后病部产生龟裂,天气潮湿时,病斑上出现黄白色菌脓,常伴有流胶。真菌性穿孔病侵染叶片、枝梢、花芽及果实。叶部病斑近圆形或不规则形,中部褐色,边缘紫色,最后穿孔。幼叶被害时多数焦枯,不形成穿孔。枝梢被害时以芽为中心形成长椭圆形黑色病斑,边缘紫褐色,病部发生裂纹和流胶,有时发生枯梢。果实受害时往往形成凹斑,边缘呈红色。一般5月份开始发病,雨季为发病盛期。若园内通风和排水不良、肥水条件差,发病加重。

防治方法:①加强果园管理,增强树势,提高树体的抗病能力。结合冬剪,彻底清除病源,集中烧掉或深埋越冬病源载体。加强肥水管理,合理修剪,选用优质苗木和抗病品种等措施都可减少病虫害的发生。②药剂防治。树体发芽前全树喷布1:100的波尔多液或5度石硫合剂;展叶后至发病前,喷布70%代森锰锌可湿性粉剂900倍液,或70%普得丰可湿性粉剂1000倍液,可防治多种斑点落叶病;喷布65%福美锌可湿性粉剂500倍液,或50%甲基托布津1000倍液,每2周喷1次,连喷2~3次,可起到较好的防治效果。

3. 袋果病

又称囊果病。其主要危害李、樱桃等果树的果实、新梢和叶片。病果青里带红,肿胀呈囊状或袋状,中空、无果核或果核变小,病果皱皮呈暗绿色,后期病部表面生出一层白色粉末状子囊层,病果变成黑褐色,早期脱落。新梢发病后变粗,而其上叶片呈红褐色,叶及嫩梢呈肥厚畸形,并逐渐枯死。4月下旬至5月上旬为发病盛期。

防治方法:①发病初期,摘除病梢,病叶长出白色粉末状子囊层时,彻底剪除病梢,集中焚烧,减少病源。②于花芽露白时,喷3～5度的石硫合剂。若当年发病较重,可在落叶后喷2%～3%的硫酸铜液或绿得宝等铜制剂,效果明显。

4.褐腐病

该病害是李树的重要果实病害,危害叶、花、枝稍等部位。果实整个发育期均可发病,越近成熟发病越重。病果初期发生褐色圆形病斑,很快扩展到全部果面,果肉变褐软腐,在病斑表面产生同心轮纹状排列的灰褐色霉层。病果干缩变成僵果悬挂在果枝上。花器受害变褐,多雨季节呈软腐状,表面丛生灰霉;若气候干燥,病花残留枝上经久不落。嫩叶受害,叶缘开始变褐,很快扩展至全叶,呈萎垂状。病菌通过花梗和叶柄蔓延到嫩枝,常发生流胶现象;病斑绕树枝一圈时,引起上端枝枯死。

防治方法:①清除越冬菌源。结合修剪彻底清除地面及枝上的病僵果、病枝稍,集中深埋、焚烧;结合深翻,将地面病枝、病果等残体翻入土中。②及时防治病虫,尤其是及时防治桃小食心虫等蛀果害虫,以减少伤口和传病机会。③药剂防治。早春萌芽前喷1∶2∶120倍的波尔多液或5度石硫合剂。在花腐发生较重的地区,于初花期喷布70%甲基托布津800倍液;若无花腐发生,则应于谢花后10天左右,喷70%代森锰锌600倍液,或喷25%多菌灵300倍液,或喷70%甲基托布津800倍液。

5.流胶病

其发病原因复杂,不易根治,轻者树体弱,重者引起树体死亡。此病一般发生在主枝、主干上。初期病部皮层隆起,随后陆续分泌出半透明状褐色树胶,流胶严重的枝干,树皮开裂,布满胶质块,干枯坏死。当年生新梢染病,以皮孔为中心,产生大小不等的病斑,亦伴有流胶现象。有种理论认为,流胶病为一种非侵染性的生理病害,主要是由于细胞原生质产生一种酶,使细胞壁溶解、胶化、积累形成,在春季冷雨之后或雨季较易发生流胶;另一方面,枝干病虫害、冻害、日灼及机械伤害造成伤口,易引起流胶。此外,修剪过度、施肥不当、水分过多或不足等,均可引起树体生理代谢失调而发生流胶。

防治方法:①加强管理。增施有机肥,及时排涝防旱,改善土壤理化性质,提高树体抗病能力。②防治枝干病虫害,避免自然性伤害,减少枝干创伤。③药剂防治。在早春发芽前刮除病部,喷涂5度石硫合剂或40%福美砷50倍液,涂抹伤口保护剂。

6. 腐烂病

该病害在我国分布广泛,尤其是北方李产区,李树受冻后发生较重。幼树易感病。腐烂病主要危害主干、主枝,使树皮腐烂、枝枯树死。该病害从早春到晚秋均可发生,以4~6月份发病最重。病害初期症状不明显,随后病部稍下陷,外部可见流胶,病斑组织肿胀松软,呈黄褐色腐烂,有酒糟气味。其上下扩展较快,形成长条形病斑。

防治方法:①加强树体管理,培养树势,提高抗病能力。②注意防止冻害;彻底清除枝干害虫,结合修剪剪除病枝,刮去外层病树皮,集中烧毁。③病斑刮治后,易发生流胶,要及时涂抹伤口保护剂。保护剂可采用石硫合剂药渣、990A等。④药剂防治。可在发病前喷1次40%福美砷可湿性粉剂100~200倍液,秋季采果后再喷1次500倍40%福美砷液。生长期将病部老皮刮除,涂抹40%福美双可湿性粉剂50倍液。

7. 根癌病

又名根瘤病,是一种细菌性病害。在苗圃发生较多。李树受害后,发育不良,生长缓慢,树势衰弱,经济寿命短。菌性根癌病主要发生在幼苗的根颈部,嫁接口附近,有时也发生在侧根上。受害根部形成形状、大小不等的肿瘤,多为球形或扁球形,也有数个瘤连成不规则形。初生时乳白色或略带红色,后变为深褐色,内部组织木质化,老病瘤表面组织破裂,或从表面向中心腐烂,有的从基部脱落,并在原生病瘤附近产生新的病瘤。

防治方法:①繁殖无病苗木。选择无根瘤病的田块作圃地,严禁从病园采集接穗;发现病苗应立即拔除;嫁接苗木应用芽接,注意保护接口,避免接口接触土壤。②对苗木进行消毒。定植前应认真检查。加强栽培管理。减少染病,多施有机肥,碱性土壤适当施用酸性肥料,还应注意防治地下害虫。③刮治病瘤。早期发现病瘤应及时切除,并用30%DT胶悬剂300倍液消毒或涂波尔多浆保护伤口。

8. 李小食心虫

简称李小。其分布较广,是李树的重要害虫之一。该虫幼虫蛀食李果,蛀果前在果面上吐丝结网,幼虫于网下啃咬果皮,再蛀入果肉。不久,果面渐变成紫红色,提前落果。幼虫在果内纵横串食,使果实无法食用,果内虫粪堆积而成"豆沙馅",造成大量落果,严重影响产量和品质。越冬幼虫于翌年4月下旬出土,在1cm深的表土层中结茧化蛹,5月下旬即羽化为成虫;越冬成虫于6月上旬出现,6月中下旬为盛期。成虫发生持续1个月左右,具趋光性,昼伏夜出,黄昏时在树冠周围交尾产卵,卵期7天左右,即孵化成幼虫。幼虫在果面爬行几小时即蛀入果内。

防治方法:①培土压茧。4月下旬,在树干周围70cm内培10cm厚的土层并踏实压紧,使羽化的成虫不能出土而死亡。②地面施药。越冬代成虫羽化前或第一代幼虫脱果前,在树冠下地面施50%辛硫磷乳油300倍液,也可用5%西维因粉剂,每株施用100g,施入树盘土壤中。③树上喷药。在成虫发生期,树上喷布

50%杀螟松乳油1 500倍液或20%杀灭菊酯乳油5 000倍液,杀灭卵和初孵化幼虫。④物理灭虫。在果园挂黑光灯或设糖醋液盆诱集成虫。

9. 桃蛀螟

幼虫主要危害果实。蛀食果实时,先在果梗、果蒂基部叶丝,而后从果梗基部沿果核蛀入果心,咬食果肉或嫩核仁;果实被蛀后流胶,并有大量红褐色粒状粪便排出,使果实腐烂变质,难以食用。在5月化蛹,5月中下旬越冬代成虫羽化。第一代幼虫危害盛期在6月上中旬;7月上中旬出现第二代幼虫,危害盛期在7月中下旬;8月上中旬出现第三代幼虫,8月中下旬为危害盛期;9月上中旬出现第四代幼虫,9~10月份老熟幼虫陆续进入越冬状态。

防治方法:①消灭越冬幼虫。早春刮老皮,清除果园及周围的越冬寄主。②诱杀成虫。利用成虫的趋光性,应用黑光灯,诱杀待产卵的成虫。③摘除虫果,拣拾落果,集中销毁。④树体施药。在产卵盛期至幼虫孵化期,喷50%杀螟松乳油或50%辛硫磷乳油1 000倍液或2.5%溴氰菊酯5 000倍液,防治卵和幼虫。

10. 枯叶蛾

别名贴树皮。其主要以幼虫危害李树。咬食嫩芽和叶片,往往将叶片吃光,仅残留叶柄,对树体生长发育极为不利。6月下旬至7月成虫羽化,成虫昼伏夜出,有趋光性。幼虫孵化后取食叶片,达2~3龄时,静止不动,进入越冬状态;幼虫体色与树皮颜色相似,不易被发现。

防治方法:①人工捕杀,结合修剪或果园管理,捕杀幼虫。②药杀幼虫,在3龄之前喷药防治,喷布50%敌敌畏乳油或50%杀螟松乳油1 000倍液,也可喷洒50%辛硫磷乳油1 000倍液,或90%敌百虫1 500倍液。

第七节　果实的采收与包装

果实的采收与包装,是李子设施栽培的最后一步,也是果品转化为商品的重要环节。果实采收的时期与方法,直接关系到果品的经济效益与货架寿命。果品后期处理与包装,可获得远高于果品本身的价值。所以,要适时采收、合理包装。

适时采收的关键,是准确判定果实的成熟度。那么,怎样确定成熟度呢?判断果实成熟度一般依据果皮的色泽、果肉硬度、果实口味、脱离果树的难易、果实固定生育期等。

掌握准确判定成熟度的方法后,就要确定果实采收期。确定果实适宜的采收期十分重要。采收过早,产量低、品质差;采收过晚,果实过熟,不耐贮运,影响果实货架寿命,直接影响收益。何时采收,应根据品种和用途的不同而定。除取决于果实成熟度外,与采后用途、贮藏方法、运输方式及距离和市场需要、气候条件等方面都有关系。一般来说,如果果实外销,须经得起长途运输和贮藏,采收最好在果实生长发育已达到可采阶段,但还不完全适于鲜食,即平常说的八成熟。这时,果实已完成了生长和各种化学物质的积累过程,大小已定形,果面呈现出本品种固有的色泽,采后果实可以自然完成后熟过程。果实用于鲜食、短期贮藏、短途运输的,应在果实已充分成熟时采收,这时品种特有的色、香、味、营养价值最高,风味品质最佳。

李果采收时还应注意选择适宜的环境条件。阴雨、露水未干或浓雾时采果,会促使果皮细胞膨胀,易造成机械损伤,便于病原微生物侵染;晴天中午采果,果实体温高,田间不易散热,会促进果实腐烂,造成不应有的损失。因此,最好选在气候凉爽的晴天,晨露已经消失、果温不高时采收,一般在上午 8~11 时和下午 3~6 时采收较为适宜。

采收李果要防一切机械损伤,如指甲伤、碰伤、摔伤、压伤等,要轻摘、轻放、轻装、轻卸,并要防止碰伤枝条、折断果枝、破损花芽。采果、装果工具要轻便,直接接触果的部分应柔软。采果的顺序是由下而上,从外围到内膛。采时用手握果实,以指按果柄,将李果扭向一方或向上轻托,使果实与树枝分离。

合理的包装,是果品长途运输和获得高额附加值的重要措施。好的包装可以减少贮藏、运输和销售过程中互相摩擦、挤压、碰撞等造成的损失,也可减少水分蒸发,保持果品质量和耐藏性。美观大方的包装,给人以赏心悦目的感觉,进入超市可获得很好的销售价格。大量外调李果应采用优质纸箱,最好用钙塑瓦楞箱。装果时应先用纸张或软泡沫塑料做垫衬物,然后将果实逐个包纸。包果纸要求质地柔软、光滑、洁净、无异味、具韧性。包好后分层摆入箱内,空隙处用软泡沫塑料填充,以减少晃动。装好后封箱,以备发运。另外,直接进入超市的李果可采用礼品装,每8~10个精选净果为一个小包装,采用精美的礼品盒外包。

李果保鲜贮藏,以采用机械冷藏库结合使用硅窗调节气体包装袋效果较好。李果采收后,尽快在0.5~1℃的温度条件下预冷,然后再置于0.5~1℃、相对湿度在85%~90%的条件下贮藏。此外,利用通风库贮藏、土窑洞里湿沙贮藏及气调贮藏等,均能收到良好效果。由于李果在贮藏中容易发生褐变,最好采用变温处理。其方法是:将果实放在0.5℃条件下贮藏15天后,升温达18℃保持2天,再转入低温贮藏。

参 考 文 献

1　Angeli L, Bellini E. Sillari B. Resultati economici del pesheto-proto in coltura protetta. Colture protette, 1980, 9(12): 27~32

2　Angeli L, Bellini E, Sillari B. Resultati economici del pesheto-protoin coltura protetta. Frutticoltura, 1981, 43(6): 19~24

3　Caruso T, Inglese P and Motisi. A Greenhouse fored and field growing of "Maravilha" Peach Fruit Varieties Journal, 1993, 47(2): 114~122

4　Cho-Doohyun, Kim-jinsoo, Yoon-JaeTak, CHoi-seong Yong, CHoi-BOoSull, CHO-DH. Effects of rain shelter and reflecting film mulching on fruit quality and disease infection in peach. Journal of Agricultural Science, Horticulture, 1995, 37(2): 456~460

5　Dauriach j. Pecher sous abrien "hors-sol": une experience pui donne ardflechir. arboriculture Fruitiere, 1986, 33(386): 41~43

6　Erez A, Yablowitz Z, Nir G. Container-grown peach orchard Compact Fruit Tree, 1989, 22: 96~98

7　Falpui D, Lovicu G, pala M, Serra G, Tognoni F, Leoni S. High density protected culture of peaches: a three-year research study on "permanent canopy" cultivaion in Sardinia. Acta Horticulturae, 1994, 361: 565~573

8　Fideghelli D. Protected cultivation of tree fruits in italy. Chronica Horticulturae, 1990, 30(1): 5~6

9　Idso SB, Kimball BA. Effects of atmospheric CO_2 enrichenmt on photosynthesis and growth of sour orange trees. Plant Physiol, 1992, 99(1): 341~343

10　Kosetenko Yu A. How to hasten peach peach cropping. Sadovodstvo I Vinogradarstvo, 1990, 12: 38~39

11　Lalatta F. Piante da frutto in colture protetta. Italia agricola, 1976, 113(1): 37~42

12　Lalatta F. Aspetti della forzatura del pesco con film di materia plastica. 5 Conv Appl. Materia plastiche in Agr. 1971, 36~37

13　Leuty SJ, Miles NW. Peaches under Plastic-will it pay? Compact Fruit

Tree,1983,16(5):38~41

14 Nishi S. Prtected horticultruaral in japan: the present and the future. Plasticulture,1995,108:3~12

15 Overdiech D. The effects of preindustrial and predicted future atmospheric CO_2 Concentration on Lyonia matiana L. D. Don. Functinnal Ecol,1989,3:569~573

16 Ridray G,Clanet h. La conduite du pecher en serre en culture hors sol. Bordeaux,1988. 2-3:201~213

17 Scanmuuzzi F,Bellini E. II Pesco in coltura protetta. Italia Agricoal,11973,110(1):107~116

18 Schmid G H. Method in Enzymology. Academic Press,London,1971

19 Olimpios C M. The Situation of Protected Cultivation in Greece. Plasticulture,1991,91:5~16

20 艾爱华等.现代果树生长新技术汇编.北京:中国林业出版社,1997

21 边卫东等.油桃花芽形态分化和胚珠发育过程的观察.河北农业技术师范学院学报,1998,12(1):68~70

22 滨池文雄.桃树塑料大棚栽培技术.(日)今日农业,1987,31(4):128~134

23 蔡春华等.利用冬暖大棚栽培李树的技术.落叶果树,1999(2):35~36

24 樊巍等.果树设施栽培技术.河南农业科学,1998(2):38~39

25 樊巍等.葡萄设施栽培技术.河南农业科学,1998(8):29~30

26 冯殿齐等.鲜食杏塑料大棚栽培试验研究.山东林业科技,1998(6):6~10

27 冯殿齐主编.杏大棚早熟丰产栽培技术.北京:金盾出版社,1999

28 冯惠中等.甜樱桃树体枯死原因及防治措施.河北果树,1997(3):16~17

29 韩凤珠等.塑料日光温室油桃高效栽培技术.北方果树,1997(2):29~30

30 河北农业大学.果树栽培学总论.北京:农业出版社,1980

31 傅永福,孟繁静.植物的成花决定.植物生理学通讯,1997,33(2):81~87

32 高东升等.果树大棚温室栽培技术.北京:金盾出版社,1999

33 高东升等.国外果树设施栽培的现状.世界农业,1997(1):30~32

34 李莉.我国设施果树生产现状与发展对策.北京果树,1999(6):4~5

35　李仁芳等.葡萄延迟栽培的效果.山西果树,1999(5):11～12

36　李宪利等.果树设施栽培的原理与技术研究.山东农业大学学报,1996,
　　37(2):227～232

37　李宪利等.桃树塑料大棚高效栽培的尝试.落叶果树,1996(4):26～28,
　　36

38　李秀杰,陈中等.桃树设施栽培.北京:中国林业出版社,1998

39　刘宁,赵文东等.葡萄设施栽培.北京:中国林业出版社,1998

40　刘威生等.樱桃设施栽培.北京:中国林业出版社,1998

41　刘中昌等.桃树保护地栽培的棚式结构、品种及密度.烟台果树,1997
　　(2):6～8

42　刘中昌,王永志.桃保护地栽培的棚式结构、品种及密度.烟台果树,1997
　　(2):6～8

43　马光瑞等.桃高温大棚促成栽培技术.烟台果树,1995(3):36～37

44　尚书旗等.设施栽培工程技术.北京:中国农业出版社,1998

45　施定基.设施生理效应的初步研究.植物生理学通讯,1983(3):30～33

46　束怀瑞.果树栽培生理学.北京:农业出版社,1993

47　宋玉峰等.保护地油桃树体养分积累与分布的研究.北方果树,2000(2):
　　7～8

48　唐士勇等.塑料薄膜温室李树栽培温湿度调控的研究.北方果树,1998
　　(4):8～9

49　唐士勇,郁香荷.李树设施栽培.北京:中国林业出版社,1998

50　王力荣等.桃保护地栽培的关键技术.果树科学,1997,14(2):137～138

51　王金政.山东省果树保护地栽培发展现状、存在问题及对策.落叶果树,
　　1998(1):32～34

52　王金政等.油桃、樱桃、李、杏、葡萄、塑料大棚栽培技术.北京:金盾出版
　　社,1998

53　王金政等.凯特杏优质高效保护地栽培技术总结.落叶果树,1999(3):31
　　～32

54　王明章等.油桃日光温室内栽培管理.烟台果树,1997(4):18～19,25

55　王玉山等.杏大棚温度管理标准制定及调控.河北果树,1997,4:11～12

56　王卫等.佛手保护地集约化栽培技术.山东林业科技,1999(6):37～38

57 王志强等.桃、油桃设施栽培研究现状与展望.果树科学,1998,15(4): 340～346

58 王中英等.果树的设施栽培.世界农业,1997(6):28～31

59 王忠和.草莓普通大棚抑制栽培.落叶果树,1999(2):37

60 汪景彦主编.北方果树早熟品种与丰产栽培技术.北京:中国农业出版社,1998

61 吴邦良等.果树开花结实生理和调控技术.上海:上海科学技术出版社,1995

62 吴毅明,徐师华.温室塑料棚环境管理.北京:农业出版社,1990

63 夏国景.日光温室伊尔二号油桃单株产量与新梢、叶片的相关性研究初探.烟台果树,1998(4):11～12

64 鸭田福也.日本落叶果树设施栽培的技术动向.果树日本,1990(3): 18～21

65 于绍夫主编.大樱桃栽培新技术.济南:山东科学技术出版社,1996

66 袁安良等.桃树大棚高产高效栽培技术.河北果树,1997(4):18,20

67 张凤敏,宫美英.桃树高效设施栽培技术.北京:中国农业出版社,1999

68 张洪敏.早美光油桃保护地栽培早期丰产技术.河北果树,1997(3):22

69 张秀刚等.草莓基础生理及其栽培.北京:中国林业出版社,1995

70 张宗坤等.保护地大樱桃生长发育与环境条件相互关系.烟台果树,1996(3):3～5;1997(1):9～11

71 赵改荣,黄贞光主编.大樱桃保护地栽培.郑州:中原农民出版社,2000

72 赵鸿钧.塑料大棚园艺.北京:科学出版社,1987

73 赵文东主编.葡萄保护地栽培技术.北京:中国农业出版社,1999

74 中尾茂夫.大分县的桃、李覆盖栽培.(日)农耕与园艺,1982,37(4):128～134

75 邹显昌,王金政.适宜保护地栽培的果树品种资源.落叶果树,1998(1):9～10